LES HOMMES À LA CONQUÊTE DE

de Daniel Welzer-Lang et Jean Paul Filiod

est le quatre cent quatre-vingt-huitième ouvrage

publié chez

VLB ÉDITEUR

et le huitième de la collection

«Des hommes en changement».

Autres ouvrages parus dans
la même collection

LES ENFANTS DE LA PROSTITUTION, Michel Dorais avec la collaboration de Denis Ménard

L'HOMME DÉSEMPARÉ, Michel Dorais

LES LENDEMAINS DE LA RÉVOLUTION SEXUELLE, Michel Dorais

TOUS LES HOMMES LE FONT, Michel Dorais

ARRÊTE! TU ME FAIS MAL!, Daniel Welzer-Lang

UNE ENFANCE TRAHIE, Christian André Séguin

À NOUS DEUX! HOMMES ET FEMMES: LA FIN DU COMBAT?, Marc Chabot et Sylvie Chaput

De plus en plus d'hommes s'interrogent sur leur condition, en particulier sur leurs problèmes intimes et relationnels. Les rôles d'homme et de femme sont en évolution et à l'heure où l'on remet en question les notions mêmes de masculinité et de féminité, de nouveaux discours émergent, de nouvelles voix se font entendre. Les livres de la collection «Des hommes en changement» leur font écho.

LES HOMMES À LA CONQUÊTE DE L'ESPACE... DOMESTIQUE

Autre ouvrage de Daniel Welzer-Lang
chez le même éditeur

ARRÊTE, TU ME FAIS MAL! LA VIOLENCE DOMESTIQUE, 60 QUESTIONS, 59 RÉPONSES

Daniel Welzel-Lang • Jean-Paul Filiod

Les hommes à la conquête de l'espace... domestique

Du propre et du rangé

vlb éditeur

VLB ÉDITEUR
Une division du groupe Ville-Marie Littérature
1000, rue Amherst, bureau 102
Montréal, Québec
H2L 3K5
Tél.: (514) 523-1182, Télécopieur: (514) 282-7530

Maquette de couverture: Gaétan Venne

Illustration de la couverture: Pierre-Paul Parizeau

Photo des auteurs: David Anémian

DISTRIBUTEURS EXCLUSIFS:

- Pour le Canada et les États-Unis:
  LES MESSAGERIES ADP*
  955, rue Amherst, Montréal, Québec H2L 3K4
  Tél.: (514) 523-1182, Télécopieur: (514) 939-0406
  * Filiale de Sogides Ltée

- Pour la Belgique et le Luxembourg:
  PRESSES DE BELGIQUE S.A.
  Boulevard de l'Europe, 117
  B-1301 Wavre
  Tél.: (10) 41-59-66
  (10) 41-78-50
  Télécopieur: (10) 41-20-24

- Pour la Suisse:
  TRANSAT S.A.
  Route des Jeunes, 4 Ter, C.P. 125, 1211 Genève 26
  Tél.: (41-22) 342-77-40, Télécopieur: (41-22) 343-46-46

- Pour la France et les autres pays:
  INTER FORUM
  Immeuble ORSUD, 3-5, avenue Galliéni, 94251, Gentilly Cédex
  Tél.: (1) 47.40.66.07, Télécopieur: (1) 47.40.63.66
  Commandes: Tél.: (16) 38.32.71.00
  Télécopieur: (16) 38.32.71.28
  Télex: 780372

ISBN 2-89005-554-X

ISBN 2-8904-4523-2

Dépôt légal: 4e trimestre 1993
Bibliothèque nationale du Québec

Prélude

Pourquoi, dans un couple, y a-t-il toujours quelque chose qui traîne et qui fait désordre? Pourquoi les hommes rangent-ils si peu? Pourquoi les femmes passent-elles plus de temps à ranger, nettoyer, récurer? Quels sont les effets des apprentissages différents des garçons et des filles? Quel sera l'avenir du couple homme-femme au quotidien, dans les sociétés contemporaines? Comment lire *un espace domestique? Comment interpréter la mode des cuisines ouvertes, ce que nous appelons en France les «cuisines à l'américaine»? Pourquoi, pour avoir la paix, les femmes se réfugient-elles dans les cuisines et les hommes dans l'atelier, la voiture et... aux W.-C?*

Autant de questions qui sont à l'origine de ce livre.

Bien sûr, le nombre d'hommes qui prennent en charge le travail domestique est sans commune mesure avec le nombre de femmes qui s'occupent du foyer. L'INSEE, dans une de ses enquêtes, montre par exemple qu'une femme salariée ayant au moins 1 enfant dans le ménage consacre 5 h 18 par jour au travail domestique, contre 2 h 52 pour l'homme[1].

Et pourtant, les hommes changent. Ou plutôt, certains hommes changent. Suite à la diffusion du féminisme, à la remise en cause de la domination masculine — y compris dans les maisons —, aux réflexions d'hommes égalitaristes ou

1. INSEE, Institut national des statististiques et études économiques, *Enquête emploi du temps,* 1985-1986.

antisexistes, nous vivons une transformation sans précédent des relations entre hommes et femmes. Les actes du quotidien, le fait de préparer les repas, de nettoyer le linge ou la vaisselle, de ranger ou de ne pas trop déranger, de s'occuper des enfants ou non sont souvent les termes du débat quotidien qu'entretiennent hommes et femmes dans une famille ou dans un couple.

Si les hommes changent, comment changent-ils? Un homme et une femme ont-ils la même manière de faire le ménage, de prendre en charge le linge, les mêmes attitudes face à la propreté et au rangement, les mêmes rapports à l'occupation d'un bureau personnel? Bien sûr que non. Toute personne ayant un minimum vécu en couple ou en famille le sait.

Chacun-e d'entre vous peut raconter des anecdotes sur la chaussette qui traîne, la baignoire qu'on ne lave pas après usage, la vaisselle qui déborde dans l'évier... Pour notre part, nous avons voulu comprendre. Comprendre ces différences. Car, si tout le monde est persuadé que les hommes changent, chacun-e sait aussi qu'ils ne changent pas toujours comme l'auraient souhaité leurs proches, notamment les femmes qui les entourent.

Clarifions certaines choses. Nous sommes résolument du côté des femmes qui critiquent la domination masculine et leur enfermement dans la vie domestique. Nous aussi, dans nos vies privées, partageons les valeurs dites antisexistes. Nous appartenons à une génération qui a vu les luttes féministes bouleverser le paysage social. Notre propos n'est pas de justifier la domination qu'exercent les hommes dans leurs foyers; nous voulons simplement savoir comment évoluent les pratiques masculines et féminines dans les foyers.

Mais nous sommes chercheurs — ethnologues pour être précis —, nous avons donc enquêté. Le livre que vous avez entre les mains est le produit de quatre années d'études auprès des hommes. Et pourtant, cet ouvrage n'est pas un livre savant. Ni un livre qui se contenterait de vous redire ce que tout-e un-e chacun-e sait. Fidèles à l'esprit de la collection qui l'accueille, nous vous présentons un écrit accessible à un large public. Les emprunts que nous avons dû faire à l'ethnologie et à la sociologie sont largement commentés et explicités. Volontairement, nous avons réduit les références bibliographiques. Les témoignages directs et les citations illustrent le plus clairement possible les idées développées et permettront peut-être à chacun-e de se reconnaître dans les exemples cités.

Le livre est composé de deux parties comprenant dix chapitres. Dans la première partie, après avoir présenté nos terrains d'enquête, nous vous proposons six minihistoires de vie, six exemples différents d'hommes auprès desquels nous avons mené notre étude et qui nous ont semblé quelque peu représentatifs des autres.

La deuxième partie est composée de trois chapitres, qui proposent des réflexions et des analyses sur les changements masculins à partir de tous les hommes ayant participé à notre enquête, cette fois. Tout d'abord, nous examinerons la question cruciale du propre et du rangé. Puis, leur incontournable pendant, l'espace domestique lui-même et ses territoires. Enfin, les changements masculins en regard des différentes manières d'habiter la maison, de vivre l'espace domestique.

Nous avons également tenu à présenter notre méthodologie. Celle-ci est présentée en annexe aux lecteurs et lectrices que la fabrication de cet ouvrage intéressera.

Nous terminons cette présentation en remerciant ceux et celles qui ont accepté de critiquer les diverses versions du manuscrit: Alain Pigault, Dominique Belkis, Jacques Laris, Odile Compat, Pierre Dutey, Dominique Marron et, pour la version finale, Michel Dorais. De même, cet ouvrage n'existerait pas sans le soutien de la Mission du patrimoine ethnologique (ministère de la Culture — France) et le Plan Construction et Architecture (ministère de l'Équipement et du Logement — France), notamment Marion Segaud qui nous a toujours apporté une aide précieuse et chaleureuse.

Enfin, nous vous souhaitons autant de plaisir à lire cet ouvrage que nous avons eu à le réaliser.

Première partie

Chapitre premier

L'exotisme de la vie quotidienne

La vie quotidienne: entre soi et l'autre

DES QUESTIONS SUR L'INTIME

Comment étudier l'intime?

En dehors des paroles forcément limitées, comment apprécier les gestes, les mille et une manières de faire? Nous effectuons les un-e-s et les autres des milliers de gestes quotidiens, habituels, routiniers, qui, par la force de l'habitude, sont devenus *invisibles*. Comment organisons-nous notre quotidien? Pourquoi fermons-nous telle porte ou enlevons-nous telle autre? Comment s'imbriquent les différents temps de la journée qui vont du lever — quand tous les membres d'une famille sont pressés, quand les enfants doivent se rendre à l'école, les parents au travail — à la soirée partagée ou non devant le poste de télévision, en passant par les différents repas pris à la maison? Répondre à ces questions n'est pas simple.

Pour notre étude, nous avons utilisé une méthode d'observation graduée dans l'approche de l'intime. Le plus simple à mettre en place fut de réaliser des interviews plus ou moins longues parmi les proches des hommes étudiés (ce que nous appelons le *vivre-avec*). Le plus complexe à négocier fut d'être invité pendant plusieurs jours ou plusieurs semaines pour vivre chez les enquêtés (qualifié ici de *vivre-chez*). Entre ces deux moments, nous nous sommes livrés à de longues et fréquentes visites. De ces différentes manières d'enquêter, nous allons nous en expliquer. Mais auparavant, et pour répondre à l'avance à votre surprise et à vos questions, il nous faut parler un peu de l'ethnologie du quotidien.

«VOUS ÊTES ETHNOLOGUE?... AH BON!... ALORS, VOUS DEVEZ VOYAGER BEAUCOUP...»

Ethnologie. Ce mot porte en lui toute la magie de l'exotisme. L'aventure, la rencontre de «l'autre différent», l'expérience d'une culture dissemblable de la sienne... c'est tout ça l'ethnologie. Et on imagine les tribus africaines, les Indiens d'Amérique, les peuples d'Océanie. Comme toutes les disciplines, l'ethnologie souffre du poids de son histoire et de ce que les gens en font, transportant de-ci de-là des images, des expériences reformulées, petit à petit cristallisées dans les esprits. Les médias sont, en outre, d'excellents relais pour confirmer ces images, ce qui n'arrange rien. Et pourtant, après s'être particulièrement attardée à l'«ailleurs» et à l'«archaïque», l'ethnologie s'intéresse aussi à l'«ici» et au «maintenant». Loin des sociétés dites «extraeuropéennes», «extraoccidentales», «traditionnelles» ou encore — et toujours — «primitives[1]», nous voudrions parler de l'ethnologie

1. Ce qui ne veut pas dire que nous opposons, bien au contraire, les différents terrains sur lesquels se pratique l'ethnologie.

comme étant une démarche particulière fondée sur un certain rapport à l'autre, un autre qui n'habite pas nécessairement loin de chez nous.

Nous nous sommes longuement interrogés sur ce rapport particulier aux autres et sur les implications méthodologiques que cela produisait. Pour ceux et celles que cela intéresse plus précisément, nous avons développé ces questions dans une annexe méthologique que vous trouverez à la fin de cet ouvrage. Pour l'instant, nous nous en tiendrons à une présentation succincte de notre cheminement et des cas ou des terrains qui ont servi de support à cette enquête.

CHERCHEURS, MAIS AVANT TOUT DES HOMMES...

Les questionnements survenus à l'occasion de notre recherche proviennent d'une volonté d'interroger et de comprendre la transformation des rapports sociaux hommes-femmes à partir de deux points de vue. D'abord, celui de la société globale, qui, depuis l'après-guerre, redistribue les «rôles» masculins et féminins et modifie les représentations de ceux-ci. Puis, parallèlement, celui des microsociétés à travers lesquelles le chercheur vit des expériences. Pourquoi ne pas le dire: notre questionnement n'est pas que théorique, il est aussi pratique et personnel. Nous sommes également confrontés à des modifications de relations avec les femmes. Nous aussi, pour mieux vivre, nous voulons comprendre le quotidien.

Dans ce qu'elle a d'universelle, la vie domestique s'offre au chercheur comme à tout autre individu. Non seulement il lui arrive de faire la cuisine, mais dans une séquence de vie (quelle qu'en soit sa durée) où il vit seul dans un logement, il lui faut de temps en temps nettoyer les lieux, ranger; dans une autre séquence où il vit en couple ou en collectivité, il lui faut vivre des interactions avec ses cohabitant-e-s, s'organiser avec d'autres adultes par exemple. De plus, lorsque sa trajectoire sociale l'a poussé à adhérer à des valeurs dites égalitaristes, il apprend à équilibrer la gestion de l'espace domestique avec son, sa ou ses partenaires. Mais quels que soient ses choix ou ses pratiques personnelles, il n'en reste pas moins homme, c'est-à-dire lui aussi produit de différents apprentissages masculins.

Dans ces expériences domestiques d'homme, se réfléchissent l'identité masculine, ses transformations, ses variations, sa redéfinition. Par la rencontre d'autres hommes, avec lesquels se déclenchent des discussions, par des échanges avec des femmes qui ont elles aussi une conscience de la transformation de leur identité féminine, se joue une interaction entre *réflexions* et *pratiques quotidiennes.*

Le choix des terrains

Toute étude invite généralement les chercheurs en sciences humaines à choisir dans leurs réseaux d'enquête les personnes les plus aptes à répondre à leur problématique. Pour cette recherche, il nous fallait d'une part choisir des sujets chez qui nous pouvions supposer *voir* quelque chose de ce que nous avions qualifié de «nouvelles manières de faire» des hommes, et, d'autre part, obtenir leur accord pour observer leurs lieux de résidence. Il nous paraissait raisonnable de nous orienter vers des personnes avec lesquelles existaient certains *a priori* de confiance.

Présentons rapidement ces deux réseaux.

LE GROUPE D'HOMMES DE LYON

Dans les années 1970-1980, la France, comme la plupart des pays industrialisés, est touchée, on pourrait même dire bouleversée, par la vague féministe. Des femmes veulent vivre sans être «sous le joug permanent de la domination masculine». Du Mouvement de libération des femmes (MLF) aux groupes de femmes d'entreprise et de quartier, elles sont des milliers à se révolter contre le machisme, la violence, les discriminations envers les femmes salariées, et pour le droit à l'avortement. Dans cette tempête, des hommes (quelques hommes) revendiquent eux aussi. Pour la plupart amis de ces femmes qui manifestent, ils militent avec elles au Mouvement pour la liberté de l'avortement et de la contraception (MLAC). Par la suite, à travers la France, ils se regroupent «contre la virilité obligatoire». Deux groupes émergent: les hommes qui animeront la revue *Types, paroles d'hommes* dont six numéros seront publiés[2], et ceux qui créent l'Association pour la recherche et le développement de la contraception masculine (ARDECOM). Ceux-ci expérimentent des contraceptifs masculins, notamment ce que l'on appelle «la pilule pour hommes» et une contraception basée sur le réchauffement des testicules[3]. Ils publient deux numéros de la revue intitulée: *Contraception masculine — paternité*[4].

2. *Types paroles d'hommes*, n° 1, janvier 1981; *Paternité*, n° 2/3, mai 1981; *Plaisirs*, n° 4, mai 1982; *Masculin/pluriel*, n° 5, 1983; *À propos des femmes*, n° 6, avril 1984, numéro mixte.

3. Une très ancienne méthode de contraception, puisqu'elle était déjà utilisée par les Grecs.

4. *Contraception masculine-paternité*, n° 1, février 1980; n° 2, novembre 1980. On trouvera une recension complète des écrits sur le masculin largement émaillée d'extraits dans Daniel Welzer-Lang, *Les études ou écrits sur les hommes et le masculin en France* et dans Daniel Welzer-Lang, Jean Paul Filiod, (dir.), *Des hommes et du masculin*, CEFUP-CREA Lyon, Presses

Les projets des uns et des autres sont clairement antisexistes. Les revues sont remplies de textes où les hommes clament leur désir de «vivre autrement» les rapports aux femmes, aux enfants et aux autres hommes. Mais ce qui sous-tend cette revendication n'est pas tant leurs activités publiques (tenir des permanences «contraception», débattre avec la presse...) que les groupes de paroles «entre hommes». D'abord dénommés «groupes mecs», «groupes pas-rôle-d'hommes», ces groupes ont fourni à la plupart des participants les premières occasions de parler d'eux, de leur vie quotidienne, de la virilité, du machisme et de la tendresse revendiquée haut et fort.

À Lyon, un groupe d'hommes se créée en 1979. Puis, de 1980 à 1986, avec les médecins du Centre d'études et de conservation du sperme (CECOS)[5], une quinzaine d'hommes, selon divers protocoles, expérimentent la pilule pour hommes. À Lyon comme dans les autres villes de France, l'expérimentation n'est pas sans connaître un certain succès: les hommes sont stériles et la stérilité est réversible. Toutefois, ni les laboratoires pharmaceutiques ni les hommes ne se pressent à la porte de ce mode de contraception. L'Ordre des médecins local ira même jusqu'à proclamer, par la bouche d'un de ses représentants: «Messieurs, on ne touche pas au corps de l'homme!»

Décembre 1986, les expériences s'arrêtent. Le projet ambitieux de promouvoir une prise en charge de leur contraception par les hommes eux-mêmes, de leur donner les moyens d'assumer leur non-désir d'enfants

Universitaires de Lyon, 1992. À noter que cette publication constitue un numéro spécial du BIEF (*Bulletin d'information des études féminines*), une revue féministe de l'Université d'Aix-en-Provence.

5. Le CECOS de Lyon est dirigé par le professeur Czyba.

échoue en partie. Mais le groupe de paroles «entre hommes» qui se réunit quasi mensuellement depuis 1978 perdure.

Bien évidemment, lorsqu'il s'est agi de chercher des hommes auprès de qui nous pouvions supposer des changements dans le domestique, nous avons pensé à eux. Ni chevaliers ni héros, ces hommes étaient à présent plus âgés. Certains vivaient seuls, d'autres en couple ou en habitat communautaire, mais tous continuaient à vouloir vivre d'autres rapports avec leurs proches. Si le groupe d'hommes de Lyon est limité à une quinzaine de personnes, son réseau est beaucoup plus large. On peut estimer à une centaine le nombre d'hommes impliqués de près ou de loin dans le groupe de Lyon. Depuis plusieurs années, ils ont participé à d'autres recherches menées par l'un des auteurs de cet ouvrage.

LES HABITATS COLLECTIFS À VOISINAGE CHOISI

Le deuxième réseau étudié prend sa source dans une autre mouvance, mais qui n'est pas complètement étrangère à celle des groupes d'hommes. Il s'agit de ce que nous appelons les «habitats collectifs à voisinage choisi». Ce sont généralement des groupes volontaristes, issus des mouvements sociaux des années 1960-1970, dont le projet visait à constituer un habitat dont la particularité serait le choix des voisin-e-s. Les objectifs sont de mieux vivre le voisinage, de s'assurer d'une solidarité pour les tâches quotidiennes, éventuellement de moduler le montant des loyers selon les revenus des ménages présents... Assez souvent, les groupes ont utilisé les compétences d'un architecte et se sont installés soit en accession à la propriété, soit en location. Dans ce dernier cas, la coopération d'un office public a été généralement choisie, au discrédit de la régie privée. Nous pourrions résumer ce désir de vivre autrement par la formule: «*habiter*, plutôt que simplement *se loger*[6]».

Nous regroupons sous l'expression *habitats collectifs à voisinage choisi* trois types d'habitat: les habitats groupés autogérés, les habitats coopératifs et ce qui, en France, fut communément appelé les *communautés néo-rurales,* et que l'on connaît au Québec sous le terme de *communes.* Chaque habitat est généralement constitué d'une structure composée d'unités familiales et de quelques salles collectives destinées à des activités de loisirs, à la vie associative ou à de simples rencontres. Autour de chaque habitat collectif, on note en outre la présence d'un réseau électif plus ou moins important.

Si ce type d'habitat se caractérise par la volonté de redynamiser le lien social de voisinage, il faut relativiser l'image parfois caricaturale que nous gardons de ces expériences. Marginalité, cheveux longs, fromages de chèvre et partage sexuel des partenaires, nous en passons et des meilleures... L'ouvrage édité à l'initiative du Mouvement pour l'habitat groupé autogéré (MHGA) montre parfaitement la diversité de ces expériences, qui fleurirent dans de nombreuse régions de France. Nous ne dresserons pas ici un bilan de ces mouvements[7]. Toutefois, retenons plusieurs points des études menées sur ces phénomènes en France et au Québec par un des auteurs de ce livre. Chacun des groupes étudiés montre de toute évidence une sensibilité à de nouvelles manières de vivre les rapports hommes-femmes. Les itinéraires de

---

6. Nous reprenons ici une formule utilisée par les auteurs de l'ouvrage *Habitats groupés autogérés,* édité en 1983 par Syros (collection AnArchitecture).

7. Il suffira de se référer aux ouvrages traitant de la question présentés aux notes 11 et 12 des pages 309-310.

vie des résidants indiquent aussi clairement une appartenance à une génération soucieuse de transformer les modèles dominants et leurs injustices. De plus, si la plupart avaient adhéré à des groupes communautaires dans l'esprit d'une forte proximité quotidienne, il n'en était pas de même à la fin des années 1980. Entre 1970 et 1980, souvent la proximité était devenue promiscuité et les habitats collectifs se sont alors vus remis en cause. Aujourd'hui, comme dans beaucoup de segments de la société, la cellule familiale constitue la tendance majoritaire. Mais les projets novateurs ne sont pas pour autant abandonnés. La collectivité persiste, mais à la périphérie de l'unité familiale, dont on prend soin de préserver l'intimité, toutefois.

Nous avons choisi les hommes de cette enquête parmi deux habitats collectifs: l'un de type «communauté néo-rurale» situé dans les Cévennes; l'autre de type «habitat groupé autogéré» situé dans une ville nouvelle de la région parisienne.

❑

Vous avez pensé «marginaux» lorsque nous vous avons présenté ces hommes?... Méfions-nous de ce qualificatif. Les deux terrains d'enquête ont probablement, à une certaine époque, abrité des «marginaux» au sens idéologique qu'on accorde parfois à ce terme, mais à présent, nous avons affaire à des histoires de vie, histoires de couple, de famille, d'enfants comme il en existe des milliers d'autres. Chacun de ces hommes est socialement et professionnellement très intégré. Certaines valeurs radicales ont été atténuées et vous pourrez le constater facilement. Une fois dépassés la première impression, le discours ou la spécificité de l'itinéraire, nous

nous apercevons que ces vies ressemblent à bien d'autres, celles-ci peu marginales.

Pour les présenter dans cet ouvrage, il nous a fallu faire une sélection parmi la population initiale. Les modes de vie que nous avons observés, les situations des uns et des autres, les itinéraires particuliers nous ont montré une diversité de pratiques, une variété de comportements et d'attitudes face aux différents domaines de la vie intime. C'est cette variété que nous voulons mettre à présent en valeur. Nous avons choisi de présenter six histoires de vie. Six histoires d'hommes qui ne vivent pas selon les mêmes modes d'union, qui n'ont pas les mêmes professions ni le même âge (23 ans séparent le moins âgé du plus âgé). Le premier, Dominique, vit avec sa fille; Éric, lui, vit avec son épouse Marianne et leurs deux enfants; Denis vit avec sa compagne Véronique, mais dans deux résidences voisines, avec des parties communes; Claude vit avec son épouse Morgane; Christophe vit en union libre avec Monique, avec qui il a eu deux enfants; enfin Antoine vit seul.

Nous n'avons pas la prétention de considérer ces portraits comme représentatifs des «hommes des années 1990» (pour reprendre la terminologie de certains magazines). Six hommes ne nous permettent évidemment pas d'avoir une vision juste et réelle de millions d'individus; simplement, ils nous donnent des traces sensibles de l'évolution du masculin. Mais surtout, ces histoires nous indiquent combien les transformations du masculin ne sont pas linéaires, comme ce le fut dans d'autres temps, à une époque où les cycles et les modes de vie étaient clairement marqués et irréversibles.

CE SONT EUX...

ALAIN 38 ans artisan	Habite avec sa compagne Lætitia, 38 ans, et la fille de celle-ci, âgée de 19 ans. Divorcé et père de 3 enfants, Alain a eu 1 garçon avec Lætitia en 1988.
ANTOINE 39 ans travailleur social	Habite seul. Sa compagne, Jocelyne, 28 ans, vit dans un autre logement.
ARMAND 30 ans homme au foyer	Habite avec son enfant et 4 amies, dont Suzanne, la mère de son enfant.
CHRISTOPHE 35 ans instituteur	Habite avec sa compagne Monique, 37 ans, et leurs 2 enfants, âgés de 8 et 5 ans.
CLAUDE 52 ans biologiste	Habite avec son épouse Morgane, 42 ans.
DENIS 34 ans musicien	Habite seul. Sa compagne, Véronique, 38 ans, vit dans un autre logement.
DIDIER 39 ans agent de maîtrise	Habite seul ou avec son enfant. Est marié à Sophie, 34 ans. Ont eu 1 enfant, mais sont séparés.
DOMINIQUE 37 ans ingénieur	Habite avec sa fille Sylvette, 16 ans. A eu 1 autre enfant, qui vit avec sa mère en Suisse.

ÉRIC 28 ans informaticien	Habite avec son épouse Marianne, 27 ans, et leurs 2 filles, âgées de 5 et 2 ans.
FRED 39 ans médecin	Habite avec son épouse Jacqueline, 43 ans, et leurs 3 enfants, âgés de 13, 11 et 9 ans.
GILBERT 51 ans responsable d'association	Habite avec son épouse Claudine, 41 ans, et leurs 2 enfants, âgés de 13 et 10 ans.
JEAN-PHILIPPE 57 ans menuisier	Habite seul. Au-dessus de son logement vit sa compagne Marie, 41 ans (aucune communication entre les deux logements).
JULLIEN 28 ans informaticien	Habite avec un ami George, 26 ans. (Ils se définissent comme «colocataires»)
MARC 39 ans maraîcher	Habite avec sa compagne Céline, 37 ans, et leurs 2 enfants, âgés de 11 et 5 ans.
PAUL 51 ans homme de ménage	Habite avec son épouse Martine, 38 ans, et leurs 4 enfants, âgés de 5, 3, 1 et 1 an.

N.B. La trame grise représente les hommes dont les histoires de vie sont présentées dans cet ouvrage.

CHAPITRE 2

Dominique
Du guitareux au père tranquille

Quelques images familiales

Dominique V. est âgé de 37 ans. Chercheur en physique des fluides, il partage un appartement de trois pièces avec sa fille Sylvette, âgée de 16 ans. Son autre fille, Pascale, vit avec sa mère en Suisse.

Dominique est membre du groupe hommes de Lyon depuis 1980. Expérimentateur de la pilule pour homme pendant six années, il avait déjà participé aux études précédentes où nous tentions de comprendre les changements masculins.

Originaire du nord de la France, Dominique est issu d'une famille aux origines paysannes modestes. Son père, décédé il y a une dizaine d'années, travaillait auparavant comme artisan indépendant dans le bâtiment. Sa mère, maintenant à la retraite, fut employée de commerce. D'une famille catholique non pratiquante, Dominique a une sœur de quatre ans son aînée, et un frère d'un an son cadet. Lorsqu'il évoque la vie familiale, il décrit

Dominique. Sans cette grossesse, il l'imagine juste plus tardif, moins précipité: *«On s'aimait beaucoup, on s'est toujours aimés, et ça a duré tant qu'il n'y a pas eu d'accidents de parcours.»* L'enfant naît: elle s'appelle Sylvette.

À cette époque, Dominique se prépare donc à vivre une existence de cadre supérieur marié avec enfant. Le couple aura par la suite une autre enfant: Pascale. Avant son mariage, Bernadette a commencé des études paramédicales à Paris. Sa grossesse l'oblige à cesser cette formation, elle décide alors d'être institutrice.

Une fois le mariage venu réparer la grossesse précoce, les rapports avec les beaux-parents sont bons. Dominique dit: *«Ma belle-mère m'appelait "le guitareux", mais ce qui m'a sauvé, c'est mon côté ingénieur.»* Leur réseau amical est alors surtout composé de collègues de lycée, d'ami-e-s rencontré-e-s dans le quartier.

Dominique, appelé à l'armée, pensait être affecté dans les laboratoires militaires de physique, mais il se voit exempté pour cause de soutien de famille. *«Ça m'a bien arrangé... je voyais l'armée d'un mauvais œil»*; mais il n'avait jamais pensé devenir insoumis ou s'objecter. Peu de temps après, il devient ingénieur dans un laboratoire de recherche.

En 1976, le couple achète une maison de campagne *«à retaper»*, dans la région des monts du Lyonnais. Dominique «le guitareux» rencontre d'autres musiciens intéressés par la musique *folk*. Ensemble, ils créent un groupe d'action musicale dont l'objectif est de vivifier les musiques dites «traditionnelles». Dominique commence alors à découvrir les divers musiciens qui avaient élu domicile sur les pentes de la Croix-Rousse.

Deux années plus tard, le couple, en contact avec d'autres modes de vie, cherche à modifier *«une vie trop* clean, *trop rangée»*. Dominique rencontre une femme avec qui il noue une relation affective forte. Cette femme habite Marseille. Dominique et Bernadette décident ensemble d'aller y vivre pour *«refaire notre vie, vivre autre chose»*. Bernadette le précède avec les enfants. Elle arrive à Marseille à la fin de l'année 1978. Lui, reste quelques mois à Lyon pour vendre la maison. Quand il y arrive, en janvier: *«Bernadette avait investi quelqu'un d'autre, ça s'est mal passé. La copine* [qu'il partait rejoindre] *est partie ailleurs, Bernadette est partie à Lausanne, moi je suis rentré à Lyon en novembre.»*

La séparation avec Bernadette est vécue douloureusement. *«J'ai commencé, elle a continué.»* Il n'impute pas de faute à l'un ou à l'autre, mais exprime sa souffrance de se retrouver seul sans enfant (les filles sont parties avec la mère). La structure conjugale n'a pas supporté les «autres» relations amoureuses et affectives. Il rentre à Lyon, y retrouve ses ami-e-s musicien-ne-s, quitte le PSU pour adhérer quelques mois au Front autogestionnaire.

Il occupe, à cette époque, un appartement de 65 m^2 sur les pentes de la Croix-Rousse. Du logement, Dominique se souvient qu'il y avait peu de choses: une mezzanine, peu de meubles excepté un piano, une table de ferme, un bureau. Il qualifie son mode de vie du moment *«un peu baba-cool»*.

En 1980, ses ami-e-s lui signalent le groupe ARDECOM. À cette époque, il ne veut plus d'enfants et désire se faire vasectomiser[2]. Après plusieurs réunions, il participe au premier groupe d'expérimentateurs de la pilule pour hommes, à Lyon. Puis, il partage un appartement avec un autre musicien. Cette période est décrite comme particulièrement tendre et attentionnée[3].

---

2. La vasectomie est la ligature des canaux déférents pour stériliser l'homme. À cette époque, elle est peu pratiquée en France.

3. Lors des réunions du «groupe hommes» en 1981, l'explication de sa cohabitation avait semblé si ambivalente aux autres membres, que certains lui avaient demandé s'il entretenait ou non une relation de couple avec son

Sa fille Sylvette décide de revenir à Lyon en 1982: «*Elle voulait venir en France, car elle ne se plaisait pas à Lausanne*», dit son père. «*Je voulais faire deux ans à Lausanne puis deux ans à Lyon, mais une fois à Lyon, je n'ai pas voulu repartir*», rectifie-t-elle.

En 1982, il emménage donc dans l'appartement où nous situons notre étude; un incendie en 1983 oblige le propriétaire à restaurer partiellement le lieu. Depuis 1982, Dominique vit seul avec sa fille Sylvette.

L'espace domestique

ENTRONS...

L'appartement de Dominique est situé sur les pentes de la Croix-Rousse, quartier aujourd'hui en pleine réhabilitation. L'immeuble où il habite en porte de nombreuses traces: dans l'escalier, selon les étages, sacs de ciment ou de chaux, carreaux de plâtre ou briques encombrent les paliers.

Sur la porte personnalisée sont fixées deux cartes postales qui représentent un vieux village au bord de la mer et un paysage de montagne sur lequel sont indiqués, après le nom de famille, la liste des habitant-e-s. La deuxième fille de Dominique est mentionnée alors qu'elle n'habite pas là.

On entre dans un couloir desservant l'ensemble des pièces de l'appartement. Moquette rouge sombre, murs tapissés de rouge, un lampadaire début de siècle. Au mur, une patère où pendent vestes, blousons, parapluies

---

ami. La réponse avait été positive, «excepté pour les relations sexuelles», avait-il précisé.

dans un ordre épars. Au sol de ce grand couloir, traîne un sac à dos vide et des tréteaux sont appuyés contre le mur. Dans les coins, une pile d'assiettes, des raquettes de tennis, des skis. Le long des murs courent des fils électriques.

À l'entrée de l'appartement, une porte fermée: la chambre de Dominique. Il faut suivre le long couloir pour accéder à deux portes ouvertes: la salle de bains/ W.-C. en face; et, à droite, la pièce commune/cuisine. Les jours de grands travaux dans l'immeuble, les marques de pas subsistent sur la moquette. Cela se remarque. Le couloir est en règle générale empreint de fortes marques d'appropriation. Souvent, la lapine, dernière habitante, vient courir entre les pieds.

La porte d'entrée ne peut s'ouvrir de l'extérieur, mais bien souvent lorsque les habitant-e-s sont présent-e-s, entrebâillée, elle invite à entrer. D'ailleurs, en sonnant, le visiteur ou la visiteuse entend un *«Entrez!»* venu du fond de l'appartement et se retrouve seul-e face à ce couloir. L'attitude est différente quand Sylvette est seule: elle ferme la porte (*«On sait jamais qui peut entrer»*) et retient de sa main gauche le montant de la porte pour vérifier l'identité du visiteur ou de la visiteuse. Si c'est un-e ami-e de son père, elle précise l'heure d'arrivée, invite la personne en visite à attendre au fond (dans la pièce commune) et retourne vaquer à ses occupations dans sa chambre. Chacun-e a ses ami-e-s, l'invitation (fréquente) par l'un-e n'entraîne pas d'obligation pour l'autre.

Suivons le couloir pour visiter l'appartement.

LA SALLE DE BAINS/W.-C.

La porte, en général ouverte l'été, doit être fermée l'hiver *«pour garder la chaleur»*, dit le maître de maison. Dans les faits, elle l'est rarement.

À l'intérieur de cette pièce, on a d'un côté les W.-C., à proximité desquels se trouvent une pile de journaux et de bandes dessinées, une enceinte branchée sur l'appareil de son du séjour, une plante verte (séchée) et, à côté, des vieux rouleaux et des emballages de papier hygiénique. Au-dessus de la cuvette, on trouve deux affiches. Snoopy proclame: «*La décontraction j'aime*» et une affiche d'Amnesty International rappelle que: «*Leur libération dépend aussi de vous*». Protégeant symboliquement la pudeur, une étagère tournée vers le lavabo vient séparer les deux usages du lieu.

L'ensemble des produits cosmétiques ou nécessaires à la toilette du corps (sèche-cheveux, cirage, crayons de kohol, maquillage) sont disposés ici. L'essentiel est à Sylvette. L'eau de toilette de Dominique jouxte une grosse voiture en bois au dernier niveau de l'étagère. Sur le lavabo, une brosse à dents, un tube de dentifrice, de la mousse à raser et un rasoir appartenant à Dominique.

Près du lavabo, une machine à laver et, à ses côtés, le linge sale dans une panière. Tout autour de celle-ci, à même le sol ou sur la machine, traînent serviettes et peignoirs. Une autre enceinte hi-fi est l'unique ornement d'une étagère vide qui, par le passé, a dû être destinée aux produits d'entretien.

Au mur, des affiches d'oiseaux et de papillons.

LA CHAMBRE DE DOMINIQUE

Dans la chambre de Dominique, on aperçoit un lit, sur lequel repose une couette, à moitié ouverte. On y trouve aussi une plante, un téléviseur face au lit, une étagère de livres, un poêle à cheminée. Puis deux bureaux occupés, où sont empilés et rangés des documents de travail. L'ensemble est rangé; seuls quelques habits à même le sol et quelques vieux journaux délaissés ajoutent une note *bohème*.

Excepté le lit, le mobilier est ancien et rustique; ainsi cette chaise percée, éventrée, qui jouxte le lit. Dans les coins, une guitare et un amplificateur signifient sa pratique musicale, tandis qu'au mur sont affichées de nombreuses photos et des lithographies.

Ce qui marque d'emblée dans la disposition de la chambre est que la vie est à même le sol. Le centre de la pièce est occupé par le lit à deux places, autour duquel sont disposées des affaires par cercles concentriques. On y remarque, à proximité immédiate, un réveil, des journaux, des livres à moitié lus. Plus loin, le téléviseur. Sa présence dans la chambre est justifiée par une double argumentation: d'abord, le désir de ne pas être envahi dans le séjour par son omniprésence; et puis, ajoute Dominique: *«Voir les films au lit, c'est super.»* De fait, cela contraint Sylvette ou les visiteur-e-s éventuel-le-s à utiliser la chambre de Dominique. La pièce devient à ce moment-là une chambre-salon où sont amenés plateaux-repas et autres cafés.

D'ailleurs, quotidiennement, vers 19 h, Sylvette s'allonge sur le lit, porte fermée, pour regarder son feuilleton. Les soirs où une rencontre télévision est prévue, un soir d'élection par exemple, l'appareil est déplacé dans *«la salle»*.

LA CHAMBRE DE SYLVETTE

Elle ouvre à la fois sur la chambre de Dominique et le séjour.

Au sol, une moquette verte, au mur des tapisseries jaunes et vertes, et dans cette pièce un bureau, un lit, une petite planche sur tréteaux, une étagère, un petit meuble. Le lit est petit (au moment du séjour du chercheur) et en bambou. Quant aux vêtements, ils s'empilent sur les chaises ou sont éparpillés sur le sol.

Là encore, à l'image de l'appartement, l'ordre n'est pas méticuleux. Seul-e-s le bureau et l'étagère de livres sont rangé-e-s. Sur le bureau, le téléphone. Celui-ci peut aller d'une pièce à l'autre grâce à une grande rallonge. Au sol aussi on trouve des revues et des papiers.

Les vêtements propres sont repassés et rangés dans le petit meuble sur lequel se trouve une chaîne hi-fi. Au mur, affiches de vedettes, dessins ou cartes postales. Près de la porte, un tableau où sont indiquées les «urgences»: *«téléphoner à...»* (*«mon esthéticienne»*, était-il écrit lors de notre séjour).

LE SÉJOUR/CUISINE

Il s'agit d'une seule et même pièce. Une étagère en bois, démontable, fait office de séparation et offre une face cuisine et une autre séjour.

Les murs de cette pièce sont blancs et les plafonds sont étonnamment hauts (3 m 80)[4]. Au milieu du plafond, une ampoule nue éclaire la pièce et les fenêtres donnent une vue magnifique sur l'ensemble de la ville. Dans ce quartier aux rues étroites et aux vis-à-vis fréquents, l'événement est assez rare pour qu'on s'extasie devant ce panorama.

Au centre de *«la salle»*, on découvre une longue, large et imposante table de ferme, du genre de celles que l'on pouvait trouver dans les campagnes françaises.

4. Ces anciens appartements de canuts (les ouvriers de la soie) étaient aménagés pour recevoir les métiers à tisser.

Autour de cette table sont disposés un banc et des chaises. Ce sont les coins, ou plutôt leurs aménagements, qui marquent les différents usages de la pièce. Ainsi, contre un mur, dans une étagère posée à même le sol, se trouve une chaîne hi-fi. Ou plus exactement un ensemble d'éléments distincts: *tuner,* platine tourne-disques[5], amplificateur. L'ensemble n'est pas de très grande qualité, tout du moins revêt par certains côtés un aspect déjà «*vieillot*». Cette chaîne jouxte un ensemble de très beaux livres illustrés, traitant de peinture ou de photo.

Sur le mur d'à côté, une banquette-lit rudimentaire. Le genre de meuble que l'on trouve à bon marché dans les grandes surfaces d'ameublement. D'ailleurs, pour parer à l'inconfort de cette dernière, pour éviter le contact trop dur du bois, on y dispose une multitude de sacs et de couvertures quand une personne doit y dormir. Car cette banquette sert de lit d'appoint, de chambre d'ami-e-s. Ce fut le lit du chercheur pendant son séjour.

À côté, face à la chaîne, on aperçoit un étendage à linge, souvent occupé par la dernière lessive. Éléments en fil de fer plastifié, posé à terre, ces étendages dénommés Tancarville (du nom d'un immense pont situé en Normandie) ont toujours été très populaires dans les familles modestes à petits logements[6]. À ses côtés, une planche à repasser, toujours ouverte et prête à l'emploi. D'ailleurs, dès son lever à 6 h 30, Sylvette branche le fer pour préparer ses affaires du jour.

La table est régulièrement envahie de divers papiers, journaux, affaires de travail (stylos, cahiers...) ou

5. La «table tournante», comme on dit au Québec.

6. Rappelons aux lecteurs et aux lectrices du Québec qu'ici, dans les centres urbains de la vieille Europe, on ne trouve pas couramment des jardins ou des cours associés aux appartements.

de carnets de chèques. En dehors du ménage hebdomadaire, chaque jour, pour le repas, *«on pousse»* les divers éléments vers l'extrémité pour faire une place. Les fleurs, régulièrement présentes, sont tout aussi régulièrement dévorées par la lapine qui, au passage, dépose des dizaines de petites crottes le long des papiers qui traînent là.

La *«salle»*, telle qu'elle est définie, sert tout à la fois:

– *de cuisine:* les dîners sont mitonnés dans le coin cuisine, mais préparés très souvent (épluchage, préparation) sur la grande table.

– *de salon:* c'est l'endroit où, excepté pour regarder la télévision, les invité-e-s vont se détendre après le repas, parler.

– *de salle à manger:* il suffit de repousser à l'extrémité de la table les papiers posés au fur et à mesure pour disposer son assiette.

– *de chambre d'ami-e-s:* la banquette équipée d'un sac de couchage et d'un système drap-couverture sert de lit. L'utilisation du sac de couchage (fermé) ou du drap-couverture (le sac de couchage ouvert faisant office de couverture) est fonction du temps de présence et du lien qui unit l'invité-e et Dominique. Une présence de plusieurs nuits de suite conduit à *«sortir une paire de draps»*.

Entre la cuisine et la salle, une étagère en bois à quatre niveaux sert de séparation. En haut, en forme d'exposition, des verres à pied de différentes formes et tailles; dessous, des plantes vertes, et sous celles-ci, un rayon poteries où un vinaigrier (en service) voisine avec des pots divers souvent vides. En bas, une friteuse, des *cubitainers* à vin, des casseroles, des saladiers et un *mixer* ne semblent pas bénéficier d'une organisation spéciale.

Toutefois, cette séparation entre cuisine et salle n'est que formelle, le regard circule du premier plan (étagère) aux autres. Les côtés de cette étagère montrent des objets hétéroclites: de l'écheveau de laine à une extrémité à une guitare à l'autre bout.

La cuisine est sommaire: réfrigérateur, appareil à gaz, lave-vaisselle, étagère en métal pour assiettes, évier, égouttoir. Sur le réfrigérateur, un ensemble de flacons de grande taille n'a l'air présent que pour le plaisir du regard: verres divers, flaconnages, bouteilles, plantes vertes. Près de la fenêtre, les bouteilles vides se partagent la place avec la poubelle constituée par des sachets plastiques (de supermarché) remplis au fur et à mesure et jetés. Au bas de la poubelle, l'excédent (litre de lait vide, filtre à café...) attend un nouveau sac.

L'ICONOGRAPHIE

Aux murs ou sur les montants des étagères de la salle ou la cuisine, donc dans le lieu «public» de cet espace privé, des photos, plein de photos. On y trouve en vrac des instantanés de Sylvette et de sa sœur Pascale, de Dominique et de l'ami avec qui il a habité deux années, du groupe d'hommes, et de Dominique avec Perrine (l'enfant de Françoise, la voisine[7]).

Sur d'autres murs, à côté d'affiches de théâtre du début du siècle, un cadre représente des paysages et des peintures qui ont été collés et montés. Encadré près de la cheminée, un poème de Pascale écrit pour son père.

Excepté les filles ou les enfants appartenant à l'entourage affectif de Dominique, il n'existe pas de photos de femmes. «*Avant*, dit-il, *il y avait des photos de Carole* [une rencontre amoureuse récente qui s'est soldée par une séparation] *mais c'était trop dur, alors je les ai enlevées.*»

7. C'est au-dessus de chez Dominique et Sylvette que Françoise et Perrine habitent. Des liens réguliers existent entre ces deux territoires privés, nous en reparlerons.

L'exposition de photos de femmes renvoie Dominique à l'accès à son intimité. Il proposa au chercheur, au cas où il voudrait voir des photos de femmes, d'aller regarder dans un tiroir de son bureau de sa chambre: «*Je montre pas*, dit-il, *il y a des photos que j'aime bien... mais... dévoiler mon intimité...*» La question de l'iconographie féminine nous renvoie donc directement aux différentes frontières de l'intimité et confirme cette spécialisation des espaces: mi-public/mi-intime pour la salle/cuisine, et complètement privée pour la chambre et son contenu.

Dominique et Sylvette: deux locataires, deux territoires...

Les portes sont les frontières des territoires personnels.

D'une manière générale, chacun-e respecte le territoire de l'autre lorsqu'il est partagé avec un tiers. Si Sylvette est avec son ami, Dominique, du séjour, appelle Sylvette et son ami pour le repas, tape à la porte pour s'excuser ou réclame de vive voix le téléphone (la plupart du temps sur le bureau de Sylvette). De même, Sylvette marque les mêmes modes de respect si Dominique est accompagné dans sa chambre.

Toutefois, avec l'accord préalable de son père (ce dont elle se passe pour l'utilisation de la télévision), Sylvette peut dormir avec son ami dans le lit de Dominique lors de son absence: «*Tu comprends, c'est plus confortable, t'as vu mon lit*» (son lit fait 90 cm de large)[8].

8. Quelques mois après cette étude, Dominique a acheté à sa fille un lit à deux places, provoquant dans son réseau amical moult débats sur l'intérêt pour un père d'ainsi favoriser les relations sexuelles de sa fille sous le toit

Nous assistons donc dans l'appartement à une division des territoires: chacun-e possède le sien. En cas de conflit léger (désaccord verbal avec montée en puissance de la voix), l'un-e ou l'autre peut utiliser sa chambre comme un espace refuge, sans que l'autre, à ce moment-là, ne contrevienne aux règles usuelles d'accès aux chambres.

La salle de bains est utilisée par l'un-e et l'autre en fonction des différents rythmes personnels. Il arrive qu'il/elle partagent le même lieu (l'un-e dans un bain, l'autre au lavabo par exemple).

Pour Sylvette, cette organisation spatiale et territoriale la différencie d'un certain nombre d'amie-s, surtout lorsqu'elle va dans la famille de son ami Patrick:

«Quand je suis chez Patrick de 5 à 7, sa mère elle rentre... elle ouvre la porte n'importe quand... elle frappe pas: il n'y a pas d'intimité... c'est un peu chiant, car on n'a pas d'intimité... alors qu'avec Dominique...»

Deux locataires, deux rythmes...

Dominique se lève en semaine vers 8 heures. Auparavant, sa fille est venue lui dire l'heure: *«Il est 7 h 30»*. Souvent, ce réveil est accompagné d'une bise, posée sur la joue de son père. Entre ce moment et l'heure du lever, Dominique, en demi-sommeil, soit écoute la radio, soit

---

paternel. Certains expliquent que «la construction d'un-e adulte ne peut se faire que par la transgression», voyant en quelque sorte une forme de relation incestueuse dans l'achat. D'autres refusent cet argument et ne veulent y voir que la suite logique des relations Dominique-Sylvette, régulièrement réaménagées et renégociées en fonction de l'évolution de l'un-e et l'autre. Même si elle a un lit à deux places payé par Dominique, «l'appartement reste un territoire où la loi est celle du père», dira l'un des proches.

somnole. Cela représente en tout cas un moment où, seul, il peut *«prendre le temps de se réveiller»*. Il se lève, se dirige vers la salle par le couloir, change la radio que Sylvette avait synthonisée sur NRJ[9] et se prépare à déjeuner (chocolat en poudre et lait). Quelques minutes plus tard, il prépare des affaires propres, qu'il repasse si le besoin s'en fait sentir, prend une douche et sort en général une demi-heure après son lever.

Dominique n'a pas d'horaire fixe. Son statut lui permet d'adapter ses horaires à ses besoins professionnels et à ses préoccupations personnelles.

Il constate de lui-même que plus Sylvette a grandi, plus il a investi son travail. De fait, il y a quelques années, pour s'occuper de sa fille (c'est-à-dire: être là à son retour du lycée pour l'aider à faire ses devoirs, préparer à manger, bref *«être présent dans l'appartement»*), il était de retour vers 17 h, ce qui l'obligeait à quitter son travail vers 16 h 30.

L'époque où Sylvette réclamait cette présence, se plaignant de l'absence de son père et de sa solitude lors de son absence, était aussi pour lui une époque où il cherchait à prendre plus de temps *«pour lui»*, pour partager des moments longs avec les personnes qu'il rencontrait.

Actuellement, il est souvent *«au travail»* de 8 h 30 à 18 h 30, voire 19 h 30. *«J'ai remis les pieds sur terre»*, dit-il. Nous y reviendrons plus loin. Notons toutefois l'influence de la charge mentale que représentaient pour lui l'éducation d'une enfant et ses conséquences professionnelles et domestiques.

À midi, Dominique déjeune dans une cantine sur son lieu de travail. Il rentre entre 19 h et 20 h. Sur le chemin du retour, il achète de quoi préparer le repas ou

9. NRJ est une radio privée de la bande FM qui, entre les publicités, diffuse les derniers tubes à la mode.

alors pose ses affaires, demande à sa fille ce qu'elle veut manger, lui fait plusieurs propositions et retourne faire les courses. Le quartier se prête bien à ce rythme. Beaucoup de commerces ethniques ouvrent leurs portes jusqu'à 22 h ou minuit.

L'été, deux à trois fois par semaine, il joue au tennis, soit en début de soirée, soit entre 12 h et 14 h près de son lieu de travail.

Les soirées de semaine sont l'occasion de sorties au cinéma — couramment avec sa voisine Françoise — ou de visites à des ami-e-s. De fait, deux ou trois soirs par semaine, Dominique est absent de son domicile. Quelquefois, les repas chez des ami-e-s sont l'occasion de sorties communes avec sa fille. Mais Sylvette préfère ne pas mélanger *«les copains de papa et ceux qui ont envie de me voir ou que moi j'aime aller voir».*

Le week-end est partagé entre des pratiques sportives, des promenades ou alors du temps pris à *«traînasser»* dans l'appartement.

En règle générale, Dominique ne fait pas son travail professionnel chez lui, ce qui n'était pas le cas au moment du séjour de l'enquêteur car il préparait un diplôme de recherche.

Sylvette

Sylvette a un rythme de vie ponctué par sa vie de lycéenne (elle est élève en classe scientifique), avec un emploi du temps très chargé. *«J'ai été étonné de la régularité, voire de la ponctualité de son emploi du temps domestique»*, est-il écrit dans les notes de l'enquêteur.

Elle se réveille à 6 h 30, à l'aide d'un appareil qu'elle laisse sonner pendant 5 à 10 minutes. Elle se prépare à se lever entre 6 h 38 et 6 h 43, ouvre la porte de sa chambre, ses habits à la main, et branche le fer à repasser (situé juste à la sortie de sa chambre). Au moment de notre enquête, le jour commence à poindre à cette heure-là. Elle allume les lumières de la cuisine et la radio. Un haut-parleur diffuse le flot de musique dans la salle de bains.

Elle va à la salle de bains, s'attache les cheveux et prend une douche; puis elle sort de la douche et s'habille. Pour s'habiller, tantôt elle ouvre le placard, tantôt elle prend des affaires propres sur le séchoir à linge situé au fond de la salle près des fenêtres. Dans le placard des affaires propres, elle dispose d'un casier à part. De manière anarchique, les vêtements sont assemblés en boules ou en tas. De même, les pulls sont rangés avec un pliage tellement irrégulier qu'il est très difficile de déterminer d'un seul coup d'œil le vêtement recherché.

Le résultat de ces deux types de rangement est le même, puisque Sylvette et Dominique sont obligés de vider à terre l'ensemble des affaires d'un casier ou d'une pile pour choisir ou rechercher l'habit convoité. Le matin, Sylvette jette un rapide coup d'œil dans les placards pour regarder si elle peut identifier tel T-shirt ou tel pantalon. Mais dans la quasi-totalité des cas, des deux mains elle balaie le casier, laisse choir les affaires, fouille dans le tas situé à ce moment-là à terre et, toujours des deux mains, remet le tas dans le casier. Elle repasse alors les vêtements particulièrement fripés: T-shirts, chemises ou pantalons de coton, mais jamais les jeans. Puis elle se dirige vers la salle de bains où elle se maquille et s'habille. Son maquillage est simple: crème de jour et trait de kohol léger. Il est entre 7 h et 7 h 15. Elle déjeune.

Quelquefois, à ce moment du lever, en regardant la pendule de la salle, elle constate son retard. Une bordée d'injures déferle alors et l'on voit son pas s'accélérer, ses mouvements devenir plus rapides.

Son déjeuner se compose de lait chaud, chocolat en poudre et de céréales, des Rice Krispies ou des Kellogg's. Elle jette les céréales dans son lait et les met à la bouche cuillère après cuillère. Au cas où un produit viendrait à manquer ou qu'elle ne l'apercevrait pas, elle invective son père.

Le déjeuner absorbé, il est 7 h 30. Elle va faire une bise à son père et s'en va. «*Officiellement*, dit-elle, *je devrais partir après les infos*» (sur NRJ: vers 7 h 32 ou 7 h 33). Elle claque la porte, laissant la plupart du temps les lumières allumées, voire le fer à repasser branché (quelquefois, le chercheur a lui-même débranché le fer).

Elle a rendez-vous à 7 h 35 avec son ami sur la place voisine. Lui repart à 7 h 40, son école étant assez éloignée. Elle se dirige vers son lycée, où les cours commencent à 8 h. Elle retrouve ses «*copains*» et «*copines*» quelques minutes avant.

À midi, elle mange «*au self*», excepté quelques fois où elle utilise une cafétéria ou même, plus rarement, revient manger chez elle.

Entre 12 h et 14 h, elle part du lycée «*pour faire un tour ou jouer au baby* [baby-foot]». Son groupe de copines, dans ce lycée en général fréquenté par les enfants de la bourgeoisie lyonnaise, est composé de filles de cadres supérieurs, de professions libérales et de quelques-unes des filles du réseau de la Croix-Rousse. Toutes les adolescentes du réseau ne fréquentent pas systématiquement ce lycée, mais c'est toutefois chose courante.

Sylvette est particulièrement consciente du niveau scolaire de son établissement et de l'avenir que la ségrégation scolaire lui prépare. Au cours de nos entretiens du petit déjeuner, elle explique qu'elle devra aller en «*maths sup*», puis faire une école d'ingénieurs. «*Ce qui est le cas des trois quarts des gens qui font S* [la classe scientifique]». L'université n'est pas pour elle, ni dans une logique de trajectoire sociale ni dans son propre désir: *«T'en connais beaucoup toi des gens qui ont fait la fac et qui ont un boulot?»*

Le soir, elle rentre vers 17 h, s'accorde une demi-heure pour goûter; au menu: chocolat, tartines, beurre et confiture. Puis elle fait ses devoirs. À ce moment-là, elle est seule dans l'appartement. En fonction de l'importance des devoirs, elle prend du temps pour lire, écrire une lettre ou continuer sa *«maquette d'avion»* située à un coin de la chambre.

Elle fait une pause vers 18 h pour regarder à la télévision un événement particulier (par exemple, à cette époque, les Jeux olympiques) ou un feuilleton *(Santa Barbara)*. Dominique rentre à ce moment-là.

Après dîner, elle continue ses devoirs ou va se coucher. Quelquefois, elle reste bloquée par tel ou tel exercice et demande l'aide de son père. Dans ce cas, Dominique va travailler à côté d'elle dans sa chambre et, s'il le faut, le repas se poursuit dans l'explication de l'exercice difficile. Si jamais ni Dominique ni Sylvette n'arrivent seul-e-s à résoudre le problème, il/elle téléphonent aux ami-e-s de l'un-e et de l'autre et l'exercice non résolu envahit tout l'espace.

Pour Sylvette, les week-ends se passent généralement comme suit. Elle fait ses devoirs le samedi après-midi, alternant ses études et quelques pauses télé ou téléphone. Le soir, elle sort avec son ami. Le dimanche, elle se lève à 12 h quand son père est encore au marché et consacre l'après-midi aux devoirs scolaires.

La nourriture: repas et courses

L'APPROVISIONNEMENT

Deux fois par mois, les *«grandes courses»* sont faites dans un hypermarché. Le reste est acheté dans les commerces du voisinage. Depuis quelques années, la quantité achetée dans les grandes surfaces a tendance à diminuer, ce qui permet de redécouvrir les épiceries, boulangeries et boucheries de proximité. Sylvette est chargée de tenir la liste des produits à acheter.

Dominique fait peu attention aux prix et privilégie la qualité ou le produit connu. Ses ressources lui permettent *«de ne pas compter»*. Le dimanche matin, dès qu'il est libre (c'est-à-dire lorsqu'il n'a pas de match de tennis prévu ou de week-end organisé), Dominique se rend au marché de la Croix-Rousse acheter des légumes, du poisson ou de la viande.

D'une manière générale, beaucoup de viande et peu de légumes sont consommés. Les viandes sont accompagnées de riz, de pâtes ou de plats composés à partir de pommes de terre. *«Tout pour la simplicité,* dit-il, *ça manque, on achète.»* Les réserves sont réduites. Dans les placards: pâtes, riz, sel, lait «longue conservation», chocolat en poudre, chocolat en tablettes, quelques épices. Sauf pour le pain complet que Dominique aime mais qui n'est pas systématiquement présent, l'alimentation de Dominique a varié au cours des dix dernières années. De l'époque *folk*, dans laquelle riz complet et sauce soja étaient l'ordinaire, Dominique n'a gardé que peu de choses. Au contraire, la viande est aujourd'hui omniprésente; avant, elle était bannie pour motifs financiers ou idéologiques: *«Ça continue à affamer le tiers monde puisqu'il faut par exemple huit cents protéines végétales pour obtenir une protéine animale.*» Dans le réfrigérateur en permanence presque vide, on trouve une bouteille de Coca-Cola entamée, du beurre, de la margarine. «*J'arrive pas à remplir le frigo*», dit Dominique. Plus largement, il a du mal à remplir les placards.

La seule exception concerne le nécessaire du petit déjeuner: lait, chocolat en poudre et céréales sont régulièrement achetés car «*pour le petit déj' les magasins sont fermés ou c'est trop tard*». Le reste de l'alimentation est acheté au fur et à mesure. Cela pose parfois des problèmes et devient quelquefois un sujet de discorde entre Dominique et Sylvette; généralement, c'est «*quand le matin, il y a absence de lait ou de chocolat*» ou quand Sylvette a évité la cantine pour venir manger ici, «*qu'il n'y a rien*» ou qu'elle n'a plus l'argent nécessaire pour acheter de quoi manger.

LES ÉCHANGES DE SERVICES AVEC LA VOISINE

Parfois, le soir, il arrive qu'il y ait un manque flagrant de réserves: tel ami ne peut se passer de moutarde, ou le beurre, à force de rester en dehors du frigo, «*attrape un sale goût*», il n'y a plus de pain, le vin vient à manquer, etc. Dans ces cas, la ressource habituelle devient la voisine Françoise. Et on entend alors: «*Va chez Françoise, elle doit avoir...*» «*Demande à Françoise si elle peut te donner...*»

Françoise et Dominique échangent certains services, notamment pour ce qui a trait au linge. Les repas sont aussi l'occasion de rencontres fréquentes. De manière plus courante, Françoise «*descend*» chez Dominique. Elle y apporte un produit non cuisiné: du poisson acheté au marché, tel légume pour une salade, du fromage. Il arrive également qu'elle fournisse des produits à Dominique et Sylvette, même si elle ne descend pas manger. Aussi, en retour, elle demande souvent à Dominique de lui prêter du matériel: une cocotte-minute, un *mixer*.

On peut y voir une répartition spécialisée dans l'apport réciproque: d'un côté, le rôle féminin joué par la voisine, qui dispose de réserves plus conséquentes; de l'autre, le rôle masculin joué par Dominique, fournisseur d'outils.

Depuis plusieurs années, après une séparation, Françoise connaît des périodes de légère déprime. Quand *«elle se sent seule»*, quand *«ça ne va pas trop»*, elle demande à ses ami-e-s un soutien affectif, et les voisins immédiats (Dominique et Sylvette) sont très régulièrement sollicités.

D'autres fois, Dominique et Sylvette prêtent leur appartement pour abriter le sommeil de Perrine, l'enfant de Françoise, pendant que celle-ci se rend à un rendez-vous ou une sortie. À ce moment-là, ou lorsque Françoise mange en bas, l'enfant reste dormir chez Dominique et Sylvette. Sa mère la retrouve tôt le matin pour la faire déjeuner.

Les échanges fréquents entraînent aussi une circulation régulière de casseroles, produits ou paniers apportés par Françoise et repris chaque fois après leur nettoyage.

LE DÉROULEMENT DES REPAS

La préparation est surtout assurée par Dominique, et Sylvette *«aide à l'occasion»*. Même seule, elle n'aime pas cuisiner. Quand Dominique n'est pas là, elle se prépare des pâtes ou du riz, ce qui est *«plus facile à faire»*. Elle affiche pour la cuisine une attitude ambivalente: *«Quand je mange toute seule, j'ai pas d'appétit. De plus, j'ai pas le temps... les devoirs à faire... Sinon, j'adore faire la bouffe, mais quand je fais... je suis vite écœurée... parce que je goûte à chaque étape... [...] La bouffe que j'aime faire, c'est pas le repas du soir... ce sont des plats ou un gâteau en sachant que je n'en mangerai pas ce jour-là... [...] Par exemple, un gâteau au yaourt et au chocolat, mais il faut que j'attende un jour avant de le manger.»* Toutefois, si elle est seule, et si «*Dominique m'a proposé le plat, c'est-à-dire m'a mis le menu, par exemple escalopes panées avec de la crème... là je fais.*»

Le chercheur a souvent vu Dominique acheter de la nourriture en prévision d'un repas solitaire de Sylvette et des papiers sur la table: «*Sylvette, il y a des côtes d'agneau au frigo*», «*Tomates / riz / côtes / yaourts et gros bisous. Dominique*».

Quand Dominique fait à manger, le repas est souvent composé de plats complets: pâtes à la sauce tomate, gratin dauphinois accompagné de rôti, de poulet et d'une salade servie en entrée. Les desserts sont souvent composés de fruits, de fromage, des yaourts ou d'un camembert acheté «*en bas*».

La préparation (épluchage, découpage de viande, cuisson) est rarement effectuée à l'avance. Elle s'intègre dans le temps même du repas. Elle doit donc être courte et nécessite des viandes et des préparations rapides. Dominique ne consacre jamais un temps long dans l'après-midi à préparer le repas du soir. Avec un temps de préparation réduit à son minimum, le repas est surtout appréhendé dans sa fonctionnalité. Les préparations longues, qui demandent à être prévues plusieurs heures à l'avance, tels les gâteaux, sont effectuées par d'autres: ami-e-s, invité-e-s ou voisine. Le fait de cuisiner, d'assurer un rôle souvent attribué à une mère, ne pose aucun problème à Dominique.

Il utilise le restaurant (pizzeria, cafétéria) autant pour «*sortir manger dehors*» que lorsqu'il n'a pas envie de faire à manger, et on entend: «*Dis, Sylvette, il n'y a rien à manger, j'ai pas envie de faire les courses, on va à la pizz'?*» Autrement dit, le restaurant est intégré à l'économie familiale comme un temps de repos, de pause, une métastase de l'espace domestique où l'argent compense le manque d'énergie.

La charge du repas et des produits à consommer n'est donc pas une préoccupation constante pour Dominique. À l'arrivée dans le quartier le soir ou au moment du repas, il limite le temps qu'il y consacre.

L'approvisionnement ou la préoccupation du menu ou de la cuisson participe de sa charge mentale, mais dans un temps limité.

L'invitation, ou plus largement la présence de tiers dans l'espace domestique, inaugure le rite de l'apéritif. L'invité-e n'a que peu de choix sur l'alcool à consommer: vin de noix (lorsqu'il en reste, c'est-à-dire jusqu'en novembre), vin cuit (porto, muscat), quelquefois vodka ou ouzo. La bouteille pour l'apéritif est présente dans les produits de consommation courante. L'apéritif pour Dominique est l'occasion de préparer le repas et de discuter avec d'autres personnes dans un même temps, ce n'est pas un temps extérieur à la cuisine. On prend l'apéritif sur la grande table, sur laquelle, à l'autre bout, la préparation s'effectue.

Les repas en «tête-à-tête» de Dominique et Sylvette sont des moments particuliers, réservés à leur intimité. La présence de tiers casse cette intimité et renvoie chacun-e à une gestion personnelle de son temps-repas.

Souvent, soit pour pouvoir sortir avec son ami, soit sous prétexte de devoirs ou de fatigue, lorsque des hôtes sont présents, Sylvette préfère manger à l'avance pendant la préparation du repas ou pendant que les autres prennent l'apéritif. Elle exprime d'ailleurs son agacement à être trop souvent envahie par telle ou telle personne. *«Ça me fait chier... dans ces cas-là, c'est difficile de se faire des tête-à-tête avec Dominique.»*

Le rythme collectif et les rites d'usages tels que l'apéritif et les repas ne s'imposent donc pas à l'ensemble des habitants, mais s'incluent dans des stratégies différentes dans lesquelles l'intimité et le *«tête-à-tête»* conservent un statut particulier.

Les repas sont l'occasion de longues discussions où l'actualité, la politique ou les événements de la vie deviennent des sujets d'échanges. Pendant le repas, Dominique coupe le pain et sert le vin (présent dès qu'il y a des invité-e-s). Il sert certaines personnes et laisse à d'autres le soin de se servir. Françoise, habituée, se sert seule, ou Dominique lui demande si elle veut qu'il le fasse. Il est difficile d'en faire une règle, mais il semble que les intimes se servent seul-e-s, les autres non.

Après les repas, la table est débarrassée par l'ensemble des participant-e-s. Dominique dispose les couverts dans un coin de la cuisine et dans la machine qu'il met en marche avant de partir travailler. Ce n'est qu'à la prochaine lessive que la vaisselle propre est rangée dans les étagères. La présence du lave-vaisselle est le produit d'une résolution de crises entre Dominique et Sylvette dont nous reparlerons plus loin.

L'utilisation du lave-vaisselle permet de dépersonnaliser cette tâche domestique. Lors de notre séjour, à plusieurs reprises, les verres n'étaient pas toujours nets: des taches de graisse ou de doigts subsistaient. Lorsque des invité-e-s faisaient remarquer l'état lamentable de la vaisselle, l'explication fournie a permis de ne pas faire porter la responsabilité sur l'un-e ou l'autre: *«La dernière lessive achetée pour le lave-vaisselle, c'est pas ça.»* Si le travail domestique est mal fait, c'est à cause... de la machine.

Dominique ne présente jamais de culpabilité à la non-tenue de l'espace domestique. Quant à Sylvette, elle renvoie systématiquement la responsabilité sur son père: *«Il exagère...»*; ou sur l'outil: *«Putain... le lave-vaisselle...»* Les invité-e-s ou les personnes de passage ont à prendre en état l'appartement, sur lequel aucune fierté ou honte n'est attachée.

LA «CRISE» DE SYLVETTE: ADOLESCENCE, ESPACE DOMESTIQUE ET DÉSORDRE

Dans la vie familiale, différents moments rythment les évolutions des un-e-s et des autres. Parmi ceux-ci, les crises. Ici, de l'avis général, une crise a fait date. Il y a 2 ans, Sylvette avait alors 14 ans, les tensions entre elle et son père étaient monnaie courante. Sylvette ne supportait plus l'espace domestique tel qu'il se donnait à voir à ses ami-e-s de passage. Elle critiquait en vrac la vaisselle qui traînait en permanence tout autour de la cuisine, les rangements insuffisants qui obligeaient à empiler l'ensemble des ustensiles de vaisselle, le manque de confort et d'esthétisme du canapé présent dans la salle, et les poubelles qui traînaient. *«C'est pas une maison, c'est un bordel...»*, disait-elle. Bref, elle reprochait à Dominique le manque de tenue de la maison, et le moindre désaccord lui donnait l'occasion de rappeler ses griefs.

Après de nombreuses discussions, Dominique céda. L'ensemble de la salle/cuisine fut réaménagé et après moult débats dont on peut sans peine imaginer l'intensité, des mesures furent prises: achat de luminaire et d'étagères supplémentaires, efforts bilatéraux faits sur le rangement, et enfin achat du lave-vaisselle.

Depuis, non seulement le lave-vaisselle est devenu indispensable, mais *«on ne peut plus s'en passer»*, disent-ils presque en chœur. Mais surtout, pour Dominique et

Sylvette, c'est devenu la preuve que toute crise, même grave, peut être discutée et résolue collectivement.

Suite à cette crise, Dominique et Sylvette réinvestirent les parties communes de l'espace domestique. Quelques mois plus tard, Sylvette eut ses premières expériences amoureuses, qui aboutirent à la situation actuelle: un ami régulier, présenté et admis dans la maison.

À l'occasion de cette crise, Sylvette s'est affirmée comme femme et a posé le débat sur les éléments traditionnellement féminins (ménage, vaisselle). Depuis, régulièrement, elle invite Dominique à acheter les outils nouveaux qui permettent un moindre travail domestique et une augmentation du confort. Chaque fois, l'évocation de la crise est l'occasion de rappeler que ses désirs ne sont pas que des fantaisies d'enfant, mais participent à un mieux-être collectif.

Dès lors, lave-vaisselle, grille-pain, cafetière électrique, machine à laver le linge... ont chaque fois été achetés à l'initiative de Sylvette. Le laisser-aller originel de Dominique se modifie à partir du débat... avec une femme, en l'occurrence sa fille.

Mais plus globalement, la formule *«le lave-vaisselle»* est la référence symbolique du type de régulation que Dominique et Sylvette ont réussi à mettre en place. Lorsqu'une situation conflictuelle voit le jour, qu'il faut renégocier la place de l'un-e et de l'autre dans l'espace domestique, l'expression *«c'est comme pour le lave-vaisselle»* permet de rappeler que la discussion est possible.

Si l'épisode «lave-vaisselle» correspondait à une acquisition d'autonomie pour Sylvette, à une manière de marquer le territoire commun, cela n'a pas laissé Dominique indifférent: *«Je me souviens, quand j'ai acheté la lave-vaisselle. Je l'ai rentré... et il n'y avait plus de place dans la cuisine pour le mettre. Alors j'ai tout sorti, on a posé le lave-vaisselle et on a tout réaménagé autour.»*

«Le sale est une impression»

UN APPARTEMENT EN DÉSORDRE?

Nous avons vu que l'espace de Dominique et Sylvette n'est pas particulièrement rangé. La lapine augmente le désordre et la pollution. Elle urine sur le linge propre tombé du séchoir ou elle dispose tout le long de la table des petites crottes noires et sèches.

Le nettoyage hebdomadaire a lieu le samedi matin. Dominique range tout ce qui traîne dans les parties communes et dans sa chambre. Sylvette aide au ménage quand elle en a le temps; dans les faits, cela se passe rarement pendant la période scolaire. Par exemple, à la fin octobre, elle n'avait pas aidé depuis la fin août. Dominique enlève la poussière avec un chiffon, passe l'aspirateur et lave le sol. Dans la salle, il ajoute du *«brillant»* (un produit acheté en droguerie) à son eau de lavage. Sylvette, elle, nettoie de temps en temps les carreaux.

Le ménage hebdomadaire est la règle, mais les pratiques quotidiennes modèrent ce rythme. Le ménage est fait quand Dominique n'est pas investi dans un autre travail très prenant ou accaparé par un tournoi de tennis; mais surtout, c'est quand il a l'impression que c'est sale. Différents indicateurs de propreté sont en jeu: la poussière sur les meubles, quand le sol est collant, des miettes dans le lit... et parfois, lorsqu'il passe une main sur sa guitare, on l'entend dire: *«Il faut faire le ménage, samedi»*.

Le propre et le rangé sont un réel problème dans ce ménage. Pour remédier au désordre endémique, que faire? Sylvette nous dit: *«Comme dit Dominique, se payer une* conchita... *S'il y avait une femme de ménage, ou un mec de ménage, mais c'est tellement rare les mecs... ça serait quand même mieux*[10]*...*»

En 10 ans, les notions de propre et de rangé ont changé pour Dominique. Avant l'arrivée de Sylvette, son appartement était «*très peu rangé*» et l'ensemble des affaires «*traînaient partout*». L'arrivée de sa fille l'a obligé à utiliser les placards. Maintenant, les différentes affaires sont rangées dans les placards, ou plus exactement, disposées dans chacun des casiers pour séparer les différentes sortes de linge.

Dominique explique que «*quand j'avais une copine, j'étais très attaché à ce que ce soit propre*». Il était «*gêné*» pour elle. Il constate qu'à chaque fois, ses amies-femmes avaient des appartements mieux rangés et mieux entretenus que le sien. Dans ses propos, on a l'impression qu'il se sentait jugé par ses compagnes sur la tenue de l'espace domestique, qui prenait, outre sa valeur fonctionnelle, une valeur de présentation de soi. À présent, «*je ne suis plus gêné*», dit-il. Depuis la redistribution de l'espace domestique (l'épisode «lave-vaisselle»), il constate toujours un décalage entre ses normes de rangement et celles de ses amies: «*Mais cela est intégré au rapport avec la copine, c'est comme ça...*»

Pour Sylvette, l'appartement n'est pas propre: «*C'est bordélique. Quand on dépasse le premier aspect, quand on ouvre les placards... on voit des vieilles mites mortes, du riz avec des vers dedans, des assiettes pleines de poussière. Les placards de la salle... c'est le vrai bordel...*» L'appartement reste tout de même suffisamment présentable pour l'ensemble de son réseau amical.

Concernant sa chambre, l'organisation du rangement suit le cycle scolaire: «*À chaque rentrée des classes, je*

10. On voit ici une transformation dans la perception de la division sexuée du travail: penser à une femme ou à un homme de ménage.

change de classe, je change de profs, je change d'emploi du temps, je me dis: il faut que je change les autres parties, que j'affronte ma nouvelle vie avec un nouveau truc.» Alors, elle change la disposition des meubles et des rangements. Elle marque spatialement le renouveau scolaire et parle de «*nouvelle chambre*» et «*d'ancienne chambre*». Si jamais, par négligence, elle ne se conforme pas à cette règle, des signes somatiques viendront la perturber: «*Huit jours après la rentrée, dans l'ancienne chambre, les derniers jours, j'ai fait des cauchemars... mais dès que j'ai changé... j'y pense plus.*»

Sa chambre, c'est son lieu et elle associe son rangement à son corps, à sa peau: «*Si je suis pas bien dans ma peau, c'est bien rangé,* clean, *net... si je suis* cool, *que je pense à rien d'autre, c'est le grand bordel.*» Et de fait, le chercheur verra cette chambre passer de l'état le plus désordonné à celui de lieu très propre, où chaque chose est retrouvée dans un casier ou un placard. Seule exception, le bureau. À part les dossiers en cours, chaque objet est méticuleusement ordonné. De plus, durant les périodes scolaires, elle a «*plus tendance à ranger*», pour éviter «*de faire mes devoirs dans le bordel; sinon j'y arrive pas*».

LE LINGE: ACHAT, LAVAGE, REPASSAGE

Le linge de corps est acheté irrégulièrement. Dominique le fait «*quand je me décide*». Sylvette, qui, comme beaucoup d'adolescentes, fait attention à être bien habillée, le fait «*quand j'ai envie ou besoin*». Dans les faits, deux à trois fois par an, chacun-e renouvelle son stock de linge. Pour Dominique, les achats se font vite, dans un grand magasin du centre-ville: chemises, pantalons, chaussettes, chaussures... Ces achats sont considérés comme épuisants, mais indispensables: nécessité fait loi.

Les couleurs des vêtements sont le blanc, le noir, peu de couleurs vives ou excentriques. Dominique préfère un style discret, associé à une qualité de tissus. Il porte peu de jeans, mais plutôt des pantalons et des chemises en coton, des pulls légers en laine. Dominique ne porte pas de cravate, il garde, dans son aspect général, un air de cadre supérieur dynamique en «tenue sport».

Pour lui, une chemise portée deux fois est à laver. Quant aux draps, c'est tous les mois ou tous les deux mois: *«C'est en fonction des odeurs»*. Il n'y a pas de règles strictes ou formelles pour le linge intérieur, c'est quand l'un-e ou l'autre décide que c'est sale. Ici, les draps propres sont décrits comme ayant *«une odeur»* particulière et agréable. En temps normal, les draps sont considérés comme neutres. C'est lorsque des odeurs de transpiration ou des odeurs très fortes et inhabituelles apparaissent que les draps sont changés et lavés. Dominique peut aussi laver des draps ayant hébergé une personne avec un parfum très prégnant; il ne retrouve pas ses marques olfactives.

En revanche, lorsqu'il va à l'extérieur, il fait attention à toujours être *«propre»*, c'est-à-dire qu'il renouvelle sans cesse son linge.

Sylvette s'occupe plus souvent du lavage que son père. D'abord du sien (elle se change presque tous les jours) puis, s'il reste de la place dans la machine, elle lave le linge de son père.

On ne note pas ou peu d'utilisation de services, tel le *pressing*. Quand un vêtement est troué, si le trou est petit, Dominique coud. Mais le plus souvent, il attend que le trou s'élargisse pour *«jeter»* ou pour transformer un pantalon en short. Ses pantalons lui durent deux ou trois années avant d'être jetés.

Quant au repassage, l'un-e et l'autre repassent, mais seule Sylvette repasse à peu près tous les jours ses affaires propres. Pour Dominique, c'est plus irrégulier.

Les trois «A» de la sexualité: amour, amitié, avenir

Pour moi, le "je t'aime", c'est une émotion; pour l'autre, c'est souvent un projet, un chèque en blanc. (DOMINIQUE)

Nous venons de décrire succinctement l'espace domestique et les manières d'habiter de Dominique et de Sylvette. Nous pouvons approfondir les rapports, le mode de vie de Dominique et sa vie affective. Sans vouloir faire de Dominique un quelconque modèle, son expérience est assez significative de la problématique affective et sexuelle que vivent ces hommes à la recherche de nouveaux rapports avec eux-mêmes et avec les femmes. La quête de relations antisexistes, ou de couples différents, n'est pas si simple que cela.

Remarquons d'abord que le discours de Dominique sur le couple a changé. En 1984, lors d'une étude précédente, il déclarait: «*La situation actuelle* (il vivait déjà seul avec Sylvette) *ne me satisfait pas pleinement par rapport à mon enfant. Seul pendant six ans, ça suffit: la vie avec un autre mec m'a beaucoup plu...*» Il évoquait la perspective possible de vivre en couple avec une femme.

Si l'enfant était mis en avant pour justifier un désir potentiel de vivre à deux (en réalité à trois), il exprimait aussi sa moindre «*peur de partager un espace avec une femme*». L'année 1984 correspond pour lui à l'époque de l'expérimentation de la pilule pour hommes, des réunions du groupe d'hommes, où régulièrement des remises en cause de la «vie privée» avaient lieu. Dominique refusait l'antimodèle du père célibataire, comme il dénonce toujours les visages du nouvel homme. Il essaie de faire coïncider ses choix de vie sur sa propre expérience et affiche une méfiance à tout schéma calqué sur sa situation.

Depuis lors, en dehors des *«amours d'entractes»* ou des *«accidents de parcours*[11]*»*, il a vécu trois relations dans lesquelles un projet à court terme de couple a pu être évoqué. Autant la description de ces relations serait nécessaire pour comprendre la vie de cet homme, autant les exigences de discrétion limitent nos prétentions à le faire. On signalera toutefois les épisodes Marie H., Carole L. et Viviane P.

MARIE H.: FEMME INDÉPENDANTE

Marie H. est une femme de 35 ans, brune, svelte, elle travaille dans l'enseignement supérieur. Mère de deux enfants âgés de 13 et 10 ans, elle est divorcée. Cette femme a entretenu avec Dominique une relation régulière; ils ont partagé des vacances ensemble, se sont rendus réciproquement visite. Dominique et elle faisaient souvent l'amour ensemble.

Rapidement, Dominique a été *«amoureux»*, au sens de *«ressentir une grande émotion dans les contacts quotidiens, sexuels ou non»* et il évoquait la possibilité de vivre avec Marie. Celle-ci entretenait également d'autres relations, sans penser que cela puisse poser des problèmes à l'un-e ou l'autre. Tout au long de leur relation, le débat a été centré sur *«l'accès à l'autre»*. Lui voulait pouvoir la voir, la sentir, l'aimer sans arrêt... et elle limitait les rencontres à des moments privilégiés, refu-

11. Les termes proviennent d'un texte proposé à la discussion du groupe d'hommes par un de ses membres. Les «amours d'entractes» étaient définies comme des relations épisodiques: une femme avec qui se partage un désir sexuel et qui, plus ou moins régulièrement, partagera aussi une nuit d'amour. Les «accidents de parcours» sont des relations sexuées, affectives, sexuelles, dans lesquelles le projet de l'un-e et de l'autre sont antagoniques avec l'éthique ou le mode vie de chacun-e. La relation de couple, future, même évoquée ne peut être qu'un fantasme.

sant que ces instants ne deviennent quotidiens ou automatiques.

À cette époque, Dominique était en thérapie et parlait de ses peurs d'abandon. Il évoquait souvent sa tristesse, son chagrin de ne pouvoir «*vivre*» avec Marie. La situation a duré plusieurs mois jusqu'à ce qu'il comprenne «*que ça pouvait pas marcher*». Depuis, il garde une relation très amicale et complice avec elle: «*La relation amoureuse est finie, mais j'ai gardé une super-relation avec Marie et les enfants.*»

Dans sa relation avec Marie, sexualité et émotion furent partagées et correspondaient sans doute à une étape nécessaire de l'itinéraire sexuel de Dominique. Son désir de vivre en couple avec Marie est associé à une volonté de changer de mode de vie. Or, l'indépendance qu'elle réclamait et l'autonomie qu'il vivait sont apparues antagoniques avec une union permanente dans le même lieu. La relation s'est interrompue.

Nous avons le premier exemple d'une logique gestionnaire de la sexualité, et de la difficulté à (re)vivre en couple. Le couple nécessite des concessions réciproques. Celles-ci sont antagoniques avec une autonomie totale.

CAROLE L.: FEMME VIOLENTÉE

La relation avec Carole L. est complexe. Ils se rencontrent dans un train, se sourient. Un échange de lettres suit leur rencontre. Dans ces échanges, chacun-e poétise, clame l'idéal de pureté, de beauté, de relations où le physique et le mental seraient intimement liés. Malheureusement, l'analogie avec un conte de fées s'arrête là.

Carole est mariée, mais déclare vouloir divorcer. Après plusieurs mois de relations épistolaires, ils se rencontrent et la relation devient sexuelle et, en même temps pour Dominique, amoureuse. C'est l'époque de la «crise d'adolescence» de Sylvette (l'épisode du «lave-vaisselle») et de son entrée comme habitante à part entière dans l'espace domestique. À ce moment-là, Dominique commence à parler à Sylvette de ses émotions, de son envie de vivre avec Carole. Pour Dominique et pour Sylvette, c'est à partir de cet échange sur l'intimité du père, l'expression de ses ambivalences, de ses questions, et en même temps de son émotion, que s'ouvre entre lui et elle un espace de dialogue nouveau.

Carole se dit d'accord pour vivre avec Dominique. Rencontré à ce moment-là, Dominique explique alors que Carole vit avec son mari *«des rapports basés sur la violence*[12]*»*. D'où la difficulté pour elle de quitter son domicile, d'où aussi la peur de son mari, la peur de la mort. Son rôle de preux chevalier courant à l'aide de l'innocente victime ne fait que renforcer l'amour qu'il a pour elle. Ils partagent des week-ends, de longs entretiens téléphoniques et toujours une correspondance très fournie.

Le scénario du départ de Carole est envisagé avec sérénité. Plusieurs tentatives avortent suite aux menaces de suicide du mari, à ses crises lors des appels téléphoniques de Dominique. L'échéance du départ se rapproche et Dominique envisage de déménager, l'appartement devenant alors trop petit. Il s'ouvre de cette relation à ses proches, parle de plus en plus de Carole: *«une femme belle, intelligente... à connaître»*.

Elle est en effet partie de chez elle, mais ne rejoindra jamais Lyon. Elle est partie vivre à l'étranger avec... son mari. La rupture est brutale, Dominique commence

12. Métaphore courante en France pour dire que le conjoint est violent avec sa compagne.

à déprimer. L'Amour, cet amour si cher, est trahi. Avait-elle eu peur de son mari? Ou d'abandonner la sécurité du mariage? Il est évidemment difficile de le dire.

Nous avons parlé longuement avec Dominique de sa relation avec Carole, en la mettant en parallèle avec les relations qu'ont pu vivre d'autres membres du groupe d'hommes.

Le type de relation que Carole et Dominique engagent à ce moment-là n'est pas basé sur la réalité de l'échange, mais sur un ensemble d'images réciproques:

- Pour elle, c'est un homme différent, *«cool»*, doux père qui assume «correctement sa paternité». Il dégage une image différente du mari qu'elle a épousé, qui donc, *a priori*, n'engagera pas de rapports violents avec elle. Elle fait porter sur cette image une notion de sécurité physique (respect de son intégrité) et sociale (un homme comme ça, «qui assure», c'est la garantie de vivre un autre couple).
- Pour lui, en dehors du rôle du chevalier ou de noble guerrier des temps modernes (rôles valorisants dans l'imaginaire masculin), il qualifie sa relation avec Carole comme *«plus simple»*, sans rapports de force permanents, ce qu'il lui est difficile de vivre avec des femmes aux origines militantes féministes.

Nous parlons de renvois réciproques d'images, de fantasmes mutuels, car l'un-e et l'autre, lors de leurs échanges, refusaient formellement de voir l'envers du rôle, c'est-à-dire:

- Pour elle, le besoin d'être sécurisée, protégée, dans une relation inégalitaire incluant une prise en charge par l'homme.
- Pour lui, la nécessité, en dehors de son fantasme de couple, de garder un espace personnel, privatif, où l'autre ne rentre pas.

La diffusion à l'autre de son mode de vie respectif a révélé à chacun-e les impossibilités de l'union rêvée. Elle reprend sa liaison avec son mari, s'en séparera peut-être, mais d'une manière ou d'une autre n'est sans doute pas prête, à ce moment-là, à engager le type de relation souhaité par Dominique.

Homme, face à une femme ne remettant pas en cause la domination masculine, il peut aisément imposer ses normes. Mais les préalables implicites que dégage son quotidien, notamment sa quête incessante d'autonomie, sa volonté de vivre *«d'autres amours»*, apparaissent vraisemblablement trop lourds à Carole. Pour un temps, elle choisit la sécurité maritale.

VIVIANE P.: FEMME À DISPOSITION

Viviane P. se situe à la frontière entre les deux relations précédentes. Familière de Dominique et Sylvette, elle a engagé avec lui une liaison sexuelle dans laquelle, pendant longtemps, elle quittait le lit de Dominique vers 3 h du matin. Pour lui, au début, il s'agissait d'une union épisodique. *«Je l'avais prévenue, ce n'était pas une relation fixe et investie.»* Viviane elle-même nous expliquait que cette relation, en raison du fonctionnement de Dominique, était sans avenir. La liaison a pourtant duré trois ou quatre ans sans que l'entourage immédiat ne le suppose. *«J'aime qu'on dorme ensemble, qu'on fasse l'amour...»*, expliquait-il. Viviane, en raison de la durée de la liaison, a commencé à l'investir comme une relation secrète, certes, mais régulière. Elle exprimait d'ailleurs de la jalousie pour les autres *«amours»* de Dominique.

Cette situation produisait un double effet:

- Pour elle, Dominique était sa seule relation sexuelle (il le savait) et occupait dans sa vie une place privilégiée.

- Pour lui, Viviane restait une relation discontinue. Il pouvait toutefois de manière quasi permanente, selon son propre désir, décider de dormir ou pas avec elle. Il était en situation de choisir: différer les désirs de Viviane pour dormir ensemble ou avoir une relation sociale plus importante.

Outre l'aspect contradictoire des attentes formelles et verbalisées, nous remarquons ici ce que nous avons pu constater par ailleurs, à savoir la possibilité pour un homme de bénéficier des privilèges d'une seule relation (accès prioritaire et permanent à une sexualité) et les avantages d'un discours sur l'autonomie.

AMOUR, ÉMOTION, TENDRESSE, DÉSIR...

En dehors de ces trois cas, les autres relations sexuelles de Dominique font apparaître des perceptions différentes de l'amour entre hommes et femmes, ainsi que des évolutions récentes chez les femmes et chez les hommes.

Pour Dominique, la sexualité est très importante. Il a souvent envie de faire l'amour et pense qu'il est toujours à la recherche d'un amour idéal. Pour lui, l'amour *«c'est un partage d'écoute, une grande émotion sentimentale, une entente physique, un jeu: l'amour... c'est chouette»*. Nulle référence à une stratégie professionnelle ou conjugale, ce qui a déjà été observé dans d'autres cas, mais plutôt une association amour-sexualité-émotion.

Or, dans les faits décrits par Dominique, le désir de couple, l'amour idéal et la volonté de maintenir une autonomie dans le rapport social, un espace personnel, sont antagoniques et ne peuvent conduire qu'à la rupture.

Les premiers groupes d'hommes avaient érigé la tendresse, le désir d'exprimer ses émotions en véritables cultes. Ils les avaient présenté-e-s comme éléments discriminants entre les pratiques de ses membres et la «virilité obligatoire» imposée aux hommes. Aujourd'hui la situation a bien changé, le machisme est attaqué de toute part. L'émotion et la tendresse tendent à devenir des thèmes alternatifs dans l'ensemble des groupes sociaux.

Permettons-nous un petit détour dans le passé. Nous n'irons d'ailleurs pas très loin, l'histoire des hommes antisexistes est encore relativement récente. En 1980, au cours d'une réunion nationale de l'association ARDECOM dans les Cévennes, concluant une journée de travail, le président du groupement expliquait: *«On est bien entre nous et on en a besoin; le jour où tous les hommes prendront la pilule, on trouvera autre chose pour se retrouver.»*

Pour ces hommes, le besoin de s'afficher différent du modèle traditionnel revêt des sens très différents. On y retrouve cette volonté de la petite-bourgeoisie intellectuelle et élitiste de se distinguer. Mais c'est aussi un désir de trouver un étendard conceptualisant leurs propres pratiques, c'est-à-dire un concept privilégiant le corps, l'individualisation du ressenti de la sexualité. Un drapeau signifiant aussi leurs différences dans la manière d'appréhender des relations sexuées. Nous pourrions faire l'hypothèse que l'émotion et la tendresse furent les nouveaux étendards de ces hommes. Et de fait, Dominique, comme d'autres, signale que fréquemment les relations sociales avec des femmes s'engagent à partir de l'affirmation de celles-ci: *«Toi, t'es différent des autres hommes.»* Dans une certaine mesure, exprimer ses émotions, prouver qu'on est capable de parler de soi favoriseraient les approches sexuelles. Certains dialogues où l'homme parle de lui, de son corps, de ses désirs sont quelquefois de véritables rituels de parade, permettant à l'homme de signifier clairement un désir sexuel. Mais pour Dominique, ce n'est pas simple de le faire comprendre. Il déclare: «*Souvent, les femmes engagent une relation sur la base: "Toi Dominique, t'es différent, tu parles de toi, de tes émotions" [...] Elles sont alors capables d'investir à moyen terme ou à long terme... alors que l'échange n'est pas là.*»

Autrement dit, la distinction amour/avenir/amitiés, dans laquelle le «je t'aime» est pour Dominique «*une émotion*», est souvent perçue par l'autre comme un projet, «*un chèque en blanc*». Là où Dominique croit signifier un instant réversible, l'autre y entend une durée.

Dans certaines relations (Marie H. par exemple), Dominique lui-même mélangera les niveaux et aura envie d'investir socialement une relation sexuelle. Il affirme: «*Maintenant j'ai fait un peu de ménage dans ma tête [...] j'aime bien être seul... prendre du temps pour moi...*»

On pourrait interpréter cela comme une prise d'autonomie, une distanciation face à la quête sexuelle permanente chez les hommes. On pourrait même y voir un passage à un autre état, un passage de l'adolescence (la quête à tout prix) à l'âge adulte, mais Dominique tenait exactement les mêmes propos en 1984.

La sexualité, la définition des relations sociales dans la sexualité, l'accumulation des savoirs et les représentations constituent un terrain mouvant, où les trois *A* de la sexualité s'organisent et se désorganisent sans cesse, où tout modèle affiché se déconstruit aussi vite qu'il apparaît. Ce n'est pas à partir du discours sur la sexualité que peut s'analyser l'évolution personnelle, mais bien dans l'analyse des rapports sociaux de sexes dans lesquels l'accès au corps des femmes, des hommes, l'échange sexué, sont intégrés comme éléments.

Si Dominique est capable de repérer un style de femmes rencontré fréquemment (des femmes grandes et brunes), la définition de critères physiques apparaît vite secondaire, lorsqu'il évoque ce que ne doit pas être une femme avec qui il engage une relation sexuée et sexuelle. «*Elle ne doit pas transférer d'angoisses, être sérieuse...*» Pour cet homme, la continuation d'une rencontre sexuelle dépend *a priori* de la manière dont la femme se présente, de sa capacité à construire une relation différente d'une soumission ou d'une «*dépendance traditionnelle*».

Or, on l'a vu lors de la description de trois de ses relations amoureuses, la mise en œuvre et la gestion d'un nouveau contrat sexuel qu'il tente de définir apparaissent complexe.

LE RAPPORT PÈRE-FILLE: ÉDUCATION, PATERNITÉ, TRANSMISSION

Quant à Sylvette, la transmission, l'image de la sexualité et de l'amour présentée par son père l'entraîne à projeter les amours qu'elle vit entièrement dans une gestion de la sexualité où son avenir professionnel est privilégié et où elle garde sa propre autonomie. En quelque sorte, un schéma différent de l'amour-fusion. Mais allons plus loin.

Le rapport familial entre Dominique et Sylvette peut être analysé sous différents angles. Il s'agit à l'évidence d'un vécu de paternité, qui intègre les transformations familiales que les sociologues commencent à décrire. On est en présence ici d'une paternité entière, où l'homme, le père, remplit des tâches généralement attribuées à la mère. On pourrait parler, comme nous l'avons déjà fait, de «père nourricier».

Mais la cohabitation peut aussi se lire comme la coprésence de deux personnes ayant un lien filial qui doivent définir ensemble leur mode de régulation.

Pour l'exposé qui suit, nous avons utilisé trois sources d'information: les discours de Dominique, ceux de Sylvette et l'observation. Quand nos observations ne permettaient pas de comprendre une interaction particulière, nous avons demandé à l'un-e ou à l'autre des explications.

Dans cette hypothèse, l'éducation serait la transmission d'un savoir lié aux rapports sociaux de sexe, et en même temps, un rapport social de sexe à part entière. Nous délaisserons ici les aspects psychologiques pour privilégier les faits appartenant à la socialité ou aux processus de socialisation.

Le discours public (au réseau, devant les ami-e-s) ou privé (entre lui et elle) tend à dissocier les fonctions père-fille et les individus qui habitent ces fonctions. «*Dominique, t'es un papa génial même si, des fois, t'es un peu chiant!*» Ces propos, exprimés au cours d'un repas devant d'autres personnes, le résume assez bien. Quand l'un-e ou l'autre décrit les fonctions déterminées par le rapport familial, ils utilisent les vocables *père, papa, fille, ma, mon,* mais dès qu'il s'agit de communiquer entre eux, l'usage du prénom individualise la pratique ou les représentations de la pratique.

Les rôles de transmission des savoirs, des savoir-faire et de protection sont attribués et remplis par Dominique, qui rappelle à sa fille quelquefois qu'en dernière analyse elle et lui ne sont pas strictement égaux.

Ainsi, lorsqu'ils discutent ensemble un achat particulier perçu comme nécessaire par Sylvette, mais non reconnu comme tel par Dominique, l'échange verbal intègre le fait que le père, pourvoyeur de l'argent, est finalement celui qui décide. Si elle décide, il faut qu'elle arrive à convaincre Dominique.

C'est également le cas pour ce qui est des cadres horaires et spatiaux. Ils sont fixés par Dominique et évolutifs en fonction de l'âge de Sylvette, notamment pour ce qui concerne les sorties du soir. Sa seule contrainte est d'informer au préalable son père. Il ne s'agit donc pas d'une liberté totale, d'un laxisme ou d'une démission des tâches éducationnelles: *«Elle ne doit pas dépasser les limites»*, dit-il.

Chacun-e assure une fonction dans le cadre du rapport patriarcal qui veut que le père contrôle et guide sa fille. La relation est ici particulièrement individualisée.

En cas de conflit ou de désaccord, chacun-e peut être en opposition à l'autre et l'exprimer, y compris par la colère. Depuis l'épisode «lave-vaisselle», c'est-à-dire à partir du moment où Sylvette a signifié à son père son désir de tenir une place à part entière dans l'espace domestique et de participer à son organisation spatiale et temporelle, ils se disent que tout peut être discuté. Sylvette explique de nombreuses situations où la discussion a été nécessaire. La palette de scènes qu'elle décrit concerne autant des circonstances où elle voulait obtenir quelque chose de Dominique (argent, temps...) que des moments où elle voulait une décision commune pour un usage particulier de l'espace domestique.

Mais c'est aussi lorsque *«Dominique et moi on n'est pas en forme, on fait la gueule ou on n'est pas bien...»* La discussion intègre alors la gestion des sentiments produits de la coexistence familiale, sans que l'un-e impose à l'autre sa mauvaise humeur. *«Vu qu'on n'est que deux, quand l'un est de mauvaise humeur, ça fait chier l'autre... t'es obligé de t'isoler seul... tu peux pas aller te jeter sur l'autre.»*

Ainsi, on peut voir que la territorialisation de l'espace, le respect de l'intimité de chacun-e et la discussion où se respectent les règles du rapport parental forment le mode de régulation de cette relation.

Mais Sylvette entre sérieusement dans l'âge adulte. Depuis la séparation des parents, elle a appris que son *«avis»* influait sur les décisions la concernant. Les rapports avec son père sont dans la continuation de cette logique. Lorsqu'elle parle de son avenir, de l'amour, de son ami, elle privilégie ses choix et l'inscription professionnelle. Elle évoque les sentiments, son amour, ses envies, mais les intègre dans une perspective sociale où elle, femme, devra être autonome et entendue dans ses choix. Dans ses pratiques sociales, affectives et scolaires, Sylvette se situe déjà en sujet de sa propre histoire. À 16 ans, elle est déjà une enfant du féminisme.

Le départ de Dominique du groupe d'hommes

Dominique a quitté le groupe d'hommes. Il avait des choses à dire, il les a dites. À présent, il n'a plus envie de dire certaines choses. L'écoute est différente, le groupe d'hommes a été *«un espace de paroles, une écoute de soi et des autres»*.

Il associe sa participation au groupe d'hommes à différentes interactions sociales, des visites fréquentes... il privilégie maintenant quelques relations particulières qu'il peut nommer. Contrairement à d'autres, il n'invoque pas «le réseau», «le groupe» pour expliciter l'origine de ses relations, mais recontextualise chaque relation dans un échange particulier.

D'aucuns diront qu'il a quitté «la tribu», que son passage lui a permis de s'affirmer en tant qu'homme voulant exprimer son autonomie et ses choix de vie: «*Le guitareux est devenu père tranquille.*»

CHAPITRE 3

Éric
Une histoire ordinaire?

Avant la rencontre

ÉRIC ET SA JUMELLE

Éric a 28 ans. Il est originaire du Nord, d'une famille de sept enfants dont il est, avec sa sœur jumelle, le cadet. Son père travaille dans le bâtiment et a construit une maison spacieuse pour sa famille. Il a aussi construit celle des fils aînés mariés. Sa mère est restée au foyer pour se consacrer à ses enfants, ce qui a fortement marqué Éric: «*Elle trimait comme tout... avec tous ces gamins...*» Sans exactement distinguer les périodes et les motifs, Éric se rappelle avoir partagé le même lit avec sa sœur pendant deux époques: une première lorsqu'il était «*tout petit*», puis de nouveau plus tard.

Jumeaux biologiques, jumeaux sociaux, Éric se souvient: «*Ma frangine avait des dînettes... c'était l'occasion de jouer au papa et à la maman... Je me souviens avoir joué à la poupée quand j'étais petit. [...] Il y avait une masse de jouets, qui était la somme de tout ce qu'avaient les enfants... et on puisait là-dedans. [...] Et puis, je me souviens d'un jeu dans le lit avec ma sœur... on mettait des tabourets à l'envers, des chaises, on recouvrait avec le drap et ça nous faisait une maison... c'est là que je me suis rappelé avoir joué au papa et à la maman... [...] Les jeux duraient très longtemps... on voyait pas le temps passer...»*

Une communion relie ces deux enfants, au point que *«l'ami de ma sœur... euh, l'ami occasionnel... il est metteur en scène, et comme il invente constamment des histoires... il plaisante souvent sur l'inceste... l'inceste qu'il y avait matière à avoir entre moi et ma sœur jumelle...»* Lits communs, jeux communs, tâches communes... chacun semble avoir son double du sexe opposé, une forme de partage qui fait dire à Éric: *«On a eu des enfants communs nous deux... des nounours, des machins comme ça... Surtout qu'on était des pros de la vie commune!»*

La composition de la fratrie peut expliquer ce rapprochement. Fidèlement au rang de naissance, on trouve: 1 fille, 5 garçons, 1 fille, tous séparés de 3 ans, excepté entre les deux aînés (2 ans) et les cadets (4 ans). Le regroupement dans les chambres se structure sur l'âge et non sur le sexe, ce qui peut se comprendre par un écart élevé (15 ans) entre les deux sœurs.

MARIANNE ET LA MONTAGNE

Marianne est l'épouse d'Éric, elle est âgée de 27 ans. Elle a grandi en Haute-Savoie, dans une petite station de sports d'hiver, Thallouard. La grande maison de sa famille d'origine est construite sur une pente. Elle comprend un étage, un rez-de-chaussée et un demi-sous-sol; celui-ci est composé de la cave, de la buanderie et de la salle de jeux, lieu de prédilection pour les enfants: *«On allait en bas...»* Marianne reste marquée par l'abondance d'espace, la convivialité: *«Un village de montagne... avec plein de champs autour, pas de route à traverser, toujours un grand avec nous... [...] Tous les enfants, on allait à l'école ensemble, tout un groupe d'enfants, une grande convivialité... un peu l'ancienne école.*» De ses parents, elle a intégré une certaine forme d'éducation libérale: «*On parlait facilement de tout et n'importe quoi, donc c'était implicite, que ce soit pour les premiers tampons ou pour la pilule. Les discussions se passaient à table, donc forcément tout le monde était là...*» Parmi les sujets de ces discussions familiales ouvertes, Marianne citera la contraception, le communisme et, symbole par excellence de cette ouverture, l'Islam. En quelque sorte, la famille révèle une pédagogie fondée sur la responsabilisation et l'autonomie de l'individu. «*Il y avait un respect de la vie privée des gens, chacun devait se prendre en charge, quoi...*»

La mère de Marianne est d'origine parisienne. Dans le village, cette mère de cinq enfants s'investit beaucoup au sein des associations locales, d'un institut médico-pédagogique[1] et à la municipalité. Cela était possible dans la mesure où la solidarité de voisinage fonctionnait bien dans le village: «*Quand ma mère partait, elle savait que la voisine pouvait jeter un œil.*» Faut-il voir à l'origine de ces foisonnements d'activité un engagement domestique très poussé du père? Non: entrepreneur de maçonnerie, il a eu «*des problèmes de dos très tôt*», ce qui lui interdit plus ou moins de s'adonner à des tâches domestiques. «*Il était très pris... il arrivait pour les repas.*» L'ensemble du travail domestique revenait à la mère, et il restait aux enfants une aide minimale à exécuter, travail qui revint essentiellement aux filles, le frère aîné étant

---

1. Parmi les enfants, l'avant-dernière est handicapée mentale, ce qui a beaucoup marqué l'ensemble de la famille. Marianne reconnaît avoir été largement influencée par cet état de fait pour un apprentissage aigu de la tolérance.

«particulièrement doué pour se défiler, et ma mère n'a jamais été rigide avec lui... comme pour le balayage, ma mère demandait moins au frère qu'à nous».

Marianne sera sensibilisée par la vie domestique (son organisation, ses contraintes, ses collaborations...) dans sa famille d'origine. *«Les petites avaient 11 1/2 mois d'écart, il fallait mener ça rondement!... et avec l'avant-dernière qui est handicapée mentale...»* On retrouvera cette même sensibilité dans sa famille actuelle, qu'elle forme avec Éric et leurs deux filles, Joëlle et Julie.

Une piste... une serveuse

«LES PISTES AVEC LES POTES»

Alors que le terme *virée* désigne communément l'opportunité d'une vie intense entre copains, Éric, lui, utilise le mot *piste*. Le terme évoque une idée de trajet: un circuit, une piste, sur laquelle on tourne, l'essentiel est d'être en mouvement entre copains, la voiture devenant alors un lieu de convivialité et d'échanges. C'est une période où l'avenir professionnel ne fait pas la une de l'actualité d'Éric. Après avoir réussi son bac en 1980, il suit les cours de biologie de la faculté de Lille. Deux ans plus tard, il entre en première année d'IUT[2] «Mesures physiques», abandonne en fin d'année et s'engage en 1983 dans une formation en informatique.

Pour Éric, l'orientation professionnelle ne fait l'objet d'aucune stratégie, avec tout ce que ce terme contient

2. IUT: Institut universitaire de technologie. Les IUT sont des écoles de formation professionnelle auxquelles on s'inscrit après le baccalauréat. Ces formations durent deux ans.

de rigueur, de planification, de mesure des risques éventuels. Non, l'important, pour l'instant, ce sont les «*pistes*». Probablement cette phase est-elle une réaction contre le relatif cloisonnement familial vécu plus tôt. D'une famille d'origine catholique très croyante, tant du côté maternel que paternel, il fut enfant de chœur. Puis les premiers contacts extérieurs lui permirent par la suite d'avoir d'autres référents adultes[3], une ouverture à l'extrafamilial.

LES FÊTES À THALLOUARD

Tandis qu'elle vit toujours aussi paisiblement à Thallouard, Marianne participe aux activités des jeunes, comme beaucoup d'enfants de militants associatifs. La kermesse annuelle, les soirées dansantes, les feux de camp...: «*J'ai été membre fondateur d'une association sur notre village. On faisait de l'animation, on faisait tout, il y avait rien, on voulait tout faire. [...] Donc, de ce fait-là, j'avais plein de copains... et toute ma vie... hors scolaire, j'ai commencé à sortir assez jeune, mais c'était surtout l'été. On avait toujours quelque chose à organiser, un feu de camp en montagne...*» Marianne est active socialement très tôt; notamment, dans les fêtes, elle officiait souvent comme serveuse. Alors, les rencontres...

«*Si tu veux, l'avantage que j'y trouvais, c'est que les jeunes de mon âge, ils partaient pas tellement du... bon, s'ils passaient leur bac, c'était vraiment le maximum, il y en avait pas beaucoup qui allaient en fac... alors les jeunes qui venaient, ils étaient souvent étudiants* [rires], *je faisais mes choux gras l'été* [rires].»

---

3. Éric citait comme principal référent adulte le père d'un camarade de classe, qu'il comparait à un «*chantre*», «*socialiste à fond*» et président d'une association de vacances et de loisirs.

Ces rencontres étaient également l'occasion pour elle d'avoir des échanges culturels. En échec scolaire assez tôt (classe de cinquième), Marianne fut formée dans un établissement agricole, où la majorité des élèves était des garçons. Cela la pousse à lier contact avec d'autres et autrement: «*C'était sympa, on lisait Sartre, on faisait plein de trucs... Comme j'avais pas eu cette formation à l'école, c'était une façon de me cultiver, quoi. Je le trouvais pas chez les gens du village, donc je le cherchais chez d'autres gens... En agriculture, les gens qu'on rencontre, au point de vue culturel, c'est pas le Pérou, souvent... ça les intéresse pas, quoi... Et lire, pour eux, ça faisait un peu bizarre. J'en profitais de ce côté-là, et mes parents m'ont laissée relativement libre, ils me laissaient faire ce que je voulais.*»

Éric, «*en piste*» avec des copains, est de passage à Thallouard: «*En 1979, j'ai rencontré Thom*[4] *à Thallouard en train de faire de l'escalade... Il s'est cassé un pied. Voilà. Mais c'est un mec qui m'a branché parce qu'il correspondait pas aux gars du village* [rires]. *Il était euh... voilà, il décoinçait!* [rires]»

C'est ici que l'aventure commence. L'un-e et l'autre suivent leur formation respective dans leur région d'origine, mais c'est vers 1980 que Marianne, 18 ans, rend visite à Éric, 19 ans, chez les parents de celui-ci. Une visite marquante: «*La seule fois où je suis allée à Lille, je me suis fait virer. [...] J'arrivais avec mes baskets, jeune fille libérée à tout point de vue* [rires] *et je suis arrivée chez des cathos bigots* [rires]. *Ça a pas du tout marché et moi je m'en suis pas rendu compte... Enfin si, mais seulement au bout de 24 heures* [rires]... *C'était un peu tard. Le fait est qu'un soir, à 3 heures du matin, la mère Thomas s'est radinée dans la cuisine: "T'as rien à faire là!" Je me suis fait traiter de tous les*

4. Le patronyme d'Éric est Thomas. Thom est son surnom dans la famille. Sa fille Joëlle l'appelle fréquemment «papa Thom».

noms, que je dévergondais son fils et tout. Ils étaient pourtant très gentils. Donc, à partir de ce moment-là, ça compliquait les choses [rires]. *Alors là, c'était l'été 1980 [...] Je pouvais plus me permettre et de lui écrire un petit mot et d'aller le voir chez lui, donc il fallait qu'il monte à Thallouard et 800 bornes en stop c'est pas toujours évident... Donc, bon, il y a eu des mensonges... Il partait au ski avec ses cops* [copains], *mais il venait à Thallouard, c'était très marrant. De toute façon, je me disais: "Ma grande, t'as beau t'appeler la Mère Thomas, c'est moi qui l'aurai!"* [rires]»

Logements provisoires

BALBUTIEMENTS DOMESTIQUES

Éric ne fera pas l'armée. Pour des raisons idéologiques, il s'en fait habilement exempter. Tandis qu'il résidait dans un logement de la banlieue lilloise qu'il partageait avec une amie de Marianne, celle-ci suivait une formation de technicienne agricole près de Strasbourg. Elle s'installa avec un ami, Philippe. À ce sujet, Marianne dit d'Éric: *«Il n'y a pas beaucoup de mecs qui accepteraient ça...»*

Marianne décrit son logement du moment comme *«un chez-moi annexé... c'était une vie étudiante, on bossait pendant trois jours sur un thème...»* Éric, de son côté, ne s'entendait pas très bien avec sa colocataire, qui décida de partir.

Il garda donc ce petit appartement. Marianne lui avait gentiment prêté sa couette, ses chaises et sa vaisselle. Puis, Marianne s'inscrit en formation de technicienne agricole en Auvergne. Du fait de l'éloignement, elle ne rentre que les week-ends, avant de choisir d'y rester définitivement. Éric dit qu'il aurait quand même aimé qu'ils ne s'installent pas tout de suite ensemble et aurait préféré une situation où ils auraient *«tous les deux un appart' sur Lille»*.

Pour illustrer cet état de fait, Éric nous soumet une référence cinématographique: *«Ça me rappelle un film,* Les tricheurs, *un vieux film français. C'est un mec et une nana, ils sont amoureux, mais ils ne se le disent pas car s'ils se le disaient, ils marcheraient dans une ligne qu'ils combattent. Ils sont tous copains et copines, chaque mec est amoureux de toutes les filles et chaque fille de tous les mecs. Il est interdit de tomber amoureux d'un et de le garder, de vivre simplement avec cet un. Tout un tas de jeux comme ça... Et un jour, il y en a un qui apprend que l'autre fille a dû bricoler* [flirter] *avec un autre mec, puis donc, cette fille part avec une voiture. [...] À ce moment-là, j'étais un peu comme ça, j'étais un peu amoureux, franchement même, de Lachance* [patronyme de Marianne], *mais il fallait pas que ça soit formalisé dans les faits... J'aurais bien aimé qu'elle ait un appart' à Lille, par exemple. Et finalement, c'était très bien et ça explique aussi pourquoi je voulais pas qu'on reçoive les parents de l'un et de l'autre.»*

Mais bien qu'Éric eut du mal à accepter la présence de Marianne dans son logement, il en fut autrement. Elle relate: *«Chez lui, je ne pouvais pas m'imaginer de mettre un* poster *au mur, car il n'aurait pas aimé... [...] J'étais chez Thom' et il me le faisait sentir.»*

Ce sera l'époque des expériences culinaires, comme souvent lorsqu'un couple vit dans sa première autonomie, avec une participation de chacun-e: *«Poisson cru, carré d'agneau, il mettait la main à la pâte...»* Ce fut à ce moment que le couple acquit sa première cuisinière — *«une Brandt»* —, que leur a donnée un copain. Le couple ne possédait pas encore de machine à laver le linge. Alors, tous deux lavaient en partie à la main ce qui concernait le petit linge (sous-vêtements, chaussettes...). Éric s'y consacrait assez souvent et traitait le linge commun. Pour ce qui était du reste du linge (sweat-shirts, pantalons...), la laverie automatique suffisait.

Marianne refusa de rester longtemps dans ce logement: *«Je ne pouvais pas vivre dans un petit espace... Pas un arbre, pas une fleur, des routes, des voitures... J'y suis restée deux ou trois mois.»*

Quelques mois auparavant, le couple avait décidé de se marier. Mais Marianne a tenu à garder son nom dit *«de jeune fille»*.

ÉRIC SOLLICITÉ

Finalement, Éric effectue un stage dans l'entreprise où travaille son frère aîné et se forme en informatique. Dans l'entreprise où il fait ses débuts de programmeur, il rencontre Jean-Pierre, pupitreur. Parlant de lui: *«C'était le seul sympa. On travaillait ensemble avec les opératrices de saisie, moi j'étais à la section développement. C'était à peu près le seul mec avec qui on pouvait parler d'autre chose.»* Parmi ces sujets de discussion figure en bonne place l'habitat groupé autogéré, à l'origine duquel se trouve Jean-Pierre. Après une bonne dizaine d'années de travaux de groupe, avec ses périodes fastes, ses flottements, ses ruptures, cet habitat autogéré est proche de la réalisation finale. Cependant, Jean-Pierre et Éric n'en parlaient *«pas des masses»*. Jean-Pierre lui en parla un peu plus lorsque Marianne se trouva enceinte de leur premier enfant, Joëlle, ni prévue ni programmée. Le besoin d'un logement plus grand se fit sentir. *«Jean-Pierre me parlait de son projet, mais je connaissais pas l'ampleur du truc.»*

Au moment où Joëlle prévient de sa présence, *«pas question d'habiter à Lille»*, nous dit Marianne. La proposition est faite à Éric de rejoindre le groupe de cet habitat de la région parisienne, tandis qu'elle est «*en plein exam*» en Auvergne, avant de le rejoindre à son tour. Le couple décide de s'installer. Alors, Éric se chargea de l'installation: choix des tapisseries, des moquettes, consultation des plans. Marianne dit: «*Moi, j'avais tellement d'autres choses à faire... l'appart' on verra après.*» Au début de l'année 1985, Joëlle donne les premiers signes de vie intra-utérine. Sa mère vit un moment important. Elle ajoute: «*J'étais plus partie dans la philosophie d'un enfant que dans celle d'un logement.*»

La famille rejoint le groupe autogéré de L'Ormille, composé de 12 ménages, et s'installe à la fin de l'été 1985.

L'Ormille: un tournant

Le seul endroit à moi, c'est ici. (MARIANNE)

LE BAS: HYGIÈNE ET STOCKAGE

Comme la plupart des logements de L'Ormille, celui de Marianne et Éric se situe sur deux niveaux. Le niveau supérieur comporte la cuisine, le séjour, une petite terrasse et deux chambres. En dessous, la salle de bains, les W.-C. et le dessous d'escalier. Pour être rigoureux, il faudrait ajouter à cela, en extérieur, un morceau de jardin, part de la collectivité et comprise dans le loyer.

La salle de bains et les W.-C. donnent une impression de vide. Peu meublées, ces deux pièces semblent être réduites à leur fonctionnalité.

Dans la salle de bains, «*rien... pas d'armoire... comme avant, tout sur le lavabo...*» En dessous de celui-ci, on trouve un petit placard à deux portes, mais la majeure partie des éléments de toilette sont sur les rebords du lavabo et sur ceux de la baignoire. À la droite de l'entrée de la pièce, un agrandisseur photographique. Éric fait souvent des photos et les développe lui-même. La collectivité autogérée possède également, dans sa petite gamme d'annexes collectives, un atelier réservé au développement photographique. Aussi Marianne juge-t-elle que l'agrandisseur n'a plus sa place et qu'un élément de rangement le remplacera bientôt.

Dans les W.-C., le siège des toilettes semble seul, le fond blanc des murs mettant en valeur sa couleur noire. Aucun élément de rangement ne s'y trouve, pas même la petite armoire au-dessus du siège où sont parfois stockés les rouleaux de réserve ou quelques bombes aérosol. Marianne évoque son souhait de remplir cet espace: *«Il y a longtemps que j'ai envie de mettre des trucs»*, mais le problème est que *«Thom veut pas»*. Comme pour la salle de bains, on note chez Marianne le désir de réorganiser l'espace.

Quant au dessous d'escalier, Éric le cite comme partie intégrante de l'espace domestique. C'est en effet un espace utilisé comme lieu de rangement, notamment pour une bonne partie des jouets de Joëlle. Cet emplacement fonctionne un peu comme un recours dans un logement qui devient un peu trop petit, du fait de l'agrandissement de la famille. Sans tenir compte de sa taille, on pourrait rapprocher sa fonction de celle du «débarras».

LE HAUT: LES PIÈCES À VIVRE

À droite de la montée d'escalier, se trouve la plus grande pièce de l'appartement: le séjour. Une première partie sert de lieu de repas ainsi qu'à d'autres activités, la table servant de support. Dans le prolongement, on aperçoit une petite terrasse. On y mange parfois lorsque le climat le permet, on y étend le linge. Une seconde partie assure les fonctions du salon contemporain: lire, se détendre, recevoir...

En face de la montée, une première chambre, puis à sa gauche une deuxième. Une brève histoire de ces deux pièces nous montre comment les événements familiaux sont parfois structurants. Nous appellerons «chambre n° 1» la plus petite d'entre elles, l'autre sera la «chambre n° 2». Leurs peuplement et fonctions ont fait l'objet de cinq étapes depuis l'arrivée de la cellule familiale dans le logement:

1. À leur arrivée, le couple s'installe dans la chambre n° 2 avec leur premier enfant, tandis que l'autre sera réservée aux cartons de déménagement pendant les premiers mois. Le couple modifiera la disposition des éléments, notamment celle du matelas servant de couche, principalement à cause de l'apparition de la pleine lune à travers la seule fenêtre de la pièce.

2. Après trois ou quatre mois de cohabitation dans la chambre n° 2, le couple et leur fille se séparent; celle-ci prend place dans la chambre n° 1.

3. À la naissance de Julie, leur deuxième fille (1988), celle-ci se joint à eux dans la chambre n° 2. Son lit sera installé à droite de l'entrée, séparée de la couche du couple par une étagère.

4. Une inversion des pièces aura lieu vers janvier 1989, car Joëlle a besoin de plus d'espace pour ses différentes activités d'enfant.

5. À la fin de l'été 1989, le couple décide d'installer une mezzanine dans la chambre n° 2, réservée à la couche de Joëlle, tandis que Julie prendra place en dessous, au niveau du sol.

Située à gauche de la montée d'escalier, la cuisine est une pièce rectangulaire dont les murs comportent des placards. Comme nous le verrons plus loin, ce lieu est principalement investi par Marianne, que ce soit pour la préparation des repas, le rangement, le nettoyage. Marianne passe effectivement la plupart de son temps dans l'espace domestique, et ce d'autant plus depuis l'arrivée des deux enfants. Éric, lui, travaille en entreprise. De plus, son métier lui demande parfois d'effectuer des formations dans le sud de la France: dans ces cas, il est absent toute la semaine.

Après l'emménagement, il a donc fallu combiner les trajets d'Éric, la prise en charge des enfants et toutes les conséquences pratiques au quotidien que cela entraîne. Nous pourrions caractériser cette période de «stabilisation progressive», qui se lit aussi dans la gestion financière. Avant la mise en ménage effective, chacun-e fonctionne à sa manière. Pour Éric, c'est *«au coup par coup, je dépense ce que j'ai, je planifie pas à l'avance...»* Marianne, quant à elle, *«planifie plus à l'avance»*. Lorsque le couple s'installe à L'Ormille, c'est à elle que revient la gestion du budget.

LES MEUBLES: D'ORIGINES DIVERSES

Le logement est assez peu meublé. Éric se déclare *«pas très "meubles"»;* l'essentiel du mobilier vient de Marianne. Une armoire provient de la sacristie de Thallouard. Sur un côté (celui le moins exposé au champ de vision), subsiste un crucifix. Près de l'armoire, se trouve un buffet ayant appartenu à un de ses oncles. Ces deux meubles, d'abord respectivement noir et vert foncé, ont été entièrement décapés puis cirés pour recouvrer leur aspect bois naturel.

D'autres meubles ont été achetés (principalement dans des magasins Ikéa et Habitat): un canapé deux places, une petite table de salon, deux fauteuils, un meuble de cuisine.

Parmi les réalisations familiales qui complètent l'ameublement, deux étagères: l'une a été faite par le père d'Éric. Éric dit de celle-ci: *«Elle va pas tarder à se casser la gueule…»*; le chercheur en doute, elle n'en a pas l'air. L'autre, conçue et fabriquée par Éric, présente la particularité d'une forme probablement unique: la base compose un angle droit avec un des montants et un angle de 75 degrés environ avec l'autre montant. Les largeurs des côtés de l'étagère sont inégales, ce qui donne aux planches qui soutiennent les livres l'allure de trapèzes. Elle ne prend pas appui contre le mur… et pourtant elle tient droite. *«Elle date de notre premier logement, je trouve ça fendard* [amusant]… *J'aime bien quand il délire comme ça»*, exulte Marianne.

Ajoutons à ces réalisations quelques meubles réalisés à partir de chutes de bois récupérées (qui sont parfois les emballages d'appareils ménagers achetés). C'est le cas, par exemple, d'un placard encastré dans une cloison de la cuisine et d'un meuble à chaussures situé dans l'espace nommé «dessous d'escalier». Pourtant, Éric n'est pas très bricoleur. Il préfère de loin être *«concepteur»*. Il dessine beaucoup, photographie, puis développe lui-même ses films. Dessinateur pour un journal de quartier, son imagination est débordante et il donne souvent l'impression de quelqu'un qui a du mal à saisir le réel. En revanche, Marianne semble plus prendre les réalités à bras-le-corps, ce qui fait dire à Éric qu'il aimerait bien un rôle complémentaire au sein du couple: lui concepteur, elle réalisatrice. Éric s'estime un peu hors des réalités, des nécessités qu'impose la gestion quotidienne; travaillant beaucoup à l'extérieur, il n'est *«pas dans le quotidien du logement»*. De plus, il n'aime pas *«les trucs tout faits»*, qu'il a *«du mal à acheter»;* dans ce cas, *«Marianne, poussée par la nécessité»*, achète. De fait, les pratiques domestiques accordent une part faible au bricolage.

L'organisation du temps

UNE JOURNÉE TYPE CHEZ ÉRIC ET MARIANNE

• ***Le petit matin***

7 h: Le réveil sonne.

7 h 30: Le lever s'impose, car on est *«bousculés par l'urgence»* (Éric) ou c'est *«selon Julie»* (Marianne). Marianne émerge du sommeil plus lentement qu'Éric, mais elle est souvent la première active. Éric décrit le matin d'une journée où il travaille en précisant qu'il n'y a pas vraiment de *«journée type»*. En fait, *«il y a des jours où je décoince pas parce que je sais qu'elle va décoincer et des jours où elle décoince pas parce qu'elle sait que je vais décoincer»*. La demi-heure de battement permettrait donc à l'un-e ou l'autre de déclencher le lever. Ensuite, le premier qui se lève prépare le biberon. Julie, la cadette des filles, *«s'en fiche de qui lui prépare le biberon»* (Éric); en revanche, Joëlle, l'aînée, crée parfois quelques difficultés et exige par exemple que ce soit la personne qui n'est pas encore complètement levée qui le lui prépare.

En général, Marianne prépare le café, car elle est la seule à en boire, tandis qu'Éric mange des céréales trempées dans un bol de chocolat. Occasionnellement (notamment lorsqu'il est en retard), il lui arrive de se servir un café, car cela demande moins de préparation que son petit déjeuner habituel. Les filles sont servies les premières. Bien que préférant manger avant de faire sa toilette — ce qui lui évite des allers-retours entre les deux niveaux du logement —, Éric fait le contraire. Il remarque que les personnes prennent souvent leurs petits déjeuners à contretemps les unes des autres; et pourtant, *«on aimerait tous les prendre en commun»*.

Puis Marianne se charge d'habiller Joëlle. *«C'est dur... il faut la pousser.»* Elle souligne que le matin est un moment important de la journée, *«un moment où il y a beaucoup de rapports entre elles et leur père»*.

8 h 20: Marianne amène Joëlle chez une voisine, Catherine, qui se charge de l'emmener à l'école en même temps que son fils.

8 h 30 – 8 h 45: Éric se rend sur son lieu de travail, où il doit arriver avant 9 h 30. Avant de partir, il ne se presse pas, il prend *«le temps de discuter avec toutes les filles du logement, de leur faire un bisou»*. Pour le bisou, il évite quand les petites dorment.

• ***De 9 h à 19 h: «Ça dépend des jours»***

Cette partie de la journée concerne seulement l'emploi du temps de Marianne. Éric est sur son lieu de travail. Pendant ce temps, Éric ne pense pas à son logement. Ou plutôt, s'il y pense, c'est qu'il prend un temps sur son travail pour faire quelques croquis de meubles qui pourraient prendre place dans le logement; ce qu'il appellera *«des questions matérielles»*. Il ne pense jamais à ce qu'il mangera le soir et *«s'il y avait rien dans le frigo, je m'en foutrais et j'en voudrais à personne»*.

LUNDI

Pendant la matinée, Marianne se consacre à des *«occupations d'intérieur: ménage, repassage, bouffe... avec France-Inter»* en fond sonore.

11 h 20: Elle va chercher les enfants à l'école: Joëlle, leur fille, Stéphane et Ludovic, deux voisins. «*C'est plus en désordre ce jour-là, mais je ne les surveille pas trop.*»

Stéphane mange avec eux à la maison («*ça fait plus de boulot*»), et ce depuis septembre, car la voisine qui le gardait a eu un enfant. Monique, la mère de Stéphane, tient à rémunérer Marianne, mais celle-ci refuse. Elle assure cette garde en précisant que l'apport d'argent n'est pas déterminant.

13 h 20: Marianne emmène les trois enfants chez Catherine, qui les emmène de nouveau à l'école.

16 h 20: Elle va chercher les enfants à l'école et «*tout l'monde dehors!*» pour s'adonner à des jeux de toutes sortes.

18 h 30: C'est l'heure de la toilette pour les filles: «*bain, douche*», les deux dans la même eau.

MARDI

C'est «*le jour des courses*». Marianne les fait «*pour la semaine, à l'hypermarché Ventout ou ailleurs, peu importe... sauf si les prix à Ventout... Je suis très à l'aise dans ce magasin. Je connais à peu près les prix, ce qui stupéfie toujours Éric*». Elle s'occupe des enfants, qui mangent au domicile; par ailleurs, il lui arrive de faire du ménage ce jour-là.

MERCREDI

Ce jour est «*consacré aux filles, en particulier à Joëlle... Julie est là... Le matin, on traîne, Joëlle dort comme elle a envie... mais Julie se réveille comme les autres jours et réveille tout le monde par la même occasion* [rires]...»

10 h: changement de tenue, toilette matinale, maillots de bain, bouées. Marianne, Joëlle et Julie passent prendre Ludovic et Amélie, deux enfants voisins, et partent pour la piscine. À 10 h 45, c'est l'heure du Jardin aquatique: un moniteur s'occupe des enfants et aussi

des parents, propose des jeux pour apprendre à nager, *«elles adorent ça...»*

12 h 15: Retour à la maison. Tout le monde prend un repas rapide, excepté Julie, qui est chez Catherine, la voisine.

Après-midi: Marianne et Joëlle vont à la bibliothèque, font des balades ou du jardinage, ou se retrouvent autour du bac à sable.

JEUDI

Ce jour est *«consacré à la mairie»*. Marianne est conseillère municipale depuis la dernière élection. Elle participe à quelques commissions de travail, notamment celles qui concernent l'environnement et le logement. Pendant cette journée, Julie reste à la cantine de la garderie, Joëlle à celle de l'école, à moins qu'elle ne soit récupérée par d'autres voisin-e-s.

VENDREDI

Au lever, Marianne emmène Julie à la garderie, tandis qu'Éric emmène Joëlle et Ludovic à l'école.

Matinée: Marianne et Catherine vont *«à la gym»*.

11 h 20 et après: Marianne repart chercher les *«petits»* à la garderie, tandis que Catherine s'occupe des *«grands»*. Marianne *«récupère Stéphane qui mange à la maison... et depuis quelque temps, on sèche les cours le vendredi après-midi. Et là, soit on va à la bibliothèque, ou on fait du jardinage...»*

Selon Marianne, cet emploi du temps est chargé, trop chargé même: *«J'ai un gros problème pour insérer dans cette semaine un après-midi couture. J'aime bien, j'ai plein de projets... je vais essayer le lundi après-midi*[5]*.»*

5. Dans son rapport à la famille d'origine, Marianne note qu'elle bricolait un peu avec son père (la fratrie est composée d'un garçon, aîné, et de

• ***Après 19 h***

19 h – 19 h 30: Éric arrive souvent après; Marianne *«ne mange jamais avec lui»*, *«je ne prépare rien pour lui car il ne mange jamais... il grignote... pain-beurre-chocolat, banane...»* Marianne et ses deux filles prennent donc leur repas du soir ensemble. Puis *«au lit le plus vite possible»* (pour les enfants bien sûr: 20 h pour Julie, 20 h 30 pour Joëlle ou un peu plus si Éric arrive et qu'elle ne dort pas).

19 h minimum, minuit maximum: Éric rentre de son lieu de travail à son domicile. En période d'essai pour un nouvel employeur au moment de notre étude, il doit *«en faire un peu plus»*, ce qui explique cette large fourchette, qui n'est cependant pas quotidienne. En effet, il prend occasionnellement des cours de formation complémentaire jusqu'à 20 h 30. Il rentre alors vers 21 h. Marianne ayant mangé, Éric ne l'appelle pas régulièrement du travail, sauf quand il rentre très tard; mais c'est *«plus pour la rassurer»*. Il en profite pour citer l'exemple de collègues de travail, exemple qu'apparemment il n'aimerait pas suivre: *«J'ai des collègues qui appellent sans arrêt... À la boîte, la femme ne travaillant pas, le mec arrive à 8 h 15, sa minette appelle à 8 h 20, elle appelle dans la matinée, avant qu'il aille manger avant 11 h 30... Il reçoit cinq appels de sa femme au moins dans la journée... l'enfer...»*

Depuis quelque temps Marianne s'investit dans des associations locales: les haltes-garderies, un groupe politique, un journal de quartier, sans oublier le conseil municipal. Ainsi demande-t-elle parfois à Éric de rentrer plus tôt de son travail pour qu'il puisse s'occuper des filles pendant qu'elle va aux réunions. Lorsqu'il rentre, le bisou du soir pour les enfants est de règle. Au cas où Joëlle dort, il pénètre dans la chambre: *«Je lui dis: "Salut,*

---

quatre filles) et qu'elle n'a jamais appris la couture avec sa mère. Mais elle fait remarquer qu'elle l'a souvent *«vue à l'ouvrage»*.

c'est moi! j'arrive du boulot!"... Elle entend pas mais je lui dis le lendemain, elle aime bien quand je lui dis: "Tiens, je suis passé hier soir... [rires]»

21 h 30 – 22 h: Marianne dort tandis qu'Éric reste souvent dans la pièce principale, s'affairant à quelques travaux extraprofessionnels, notamment le dessin et la photo. La lecture lui est difficile dans le salon et il préfère s'y consacrer au lit, mais la cohabitation est difficile à ce moment-là, car Marianne dort.

LES WEEK-ENDS ET LES VACANCES

Les week-ends et les vacances sont l'occasion de profiter d'autres rythmes. Pendant ces périodes, les enfants se réveillent environ à la même heure qu'en semaine, ce qui impose aux parents de se lever et de préparer les biberons. Il arrive à Éric de se recoucher, mais rarement. Pour Marianne, comme Éric est présent, il n'y a pas d'horaire particulier. Elle va assez rarement au marché du samedi matin, car *«les moments avec lui sont déjà rares... c'est le moment où on peut parler, s'occuper des filles ensemble»*.

Les week-ends peuvent comprendre *«une balade en montagne ou une marche avec les gens de L'Ormille... Parfois on fait rien, histoire de rien faire.»* (Marianne). Éric, lui, partirait volontiers tous les week-ends, mais ils sont souvent réservés à des balades près de chez eux, près d'un petit lac. Cela ne l'enchante pas, surtout lorsque c'est répété: *«Les filles aimeraient faire le tour du lac pour la quinzième fois... J'en ai marre, j'y vais pas; alors tout le monde reste là...»* Marianne mentionne à ce sujet qu'avant la naissance de Julie, Éric et Joëlle s'offraient une *«grosse balade autour du lac»*, ajoutant que Joëlle *«aime bien avoir des activités ou avec l'un ou avec l'autre»*, tandis qu'Éric résume la situation autrement: «*J'aimerais plutôt faire des trucs d'adultes avec les gamins, alors que Marianne ferait plus des trucs de gamins avec nous.*»

Mais les vacances, les «vraies», c'est lorsque, environ une fois tous les mois et demi, la famille se rend à Thallouard chez les parents de Marianne. Même si actuellement cette fréquence baisse: «*Avant, on avait besoin de remonter... Actuellement, on est plus souvent ici.*» (Marianne). Marianne présente ces séjours comme une «*institution*»: les «*escalades aux Foués, le chalet de mes parents... on fait du bricolage, des balades... C'est un moment important pour Joëlle... Pour elle, c'est la fête!*»

Pour les vacances, Éric remarque que c'est «*moins galère qu'avant, à cause des petites*». Son plaisir, c'est d'aller camper. Il garde en tête des destinations rêvées, que semble partager Marianne: l'Écosse, l'Islande, la Scandinavie, la terre de Gram, les Falklands, la Géorgie du Sud, la mer de Wedel... mais «*aucun jet ne va là-bas, sauf pour les Falklands... en Angleterre ils en ont*», dit-il ironiquement. Mais en aucun cas, ce ne sera un pays chaud: ni l'une ni l'autre n'aime.

Évoquant les vacances récemment prises, Éric cite en plaisantant «*deux jours la semaine dernière à Chambéry... un week-end surprise à Lille*», et finit par envier les professionnels de l'Éducation nationale. Ce qui lui plairait, «*c'est de pouvoir planifier*», ce qui n'est pas très réalisable dans sa branche professionnelle: «*J'aimerais bien avoir un boulot où je peux me dire: "Je pars".*»

Aspects domestiques: Éric en fragments

LA NOURRITURE

Dans l'ensemble, Éric se considère *«nul»* en ce qui concerne la nourriture. Mais surtout, il est surclassé par Marianne, qu'il trouve *«plus véloce et imaginative»* et qui, à son goût, *«n'a pas fait trop bénéficier de ses connaissances»*. Lorsqu'elle était en Auvergne pour finir ses études de technique agricole (elle revenait alors tous les week-ends), Éric lui avait demandé de lui préparer ses repas, ce que Marianne avait refusé. *«Je me suis débrouillé»*, dira Éric.

Un repas, un soir, un dialogue entre Éric et le chercheur de passage... tête-à-tête, assiette contre assiette. Confidences culinaires:

Éric: — *Je savais pas du tout quoi faire à manger aujourd'hui et puis, quand je suis tout seul, je me fais plutôt de la bouffe rapide au sens, pas américain du terme, mais au sens blésois.*

Le chercheur: — *Blésois?*

Éric: — *C'est-à-dire que les chocolats Poulain sont originaires de Blois.*

Le chercheur: — ...

Éric: — *J'aime bien moi le chocolat Poulain, pain-beurre, tout ça... J'ai déjà commencé à inventer une histoire cet après-midi, comme quoi j'allais chez le roi de la boquenaille.*

Le chercheur: — *De la?*

Éric: — *Boquenaille. En savoyard, ça veut dire euh... mangeouiller des petites mixtures comme ça... En fait, quand je suis tout seul, j'en ai rien à cirer de manger correctement; d'ailleurs, je me ferais surtout pas des plats construits à l'avance, tu vois, à part un steak grillé... L'autre jour, j'ai acheté une boîte de cassoulet, ça me va tout à fait: c'est chaud, et puis je mange tout, il y a tout dedans. J'ai pas envie de passer du temps à la bouffe...*

Le chercheur: — *Ah! tiens, t'as fait les œufs mollets, c'est bien, ça... T'as fait exprès?*

Éric: — *Non, je les fais plutôt durcir... mais au contact de la Savoyarde — qui n'est pas une assurance*[6] *—, je fais comme ça... Alors ça, c'est de la sauce vinaigrette toute prête, genre euh... mec comme moi, tu vois... Donc, je savais pas quoi faire... cet après-midi, j'ai fait l'inventaire: je savais que j'allais te faire des steaks avec des petits pois-carottes et je me suis dit: "Dis donc, c'est dur d'attaquer directement par le steak, ça va être dur." [...]*

Le chercheur: — *Tu as pas un bout de pain?*

Éric: — *Si, si. Cet après-midi, je me suis dit: "Il y a qu'un seul magasin qui peut être ouvert* (l'entretien a lieu un lundi de Pâques) *pour trouver une entrée, c'est aller chez les Arabes." J'y vais souvent, ils sont sympas. C'est une boucherie musulmane. Il y avait des carottes dans le frigo mais j'me suis dit: "Il y en n'a pas assez pour deux"... puis finalement, je n'ai utilisé que les carottes que j'ai achetées chez lui, ça fait qu'il m'en reste encore pour trois personnes au frigo [...].*

Le chercheur: — *L'idée du moule?...* (Les carottes râpées sont présentées sous la forme d'un gâteau qu'on aurait fait dans un moule. En fait, il s'agit du réceptacle du *mixer*.)

Éric: — *Elle est venue... comme souvent...*

Le chercheur: — *C'est préparé?*

Éric: — *Non... quand j'ai démoulé, je me suis dit: "Tiens, ça va être sympa, il y a cette cheminée"... En fait, je suis pas génial à part ça. Je suis très expérience-comme-ça... Si tu me voyais faire la vaisselle, maintenant heureusement qu'on a un lave-vaisselle... Parce que des fois, je mettais trois*

---

6. Plaisanterie à propos du nom d'une compagnie d'assurances, «La Savoyarde».

heures à faire la vaisselle parce que je fais des tas de trucs… Par exemple, je vois des bulles… j'arrive à faire de belles bulles avec un machin comme ça [il montre un gros récipient]. *Quand il est recouvert d'une bulle de savon, je le regarde pendant deux heures, il y a des reflets… ou alors, quand on peut souffler par-dessous, je souffle, je fais des grosses bulles… Alors Joëlle, elle est là, elle me voit faire la vaisselle comme du cinéma: "Ah! encore une autre grosse!"* [rires] *[…] Je remue, je fais de la mousse.*

En entrée, il y a des carottes: *«Il faisait beau aujourd'hui, je me suis dit: Tiens, un peu de frais!»* Il y a également du pain en forme d'étoile, du pain blanc. Éric l'a acheté *«parce qu'il était joli»*, tout simplement. Les steaks mettront longtemps à cuire, Éric ne les ayant pas sortis suffisamment tôt du réfrigérateur: *«Ils sont trop froids, alors ils cuisent moins vite.»*

Après les carottes râpées avec deux œufs et le steak accompagné de petits pois-carottes, le fromage: *«J'ai qu'un seul fromage, j'ai oublié d'en acheter samedi.»* Puis il proposera du beurre pour accompagner le camembert *«parce qu'il est plâtre… J'ai pas trop appuyé parce que j'aime pas trop les gens qui appuient, je trouve ça un peu dégueulasse… T'achètes un truc avec un gros trou dedans!…»*

Les observations que les chercheurs avaient obtenues sur les régimes alimentaires des résidants montraient souvent un passage à un régime diététique. Fruits, légumes et céréales, sans trop abuser de viande… Éric, lui, trouve la qualité des aliments céréaliers *«dégueulasse»*, sauf le pain de seigle, pour lequel il a un faible. Il se souvient d'une personne qu'il a connue, qu'il baptise pour la circonstance Bioman: *«Quand j'étais à Lille, tous les dimanches, on allait faire de l'escalade avec les potes et il y a un des potes qui était en école Normale pour être instit… il était archibio, il nous faisait chier sur tout ce qu'on bouffait, c'était exagéré. Il avait jamais tort, mais il te faisait chier. À chaque fois, par exemple, tu manges du porc, il te faisait tout le cycle du porc... et tu te dis: Je mange du porc et je suis con parce que je favorise telle multinationale et en plus je m'esquinte la santé, etc. Il avait raison de nous sensibiliser mais pas de dire: Ben, tu vois, t'es un con...»*

Marianne défend les mêmes principes, mais mentionne malgré cela que les céréales ont toujours été présentes (notamment le riz complet, accompagné de poisson et de légumes à l'époque de leur premier logement). Mais, parlant des ardents défenseurs du «bio», elle soutient: «*Ils sont trop dans leur machin... intolérants!*»

ÉRIC ET L'HYGIÈNE

Lorsqu'il est aux W.-C., Éric ne ferme jamais la porte à clé. S'il ne sait pas si Marianne la ferme ou pas, c'est qu'il repère la présence de quelqu'un par le filet de lumière sous la porte. Et il note avec plaisir que Joëlle se débrouille et «*verse elle-même son pot dans le chiotte*». Il lui arrive d'y aller de temps en temps avec un livre (principalement des ouvrages sur la photographie), mais surtout quand il est seul. Il se rappelle d'ailleurs d'une grande bibliothèque dans le cabinet de toilette chez ses parents et ironise sur le genre de lecture qui y figurait: «*15 ans du* Pèlerin *et 12 de* La Vie catholique[7]...»

Lorsqu'il se trouve aux toilettes, Éric essaie d'être «*très discret*», en s'attachant à «*bien viser sur les bords*» et «*si ça rate, j'essuie*». Il parle alors de sa mère «*qui rouspète contre les pièces de monnaie sur la lunette*». Enfin, aucun désodorisant ne s'y trouve. «*Quand y a un problème, on met la VMC[8].*»

7. Deux magazines d'obédience catholique.
8. VMC: ventilation mécanique contrôlée. Il s'agit d'un système automatique de ventilation des logements à présent courant en France.

La toilette matinale est située soit avant, soit après avoir mangé. La douche n'est pas quotidienne et peut avoir lieu le matin comme le soir, c'est «*à la demande*». Cette douche est principalement conditionnée par l'état de ses cheveux. Ainsi, «*quand je me lave les cheveux, je lave le bonhomme avec*». Il mentionne également que «*ça dépend aussi des activités nocturnes*». En moyenne, il se douche tous les deux jours.

Mais une de ses plus importantes exigences concerne ses dents. Il les lave systématiquement deux fois par jour, «*et si je pouvais, ce serait plus*». Si bien qu'il envisage d'emmener une brosse à dents sur son lieu de travail.

Quant au rasage, l'utilisation du rasoir électrique (qu'on lui a offert) le dérange, si bien qu'il ne s'en sert jamais. C'est Marianne qui l'utilise pour ses aisselles. Éric se sert d'un blaireau et de la mousse; celle-ci se présente sous la forme d'un tube, puisqu'il refuse l'usage des bombes aérosol. De plus, le blaireau lui rappelle avec plaisir des images de films des années cinquante. Il note avec malice que le blaireau a été «*chouré*» [volé] dans un supermarché.

LE MÉNAGE ET LE RANGEMENT

Comme la situation actuelle confère à Marianne un statut de mère au foyer, c'est elle qui se charge généralement du ménage et du rangement. Actuellement, Marianne remarque qu'Éric «*a évolué, il aimait bien le bordel et maintenant, il ne le supporte plus depuis que je suis rentré d'Auvergne*».

Par exemple, il ne retrouve pas, pour la deuxième année consécutive, les cartes de vœux qu'ils doivent envoyer, alors que nous sommes déjà le 27 mars. Ça l'amuse beaucoup, même s'il met cela sur le compte d'un manque de rangement. Pour lui, le ménage, *«c'est une occasion de conflits»; «on est tous les deux bordéliques, mais on aimerait tous les deux que ce soit plus rangé».* Cela inciterait facilement Marianne à prendre une femme de ménage, mais pour lui, cela reste exclu: *«J'ai toujours été contre ce truc-là: on n'a pas les moyens... et j'imagine pas. J'ai toujours trouvé que c'était réservé à une certaine...* [classe], *j'ai l'image du domestique... Quand je vois le mec qui fait le ménage à la boîte, je suis mal à l'aise parce qu'il enlève les merdes que je fais. En fait, j'ai toujours un malaise par rapport à quelqu'un qui fait un boulot en dessous... Par exemple, quand je faisais les cageots l'été, je ramassais les légumes, je nettoyais au supermarché, c'était infect, dégueulasse...»*

Pourtant, pour Marianne, une femme de ménage serait *«la solution pour qu'il y ait moins le bordel dans la maison»*: *«J'ai des choses plus intéressantes à faire que le ménage... Si je trouve un article de presse intéressant, ça prévaut sur le ménage.»* Éric sait que Marianne voit ça *«d'un très bon œil. Elle a sûrement raison, elle a plus d'intuition et plus d'audace... C'est curieux parce que quelqu'un comme Marie-Jo par exemple* [une voisine] *me convaincrait sans problème. J'ai un problème parce que j'imagine. Donner des ordres, je peux pas.»*

La question du désordre et du rangement est particulièrement sensible. Un bon indicateur est l'histoire du bureau dans l'aménagement du séjour.

Au départ, le grand bureau *«tréteaux-planche»*, *«où on devait travailler tous les deux»* (Marianne) avec chacune sa partie, était situé en longueur contre une cloison. Marianne n'était pas très enthousiasmée par ce grand bureau, parce qu'il *«prenait trop de place»*. Mais *«Éric aimait bien ce grand bureau parce qu'il pouvait mettre plein de bordel dessus»*. Au fil des jours, Éric prenait de plus en plus de place et empiétait très largement sur la surface réservée à Marianne. Celle-ci s'en alla alors travailler sur la table du séjour. Après cet événement, le bureau prit place dans un angle du salon. Éric en est l'utilisateur exclusif, il y entasse régulièrement ses documents personnels.

Ce fait singulier montre une certaine manière de s'approprier une partie de l'espace domestique, en l'occurrence le bureau. On peut penser qu'elle n'est pas étrangère au fait qu'Éric est peu présent dans le logement. Cela se lit également dans la décoration murale.

LA DÉCORATION INTÉRIEURE

La décoration murale du logement est marquée par l'empreinte d'Éric. On y trouve essentiellement des photographies et des dessins de son propre fait. Parmi ces réalisations, de nombreuses photographies, pour la plupart en noir et blanc: plusieurs photos de Joëlle, d'amis parisiens déguisés, des cartes-lettres destinées à Marianne dans des temps passés et une photo d'une vieille voiture, de face. Aussi, on remarque une parodie de coupe géologique représentant le corps de Marianne, allongé de profil, lors de sa première grossesse; les strates sont de couleurs plutôt vives.

Il existe également un stock de ses réalisations dans l'armoire, découvertes à l'arrivée du chercheur alors qu'Éric cherchait désespérément les fameuses cartes de vœux pour la nouvelle année...

Enfin, on y trouve aussi des affiches et des photographies réalisées par d'autres. Elles représentent des bateaux et quelques montagnes alpines.

S'il reconnaît que la décoration tient essentiellement à son initiative, Éric précise que: «*Marianne aime bien, je suis pas seul... ce n'est pas que par mon fait.*» Marianne reconnaît également les traces laissées par Éric, mais précise: «*J'ai fait de la photo avant lui, et ça, peu de monde le sait, avec beaucoup plus de technique que lui. Mais j'ai pas le délire, je me suis vachement censurée là-dessus. J'aime pas montrer mes photos, j'aime bien les siennes. [...] Je peux donner l'idée de mettre une photo; lui, fait l'encadrement.»* Mais *«Thom n'aime pas être mis devant le fait accompli... une fois, j'ai planté un clou et mis un cadre, bon... euh...»* (Sous-entendu: il n'était pas très content.)

En revanche, les murs de la chambre des parents sont peu investis. D'ailleurs, sa petite surface ne le permet guère, les meubles couvrant la majeure partie des cloisons. Quant à la chambre de Joëlle, elle est principalement décorée par ses dessins d'école.

L'autre aspect de la décoration intérieure est la présence de plantes vertes. Éric nous dit: *«Les plantes vertes, c'est 100 % Lachance... Je m'en fous pas, j'adore tout ce qui est fait dans ce sens, mais je suis réduit à 0 quand il s'agit d'en motiver la création.»* De même pour les deux jardinières pendues aux fenêtres de la cuisine et de leur chambre: elles sont *«raidies depuis un an. J'aimerais bien qu'elles soient belles, mais je m'en fous qu'elles soient sèches...»*

Marianne confirme: *«C'est mon domaine!... Thom il est archinul, comme en cuisine. Il aime bien, mais il ira pas acheter une plante verte, ni rempoter. Ça le fait marrer comme tout quand il me voit trifouiller ma terre; je le fais dans cette partie du séjour, sur la table ou par terre. Il aime pas trop parce que j'en fous partout. Je suis partie en vacances 15 jours, il les a arrosées une fois, par exemple.»*

Mais il ne faudrait pas lire ici la source de drames familiaux. Au contraire, cela semble appartenir à l'équilibre du couple.

Les relations interpersonnelles

LES CONFLITS DUS À L'ORGANISATION DOMESTIQUE

Un gueule, l'autre dit rien. (MARIANNE)

Le temps passé à l'intérieur et à l'extérieur par les deux protagonistes du couple est à la source de quelques conflits. Éric avoue imaginer que Marianne a *«toute sa journée»*, mais en même temps, il reconnaît qu'elle est très occupée. Parallèlement, Marianne reproche à Éric d'être parfois trop absent du logement, notamment lorsqu'il va travailler le samedi, ce qui est arrivé depuis qu'il a changé d'emploi. Éric prend alors le temps d'expliquer qu'il est en période d'essai et qu'il doit plus ou moins s'y tenir.

Par exemple, bien qu'il ne soit pas préposé à l'administration du ménage, Éric ne peut s'empêcher de remarquer le courrier en retard, *«la déclaration d'impôts qu'on fait à la dernière minute»*. Il mentionne également que la vaisselle fut un objet de conflits, ce que Marianne annonce de manière plus nuancée. Quoi qu'il en soit, le couple effectue rapidement l'achat d'un lave-vaisselle. L'appareil a été acheté *«d'un commun accord»*, explique Marianne. Elle exprime son *«ras-l'-bol»*: *«je trouve que je perds mon temps»* à faire la vaisselle. Aussi, l'achat de ce lave-vaisselle était-il prévu *«pour qu'il y ait moins de bordel dans la cuisine»*, confirmant ainsi une fonction essentielle de cet appareil ménager: la régulation des conflits dans les couples.

Il faut toutefois préciser que Marianne est la seule personne de L'Ormille à être au chômage. De ce fait, elle se trouve souvent en première position pour la garde des enfants en bas âge. Le dernier-né à L'Ormille, Cédric, a sensiblement alourdi ses tâches domestiques.

Lors d'entretiens individuels, le chercheur proposa à chaque membre du couple de narrer un conflit récent.

Éric raconte: «*Par exemple, Pierrot, le copain qui est derrière toi là* [il montre une photo accrochée au mur], *bon, il est un peu dans la dèche à Paris et il a eu un enfant... sur le vif, un peu comme nous. Ils sont tous les deux étudiants, donc on leur a fait une proposition d'aide, du matos* [matériel] *pour la gamine. Et on lui a fait une promesse d'envoi du matos. J'ai dit à Marianne de le préparer, c'est plus son rayon, elle s'y connaît mieux... Les habits pour trois mois, six mois... Je lui demande de préparer un carton... Quand c'est pas fait tout de suite, ça me met un peu... "Prépare-le, t'as bien cinq minutes dans la journée pour faire ça..." Si ça se trouve, elle n'a pas le temps, elle a eu Cédric* [à garder] *et elle a sans doute cru qu'elle allait avoir du temps et il gueule souvent. C'est ce qui peut nous mettre en conflit. Sans casser les carreaux, mais...*»

Quant à Marianne, c'est au récit suivant qu'elle nous convie. Un samedi du printemps 1989, a lieu dans la cité une inauguration sur la place du village. Marianne, en tant que conseillère municipale, doit s'y rendre. Elle prévient Éric la semaine précédente: «*Je lui dis trois fois la même chose, eh bien t'es sûr que le jour où je lui en parle, il me dit: "Tu m'as rien dit"... Alors moi, je lui dis: "Si tu retiens pas, c'est que t'en as rien à foutre de ma personne, c'est pas possible!" Alors donc, depuis le début de la semaine, je lui dis: "Samedi matin, on plante l'arbre de la liberté, il y a l'école et tout!"... Samedi matin, je me lève, il me dit: "J'ai un rendez-vous à 9 h avec un type." Alors ça, c'est le genre de trucs qui... Du coup, je vais à la cérémonie, le temps d'habiller, de laver... J'avais les deux gamines... je les ai souvent toute la semaine. On aurait pu partager, là, ça commence à me gonfler particulièrement. En plus, il m'avait dit: "La mère de Catherine est toute seule avec les deux gamins, il faudrait l'inviter..."; donc, j'avais invité Mamie Claudette et ses deux énergumènes à manger à midi. Alors bon, après l'arbre de la liberté, il fallait que je fasse les courses, avec les deux, Julie dans le sac à dos... mais lui il s'en fout, il se rend pas compte en plus... Donc, je fonce... je repars, je fais le marché, je reviens et je savais pas l'heure exacte qu'il était, vers 11 h 30 – midi... et comme je savais que la mamie faisait manger les enfants tôt, je voulais pas rentrer tard... Il y avait pas de repas de fait, c'était un bordel immonde... Je rentre à fond la caisse, je le vois sur le parking, complètement dans le... Tu crois qu'il serait venu m'aider pour débarrasser des trucs du marché et tout?... Non, pas du tout! Je me suis encore démerdée jusqu'ici avec les deux filles. Il arrive là...* [et me dit] *"Eh ben, t'as pas l'air contente..." Le pire... en plus, dans ces cas-là, j'explose! et c'est de ma faute, il faut pas s'énerver! Alors des fois, je lui ferais bouffer la cocotte-minute avec tout ce qu'il y a dedans...»*

LES CONFLITS DE PERSONNALITÉ ET LEUR RÉGULATION

Lorsque Marianne a décidé de s'engager sur le terrain politique, Éric a été consulté. Ça ne lui posait aucun problème: «*Quartier libre*», lui a-t-il dit.

Cependant, depuis que Marianne est conseillère municipale, il est un peu inquiet: «*Je lui dis souvent que... je la mets souvent en garde et elle croit que je lui dis qu'elle montre trop son pouvoir. En fait, je la sens mal dans les discussions délicates ou diplomatiques... Je trouve qu'elle est trop entière dans ses conversations, et quand il y a quelque chose qui va pas, elle se bloque très vite... C'est l'occasion d'une situation conflictuelle.*»

Éric complète ces informations en évoquant les rapports entre Marianne et Sylvain K., un voisin de L'Ormille. Ces rapports furent mal vécus, Sylvain ne cachant pas un certain machisme. Marianne fut très souvent *«exaspérée»*.

C'est notamment lors des élections municipales que l'un-e et l'autre ne se sont pas entendus. Participant à la même liste politique présentée comme «alternative», elle considérait qu'il fallait négocier avec la liste de la gauche unie pour obtenir des postes. Sylvain, lui, adoptait une position beaucoup plus radicale, et ne manqua pas de faire sentir à ceux et celles qui choisissaient l'autre option qu'ils étaient en quelque sorte des complices du pouvoir. Vivant dans le même immeuble, leurs rencontres étaient animées. À ces occasions, Marianne autant que Sylvain ne manquait pas de faire valoir ses positions. Cet antagonisme au sein de la collectivité a eu des répercussions sur les relations *intra-muros* du couple. Éric souligne qu'il a eu, avec l'épouse de Sylvain, un rôle important de régulation de ces conflits.

Éric insiste sur le fait qu'il évite le conflit, alors que Marianne aurait tendance à le provoquer. Toutefois, il pense que Marianne le trouve *«trop mou»*: *«Je rentrerai jamais en conflit avec quelqu'un... je sens qu'il y a quelque chose, mais...»* Lorsqu'un problème se présente, Marianne, elle, n'hésite pas à le dire. Par exemple, Ludovic, un des enfants de L'Ormille, s'est mal comporté avec Joëlle: *«Elle va le dire aux parents... moi, j'ose pas...»* Marianne confirme: *«Comme à L'Ormille je dis ce que je pense, il est vert de peur. [...] Ce qu'il aime pas chez moi, c'est mon côté italien. Il a toujours peur que je blesse les autres... "J'aime pas comme tu..." Il aime pas ce côté violent. Il aime pas la violence alors que moi je suis très violente. Quand Joëlle m'énerve trop... elle le sent... J'irais pas la claquer contre les murs, mais en général je la déplante du sol, elle touche pas par terre jusqu'à sa chambre. Sans taper les gens, des fois... Thom en a peur* [que Marianne frappe Joëlle]. *La violence est verbale, uniquement.»*

Pour Éric, de même que la violence doit être bannie, la discrétion sur la vie privée doit être de mise. C'est Marianne qui témoigne: «*Il ne faut pas que les gens sachent qu'il y a eu conflit. Moi, quand quelque chose va pas, j'ai besoin de le dire fort, et lui ne supporte pas que je parle fort... "Les voisins vont entendre!..." Ça, c'est son éducation. Faut toujours accepter alors que, après tout, flûte!*»

Cependant, Éric trouve quelques avantages à cette manière de faire: «*Je m'énerverai jamais... En fait, elle s'énerve plus vite que moi... Je dois être plus un... comment on dit?... "un feu qui couve", c'est ça?... Je dois être plus "couveur" qu'elle... Elle, ça sort plus vite... De ce côté-là, c'est bien pratique parce que ça dure pas longtemps.*»

Les conflits posent généralement le problème de la réconciliation. Éric pense en avoir plus souvent l'initiative. Il se trouve que Marianne pense plutôt le contraire: «*Si je recrée pas le dialogue, ça pourrait durer longtemps... Je prends souvent l'initiative de réconcilier... quoique, maintenant, un peu plus lui.*»

RELATIONS EXTRA-CONJUGALES, CONTRACEPTION

Lorsque le chercheur aborda le thème des relations extra-conjugales, il remarquera une manière différente de traiter la question. Éric parut surpris: «*Les relations... potentielles?...*» demanda-t-il. Il n'en envisage pas, mais «*je ne me gêne pas pour ce qui est de la drague occasionnelle... mais sans suite. On parle souvent des minettes, des mecs, mais c'est toujours sur le ton de la plaisanterie*[9].»

9. Éric utilise un vocabulaire spécifique concernant la drague et la sexualité: pour aborder une fille, il dit «*négocier*» et pour faire l'amour, «*bricoler*».

Pour Marianne, *«ça peut se passer, l'autre ne cherchera pas à savoir»*. Elle fait la différence entre l'intellect et le ressenti, à savoir: *«Ça peut me faire chier au niveau sentimental, mais intellectuellement je ne m'autorise pas à faire un scandale, à pas manger pendant trois jours.»* Marianne reconnaît ne pas être *«très stable»* de ce point de vue. Elle étudierait la question si une occasion se présentait, mais admet qu'elle *«travaille beaucoup»* dans le sens d'une stabilisation, car *«je trouve que c'est agresser l'autre»*. Mais elle refuse de se dire «non», afin de laisser une place à l'éventualité.

Depuis L'Ormille, Marianne précise que, de ce point de vue, c'est *«la partie la plus* cool». Les relations amoureuses ne font pas partie des sujets de discussion fréquents au sein du couple. Marianne dit que de *«ne pas en parler, ça m'évite aussi de me justifier»*, ce qui peut expliquer la relative facilité avec laquelle chacun-e s'est livré-e au chercheur.

Il en ira de même avec le thème de la contraception. Le contraceptif utilisé par le couple est le préservatif, et ce depuis la naissance de Julie. Joëlle, la première enfant, est née *«d'une manière particulière»*. Le couple ne s'y attendait pas et il semblerait qu'il s'agisse là d'une défaillance de la pilule, contraceptif utilisé à cette époque par Marianne. Dans un second temps, Marianne utilisera le stérilet, puis *«elle l'a enlevé»*. Ce sera l'expression d'Éric; en fait, Marianne l'a retiré, car un mauvais positionnement la blessait. Lorsque le chercheur suggère à Marianne: *«N'était-ce pas aussi faire porter le contraceptif à l'autre, pour changer?»* elle acquiesce: *«D'un certain côté, oui.»* Les premiers préservatifs furent fournis à Marianne par Marie-Jo (une voisine, conseillère conjugale de profession).

En ce qui concerne leur utilisation, *«ben, y a aucun problème techniquement, on trouve plutôt ça marrant!»*

explique Éric en précisant que Marianne *«participe à ce côté sympa»*. Mais pour elle, *«le préservatif, c'est pas terrible, c'est contraignant»*. Enfin, Éric évoque leur prix, qu'il trouve trop élevé, si bien qu'il envisage de bientôt en *«chourer»*.

SENSUALITÉ, STABILITÉ AFFECTIVE ET AVÈNEMENT DE LA FAMILLE

Marianne se souvient d'une situation particulièrement dure qu'elle a vécue à 17 ans. Lors d'un rapport sexuel, elle a subi la domination d'un homme, au point d'appeler cela un *«presque-viol»*. Depuis, c'est le *«réflexe de survie»*. *«J'ai une forte réaction à ne pas me soumettre au désir amoureux de l'autre.»*

Vis-à-vis d'Éric, Marianne est demandeuse de plus de marques d'affection. Elle s'étonne — pour ne pas dire qu'elle enrage — qu'il *«ne me prend jamais la main en public... pas de geste tendre en public... Moi, j'ai pas forcément envie de tendresse que quand on est tous les deux [...] alors qu'il est très tendre autrement... Au niveau relation affective et physique, il était extrêmement secret et très coincé... C'est quelqu'un que j'ai vu pleurer qu'une fois... pour la mort de mon grand-père.»*

Marianne attribue à la venue du premier enfant un rôle particulièrement important. Joëlle *«nous a soudés»*, dit-elle. Et si le travail de stabilisation évoqué plus haut n'a pas pu être fait avant, Joëlle ayant *«débarqué»* entre eux sans avoir été planifiée, cette naissance a marqué une nouvelle étape: *«Depuis Joëlle, les non-dit ont disparu, des gestes osés... de tendresse sont apparus... Il y a eu une modification sur la paternité et les rapports sexuels.»* (C'est Marianne qui parle.)

Cette relative stabilité affective semble sanctionner l'aboutissement du couple, et plus largement celui de la famille nucléaire. Les premiers temps furent ceux de l'incertitude. Marianne était en formation professionnelle et cherchait un emploi; mais le monde agricole n'est pas toujours prêt à accepter les femmes au travail. Éric, lui, hésitait quant à ses différentes voies universitaires.

Il n'aura fallu que quatre ou cinq ans pour que chacun-e reprenne petit à petit des attributs traditionnellement masculins et féminins. Éric est dans une logique professionnelle, Marianne dans une logique domestique. Chacun-e agrémente cette bipartition de gratifications qui rappellent que l'un-e et l'autre n'y adhèrent pas complètement: ce sont l'investissement municipal de Marianne et la forte présence d'Éric auprès des enfants.

CHAPITRE 4

Denis
L'harmonie au service de la création

Itinéraire

ENTRE MUSIQUE ET CONTRE-MODÈLES

Denis R. est saxophoniste. Homme de scène, personnage connu tant dans la région Rhône-Alpes qu'au niveau national, son nom est immédiatement associé à une pluralité d'activités. Ses activités de création sont larges: théâtre, musique baroque, performances artistiques... La palette de sons, de gestes et de couleurs est vaste. Ce qui marque d'emblée l'étranger qui lui rend visite, ce sont les couleurs: couleurs de ses spectacles, couleurs de son espace domestique, mais surtout couleurs du personnage.

Denis est né dans une famille chrétienne il y a 34 ans. À cette époque, après la guerre 1939-1945, ses parents faisaient partie d'un organisme social regroupant des militant-e-s de la reconstruction. L'objectif était alors d'offrir la possibilité à des familles modestes de prendre quelques semaines de vacances en dehors de Lyon au sein de structures qui liaient activités de plein air, découverte de la nature et vie collective. Son père est enseignant. Sa carrière, débutée avec un BEPC[1] comme seul bagage, s'est terminée comme directeur d'études d'une grande école de Lyon après avoir occupé différents postes dans l'enseignement, dont celui de surveillant général.

Sa mère, *«un des êtres les plus exceptionnels de la famille»*, écrit encore, à 67 ans, des romans et des recueils de poésie. Auteure de plusieurs livres, scénariste de différents films, elle a été tout au long de sa vie une femme créatrice combinant éducation des enfants, entretien de la famille et activités intellectuelles. C'est au sein des structures familiales de vacances qu'elle a commencé à écrire et à conter, pour ensuite initier ses enfants à la musique et à l'art du verbe et de la rime.

Dès 16 ans, guidé par sa mère, avec son frère et sa cousine, Denis a pris le chemin de la scène. Cadet avec son frère jumeau d'une famille de 4 enfants, il est aujourd'hui le seul à entretenir l'héritage musical. Ses frères, l'aîné et le jumeau, sont chacun pères de 2 enfants et vivent en couple. L'un est chercheur dans une industrie de pointe, l'autre responsable socioculturel. Sa sœur, de 6 ans son aînée, après un long concubinage, est maintenant elle aussi mariée.

Du côté maternel, immigrants grecs, Denis signale une de ses tantes, *«une femme libérée»* qui vivait maritalement. D'une manière générale, dans sa biographie familiale, à l'ensemble des femmes semblent associées des figures fortes, marquantes. Notamment sa mère et ses tantes. Les souvenirs s'estompent lorsqu'il évoque les éléments masculins tant du côté maternel que paternel.

1. BEPC: Brevet d'études de premier cycle, diplôme que l'élève obtient à la fin des classes de collège (avant l'entrée au lycée).

Quant à son père, Denis dit ne l'avoir redécouvert que depuis quelques années, en tous cas, après son adolescence. Et quand il évoque les relations de ses parents à l'espace domestique, il décrit une répartition «traditionnelle», une forme de bicatégorisation. Son père aidait au ménage ou à la vaisselle et sa mère confiait certaines tâches à une femme de ménage.

UN ENFANT DE L'APRÈS-68...

Denis passe sa scolarité dans la banlieue lyonnaise, dans une école tenue par la congrégation des Maristes. Il en garde un goût pour la pédagogie active et libérale (*«On sortait tous les jours et on a appris l'informatique bien avant les autres»).* Il redouble la terminale dans les classes artistiques d'un lycée lyonnais. Après le bac, il s'inscrit aux Beaux-Arts, qu'il quitte rapidement, trouvant la formation sans grand intérêt au regard de ses activités musicales: «*L'enseignement était nul, on ne parlait pas de la pratique.*» Baigné de mots et de musique, il fait ses premières tournées à 16 ans, au cours de ce qu'il aime décrire comme une «*entreprise formidable*». Son père conduisait, sa mère organisait et son frère (jumeau), sa cousine et lui chantaient.

De fait, à 19 ans, il est déjà un artiste reconnu. Et c'est ainsi qu'il joue 15 jours à l'*Olympia* pour accompagner au saxophone une «*vedette*» nationale. De cette époque, marquée par des tournées, des cachets importants, des rencontres avec des artistes de nationalités variées, il garde l'amour du spectacle et un certain mode de vie.

Après sa «*fuite*» des Beaux-Arts, il participe à différents stages de formation en musique baroque et s'inscrit en musicologie. Avec son frère et un ami commun, il fonde un groupe de musique qui, après différentes péripéties, se transforma en duo constitué par les deux frères jumeaux. En parallèle, il continue à accompagner un artiste connu et participe à plusieurs productions discographiques.

Petit à petit, il s'ancre dans un milieu qui crée et diffuse la musique *folk*, dont il apprécie les valeurs communautaires, pacifiques et écologistes. Il quitte le domicile familial à 20 ans pour aller vivre «*en groupe*» dans une maison des monts du Lyonnais qu'il partage avec une «*bande*» de 10 adultes. Celle-ci se réduit petit à petit à 4, puis à 3 personnes.

De tradition familiale antimilitariste (son père a perdu un doigt à la guerre), participant lui-même à de nombreuses marches pacifistes, adhérent de groupements pour la paix, il «*prépare*» ses trois jours[2]. Il se fait aider par des ami-e-s. Il perd 10 kilos et «*joue à l'artiste efféminé dans un autre monde*». Il est réformé. Son frère, qui lui n'était «*pas préparé*», est «*reçu*». Cela crée la rupture, non seulement du duo musical, mais plus globalement de la relation privilégiée qui les unissait.

2. En France, les *trois jours* sont une période où l'armée française teste la capacité des jeunes gens à remplir leur devoir national. Batteries de tests et d'examens médicaux et psychologiques servent de support à cette consultation. Parmi la jeunesse française et pour différentes raisons, notamment idéologiques (antimilitarisme) ou pratiques (pourquoi perdre un an à ne rien faire?), il est de bon ton d'essayer d'échapper à cette obligation qui s'applique en théorie à l'ensemble des hommes. Pour être réformé, autrement dit éviter le service militaire, les jeunes gens de l'époque avaient le choix entre présenter des certificats psychologiques établis par des spécialistes qui montraient leur incapacité à la vie de caserne, simuler des défaillances physiques ou faire intervenir «quelqu'un de haut placé».

VÉRONIQUE, L'AMIE FÉMINISTE

Véronique a 38 ans. Son père, *«de gauche»*, était cadre dans l'électronique; sa mère, militante au PCF[3], était fonctionnaire. Véronique dit avoir vécu dans une famille où *«les rôles sociaux sont classiques»*: le père au bricolage, la mère à la cuisine. Toutefois, elle décrit une mère qui tout à la fois *«réclamait le partage du travail ménager»* et *«préparait chaque jour, y compris lorsqu'ils étaient à la retraite, les affaires propres du père sur le valet de nuit»*. Ses parents, après la guerre, ont participé au mouvement naturiste et à celui des auberges de jeunesse. La parenté de Véronique semble marquée par des figures masculines assez douces, *«dans l'ensemble démissionnaires»*, avec en permanence pour ces hommes des *«rapports de force avec les femmes»*. Elles *«gueulaient, mais n'étaient pas organisées par rapport aux hommes, qui eux ne comprenaient pas ce qui leur était dit»*.

Elle passe son bac en 1968, mais élève d'une école privée, elle n'a *«rien compris cette année-là»*. Ses parents étaient militants, mais elle se vante d'être sage et bien-pensante. À 22 ans, elle part habiter avec une copine, ce qui l'obligea, vu le désaccord avec ses parents, à une rupture familiale. Elle rejoint alors à son tour le militantisme et participe activement à la mouvance écolo-pacifiste. Là elle rencontre un homme qui devient son mari et connaît son premier avortement en Angleterre. C'est ainsi qu'elle participe activement au Mouvement pour la liberté de l'avortement et de la contraception (MLAC). En 1973, elle soutient *«le Manifeste des 343 salopes»* qui déclarent avoir avorté, ce qui, à cette époque, est contraire à la loi.

Des manifestations, elle retient plusieurs interrogations sur les hommes. Certains criaient: *«Nous sommes*

3. PCF: Parti communiste français.

tous des avortés» et d'autres étaient des *«militants CGT*[4]*, qui tapaient sur les filles»*. La manière dont les premiers (ses compagnons de manifestation) critiquaient l'attitude des seconds lui fait dire que, du point de vue des rapports hommes-femmes, *«il y avait autre chose à penser»*.

Depuis la campagne où elle résidait, elle se tenait informée de l'évolution du mouvement des femmes, s'abonna à une revue féministe et, lors de ses séjours à Lyon, se rendait quelquefois à la *«maison des femmes»*. Elle ressent cette période comme fortement troublée. À l'époque, son mari passait son temps à participer aux manifestations féministes, ce qui lui plaisait. Mais ce qu'elle ne supportait pas, c'était ses proclamations, notamment quand il lui disait: *«Je suis tout à toi.»* Et en même temps, elle vivait un couple dont elle n'imaginait pas la séparation. Pourtant, c'est ce qui arriva. Elle se rappelle de quelques scènes de violences conjugales, des souvenirs *«très durs»*.

Cette séparation marque le début de sa relation avec Denis. Alors que celui-ci est en tournée, elle passe de longs moments seule, en face-à-face avec elle-même.

LES DIFFÉRENTS MODES D'UNION

La relation de Denis et Véronique date cependant d'un peu avant. Véronique fut parmi les ami-e-s qui l'ont soutenu dans sa période d'insoumission à l'armée. Denis, Véronique et son mari sont les trois personnes qui restent dans la maison des monts du Lyonnais. À ce moment, Denis ne cacha pas l'attirance qu'il avait pour Véronique. Mais il dut accepter de se limiter à *«des*

4. CGT: Confédération générale du travail. Centrale syndicale française proche du Parti communiste français.

échanges très forts avec elle» sur la poésie, la musique, les lettres. Il ne vivra sa relation amoureuse *«au grand jour»* qu'après la séparation de Véronique.

En 1978, lui et elle occupent alternativement la maison et un appartement partagé avec des amis à Lyon. Trois ans plus tard, alors qu'ils l'avaient envisagé, ils n'achèteront pas la maison située à la campagne. Tous deux viennent travailler à Lyon, mais affichent difficilement leur couple, surtout vis-à-vis des parents et des ami-e-s.

Entre eux apparaissent alors des difficultés, que Denis impute au fait *«de vivre fermés sur nous»* et à la difficile articulation entre vie commune et relations extérieures. Bref, dit-il: *«Je n'avais pas le désir de ronron ni de couple, donc nous avions besoin de prendre des distances.»* En fait, lorsque Denis désire vivre à Lyon, Véronique est *«en pleine phase de maturation»*. Elle a 28 ans et réalise qu'à cet âge elle peut aisément s'engager dans un processus de formation professionnelle. Elle part à Paris pour un an; elle y restera sept.

En 1981, Denis habite avec un ami expérimentateur de la contraception masculine et participe lui-même au groupe d'hommes de Lyon. Peu de temps après, il expérimente aussi la pilule pour hommes. Dans le même temps, il continue ses activités artistiques, met en œuvre un spectacle de danse et musique qui connaît un certain succès.

Après différents appartements successifs, en mars 1986, il emménage dans celui qu'il occupe actuellement. Il garde avec Véronique de multiples relations, et en 1987, à partir d'un projet d'habitat collectif, elle revient à Lyon. Hébergée temporairement par Denis, avec qui elle a gardé des liens serrés, elle apprend incidemment que l'appartement voisin allait se libérer. Après de grandes réflexions ensemble, le désir de se *«trouver quelque chose d'autre»*, au jour le jour, ils décident de la forme actuelle de la cohabitation. «*Je ne suis pas revenue*, dit-elle, *je suis venue ici à cause de l'idée du projet d'habitat collectif.*»

Au moment de l'enquête, elle vit de l'allocation de chômage. Elle assure aussi le secrétariat artistique de quelques personnes, dont Denis. Membre du Collectif lyonnais contre le viol, elle écrit des articles sur la santé dans une revue écologiste locale. Denis est toujours membre du groupe d'hommes de Lyon et participe à un collectif contre le viol.

Espace domestique ou espace de cohabitation?

DES PIÈCES COMMUNES

Denis et Véronique vivent donc dans deux appartements contigus, avec une partie commune. Nous appellerons celle-ci l'espace de cohabitation.

Les limites respectives de cet espace sont autant le résultat d'un choix volontaire (abandonner le coin-cuisine de Véronique pour utiliser en commun la cuisine) que liées aux contraintes topographiques: l'accès à la salle de bains (commune) impose de traverser le bureau de Denis.

L'espace de cohabitation est défini formellement par l'une et l'autre. Il comprend la cuisine, la salle de bains et les W.-C. L'espace commun est surtout défini par les limites, les seuils, des territoires privatifs. À l'entrée du bureau de Denis ou à la porte de Véronique, l'un-e frappe avant d'entrer, attendant un signe de l'autre pour pénétrer son territoire.

De fait, le statut de la pièce commune, appelée «*pièce de vie*», «*séjour*», «*salon*», mais plus souvent encore *«à côté»*, (*«on passe à côté»*, je vais *«à côté»...*), est plus ambiguë: elle se situe entre le prolongement de la cuisine (on amène son repas sur un plateau pour regarder la télévision), le séjour commun (Véronique s'y installe souvent après le repas, elle se préoccupe de l'arrosage des plantes) et un espace privé de Denis.

Dans l'alcôve se trouvent le lit de Denis et les rangements (armoire) de ses vêtements (avec une séparation hiver/été — froid/chaud), sa bibliothèque, sa discothèque et la chaîne hi-fi. Nous pourrions la qualifier de lieu mixte, plurifonctionnel, dont le statut privé ou commun varie en fonction des moments de la journée et des visites (ami-e-s, relations de travail).

Denis en a réalisé la décoration, qui est notamment composée de masques africains de grande envergure. Il précise cependant qu'après son aménagement il a volontairement laissé les murs nus de traces, pour *«choisir tranquillement les ornements»*. Actuellement, divers objets comme le variateur électrique (de Véronique) associé à l'halogène (de Denis) marquent la coprésence.

L'espace cuisine est complètement ouvert, séparé en deux par une étagère métallique de couleur bleue sur laquelle sont disposés quatre rayonnages de rangement: d'un côté, l'évier, la cuisinière, le lave-linge et les ustensiles de vaisselle; de l'autre, une grande table. Excepté les produits d'entretien placés sous l'évier, l'ensemble des autres produits consommés est visible. À terre: grands plateaux, paniers d'osier, panier à légumes. À mi-hauteur, rangés sur l'étagère ou suspendus dans un filet métallique, se trouvent les produits et les instruments de cuisine. La disposition permet à tout visiteur d'utiliser la cuisine de manière autonome.

Dans le prolongement de l'étagère, le réfrigérateur, d'un modèle ancien, contient peu de choses: lait frais (cru), lait de soja, beurre. Les réserves de nourriture sont réduites à la place disponible sur l'étagère. Sur cette dernière, en haut, les ustensiles encombrants (égouttoir à salade, saladiers...); en dessous, des bols, des assiettes, de la petite vaisselle. Au deuxième étage, à côté des verres, se situe le nécessaire à café (cafetière, filtres, sucre) et en dessous, en vrac, on trouve l'huile, les sauces (soja, nuoc-mâm...), les céréales, le riz, les pâtes et une caissette dans laquelle sont répertoriées en flaconnages des épices diverses. À côté de celles-ci, on aperçoit pêle-mêle petits gâteaux, confitures, farines, levure. Enfin, à terre, sous l'étagère, sont disposées les bouteilles de vin, vides ou pleines.

À l'extrémité de la table qui est en permanence propre, est relégué le plateau à fromages, sous une cloche en métal. Les légumes sont à même le sol, disposés dans des paniers. La cuisine, refaite depuis peu, est peinte en blanc, et un ensemble d'éclairages indirects lui assure une ambiance feutrée, chaude, traduisant la volonté de Denis d'en faire un lieu *«convivial»* dans l'appartement.

L'évier n'est pas anodin.

Denis est assez grand. Il a décidé de poser l'évier 10 centimètres plus haut que la norme standard, obligeant les personnes de taille moyenne ou de petite taille à lever les épaules quand elles ont à faire la vaisselle. Nous retrouverons ce marquage de l'espace dans l'ensemble de l'appartement, notamment par la hauteur des étagères et celle du lavabo de la salle de bains. L'espace domestique est *«programmé»* pour être utilisé par Denis. Véronique, arrivée par la suite, doit s'y adapter. Elle dit d'ailleurs que la hauteur de l'évier ne la dérange pas.

Les W.-C. sont disposés dans le couloir, la porte en est fermée. À l'intérieur, on y trouve des revues et des photos.

Quant à la salle de bains, elle permet l'étendage du linge (au-dessus de la baignoire). Et sur la tablette, à la hauteur du lavabo, s'étalent flacons d'eaux de toilette, de shampooings... appartenant autant à Véronique qu'à Denis. «*Elle a été particulièrement réfléchie*», dit-il, pour être un lieu agréable et chaud (un radiateur électrique supplémentaire est fixé au mur).

LES TERRITOIRES DE DENIS: UN JONGLAGE ENTRE PRIVÉ ET PUBLIC

Le territoire de Denis est organisé selon les usages et l'accès aux pièces. N'ayant pas de bureau ou de local à l'extérieur, il utilise son appartement pour recevoir ses relations de travail, pour élaborer projets, maquettes...

Le «*salon*» remplit cette fonction de lieu public. Il est aménagé de manière relativement simple: des chauffeuses et des poufs pour s'asseoir, une chaîne hi-fi, et des étagères contenant livres et disques et occupant tout un pan de mur.

Il n'existe pas de chambre à proprement parler. Un coin-alcôve, protégé du regard par un rideau en tissu, est le lieu à dormir. Entre le lit, couvert d'une couette défaite, et l'armoire, il y a peu d'espace. Sur le sol, chaussures, affaires sales attendent le rangement hebdomadaire qui rendra le lieu net. Le rideau est toujours mi-ouvert la nuit: «*J'aime être réveillé par la lumière du jour*», dit-il.

Dans une autre alcôve, se trouvent un établi, une grosse étagère où sont alignés les dossiers, et au mur, un ensemble d'outils aux contours dessinés. Les outils d'ébénisterie permettent à Denis la création d'instruments de musique. Lorsque Denis n'y travaille pas, l'atelier est protégé du regard par un immense rideau en tissu, sur lequel sont affichés des badges et de petites décorations: «*Ça simplifie la vue*», dit-il. Dans le reste de la pièce, un bureau envahi de dossiers, d'instruments de musique et de sonorisation jouxte... une table à repasser.

On ne compte plus les instruments mis au mur (saxophones, guitares, trompettes...) ou posés sur le sol (piano, percussions, ou tubes à souffler rappelant de loin les énormes cors de chasse).

Dans une troisième alcôve est située la salle de bains.

Enfin, voici la pièce qui est, selon Denis, *«la moins importante»*, celle qu'il appelle *«la chambre du fond»*. Tour à tour envahie d'objets inutiles en attente d'utilisation, ou débarrassée pour héberger un-e ami-e de passage, elle est régulièrement prêtée, notamment pour des connaissances, artistes en tournée à Lyon. C'est là qu'a dormi le chercheur.

De quelques pratiques domestiques

LES REPAS

Chez Denis, le *«bio»* est roi. S'agit-il d'une survivance de l'époque «vie à la campagne», où se menaient des réflexions et des stages sur le mode de vie, la diététique, les massages, les thérapies douces? Ou doit-on y voir les prémisses d'un «nouvel âge» à la française, un souci écologique d'associer économie et qualités nutritionnelles? Toujours est-il que les produits issus de la culture agrobiologique, les produits complets ou végétariens sont les plus utilisés: pâtes complètes, légumes biologiques, dérivés de soja, lait cru, farine méthode Lemaire et Boucher[5], huile de palme. L'essentiel de ces produits est acheté dans une *«coop bio»* du voisinage.

---

5. Il s'agit d'un *label* prouvant l'origine et le traitement des produits alimentaires.

La «coop bio», pour une cotisation mensuelle de 30 francs, fournit à chacun-e de ses membres des produits secs (céréales, pâtes...), des laitages (lait cru, fromages), le nécessaire d'entretien (savon, shampooings, lessive), mais aussi des confitures, une à deux fois par an du poisson, et plus régulièrement des volailles, du vin, des légumes frais.

Son organisation est simple: un premier versement de 100 francs sert au stock. Chacun-e est responsable de l'approvisionnement d'un produit et se charge des contacts avec les fournisseurs, qui sont en général aussi producteurs. Les tâches d'ouverture du local de distribution et de comptabilité sont effectuées alternativement par l'ensemble des membres. La *«coop»* est ouverte de manière bi-hebdomadaire en soirée et la livraison des légumes, des laitages et du pain s'effectue une fois par semaine. Au moment de l'enquête, les membres de la «coop bio» représentent différentes professions ou catégories socioprofessionnelles (artistes, enseignants, artisans, chômeurs, employés...). L'accent est mis sur la *qualité* (non pollué, produit biologique), le *goût* (de *«bons»* produits) et l'*économie*. Par une organisation directe producteur-consommateur, l'ensemble des produits, à qualité supérieure, est présenté comme *«moins cher qu'au supermarché»*.

Denis et Véronique achètent les autres produits dans les commerces de proximité, mais peu de provisions d'avance sont faites. D'ailleurs, les factures d'épicerie dépassent rarement 100 francs. Denis fait aussi régulièrement le marché le dimanche matin, soit pour y acheter des légumes, soit par simple *«plaisir»* d'y rencontrer ses ami-e-s. En effet, une forme de rituel perdure dans ce réseau d'anciens des années soixante-dix depuis plus d'une dizaine d'années. Chaque dimanche matin, vers midi, après le marché, *«on»* se retrouve dans un grand café du voisinage. C'est à cette occasion que sont échangées des informations, des invitations ou ont lieu de simples discussions.

Quant aux hypermarchés, Denis et Véronique ne s'y rendent que rarement, si ce n'est à l'occasion *«d'une grosse bouffe»* ou d'une fête.

Les repas à la maison sont fréquents. Ils dépendent pour Denis de l'agenda, des ressources et du désir de faire ou non à manger. Mais l'utilisation des petits restaurants du quartier est aussi une pratique courante, faisant d'ailleurs de ces endroits de véritables prolongements de la cuisine. Le repas en commun entre Denis et Véronique est fréquent, mais tout aussi fréquente est l'utilisation individuelle de la cuisine. Rapportons cet échange entendu plusieurs fois:

13 h 15:

«Véronique: — *Vous avez pas faim?*

Denis (sur un ton vague et distant): — *Oui.*

Véronique: — *J'aimerais bien qu'on fasse à manger, sinon je grignote dans mon coin parce que il faut que j'aille à la poste.*»

Le tout est dit sur un ton banal. Il n'y a rien de systématique, de rituel dans la prise de repas en commun, excepté lorsque l'invitation de tierces personnes est commune, sinon les mêmes questions seront reformulées: *«Ce soir, il y a Alain qui vient manger, tu seras là?»*

Le repas est considéré par les deux comme un moment de sociabilité important, mais aucune obligation n'organise la présence de l'un-e ou de l'autre. Au vu de leurs activités extérieures et de l'état des finances, beaucoup de repas (près de la moitié) sont pris à l'extérieur de la maison et du quartier. Quand Denis prépare le repas, il insiste sur le *«raffiné»*, la qualité de l'association avec telles ou telles épices. Le plateau à épices est largement achalandé. Le cuit l'emporte nettement sur le cru:

soupes, gratins, pâtes et riz complet, légumes associés à une épice ou à une sauce. Peu de viandes sont consommées et les repas laissent peu de restes. Le *«pas compliqué mais raffiné»* est aussi la règle quand des ami-e-s viennent manger, ou lors des *«grosses bouffes»*. Viandes, volailles sont souvent associées à ces repas de fête. Denis mange de tout, toutefois depuis plusieurs années, il a exclu tout excitant (vinaigre, moutarde) et limité l'alcool. Il explique qu'il essaie de ne pas vivre décalé avec les saisons ou les rythmes: pas de salades en hiver, pas de froid le soir.

Préparation, service (qui se lève de table?) et vaisselle se répartissent pour l'un-e ou l'autre sans que ne soit remarqués, ni signalés, de problèmes particuliers. Il ne s'agit pas d'une norme de répartition des tâches où chacun-e mesurerait la dette créée par tel service, mais plutôt de cohabitation domestique de deux individus.

La participation aux diverses tâches dépend de la disponibilité, de l'envie, mais les différentes étapes (préparation, nombre de repas, nettoyage et rangement) ne sont pas dissociées en fonctions particulières: *«manger»* inclut la participation à l'organisation de l'ensemble.

Le lavage de la vaisselle précédente est souvent la phase préliminaire de la préparation du repas, qui se finit par le nettoyage de la table, et s'il le faut (présence de miettes, ou salissures) par un coup de balai.

Si la viande n'est pas régulièrement consommée, le fromage, en permanence sur la table sous une cloche, est systématiquement servi. Denis et Véronique mangent beaucoup de fruits. Le vin est davantage réservé à la présence d'invité-e-s. L'apéritif est d'ailleurs aussi servi à l'invité-e soit par l'un-e soit par l'autre.

Le petit déjeuner est un moment important de la journée. Denis l'institue en véritable rituel de réveil: trois tartines et des petits gâteaux viennent accompagner le café; sur les tartines, du fromage et ensuite de la confiture. Les fromages sont forts (bleu d'Auvergne, Saint-Nectaire) ou doux (fromage de Hollande). Denis explique le passage du fort au doux par l'évocation de «*l'odeur*» du camembert qui servait souvent de repas lors de ses tournées. Aussi, une de celles-ci fut l'occasion de ramener de Hollande un magnifique couteau à fromage qu'il montre fièrement. Enfin, les biscuits sont ceux de la «coop bio», faits de noisettes, de cannelle et de farine complète.

LE LINGE ET LE RACCOMMODAGE: QUELQUES INTERACTIONS AU QUOTIDIEN

Chacun-e met le linge sale en tas dans une panière située dans la cuisine. Dès que le tas est gros, il ou elle demande: «*blanc ou couleur?*» et «*lance la machine*». Chacune déclare avoir l'impression de le faire plus souvent que l'autre. De sa vie seul, Denis a gardé l'habitude du *pressing* pour les vêtements délicats. Aussi, il fait peu de lessives à la main: «*C'est chiant: l'évier est trop haut, le lavabo trop petit et la baignoire trop basse.*»

En revanche, l'étendage se fait à deux. Cependant, il reste quelques points de conflits à propos du lavage du linge. Le lavage des lainages et de la soie est actuellement objet de «*guéguerres*»: «*Elle m'a appris à faire gaffe, maintenant je fais plus gaffe qu'elle! Ce qui entraîne des déteignages/reteignages qui ne sont pas du meilleur aloi. Alors: soit je fais la gueule, soit je l'engueule.*»

Quand il faut raccommoder, Denis ne se sent pas très concerné. Aussi, il recourt au *pressing* ou, pour changer une fermeture-éclair, à un petit atelier du voisinage. Quelquefois aussi, il apporte un lot de chaussettes à la femme de ménage de ses parents. Quant aux travaux nécessitant une machine, Denis demande maintenant parfois à Véronique si elle peut le faire (elle s'est installée un atelier couture), mais ces demandes ne sont pas systématiques, tout comme les réponses positives à ces mêmes demandes.

La non-simultanéité de l'échange et de l'obligation de services peut être traduite par cette scène:

Véronique va à la pharmacie, demande à Denis s'il y a quelque chose à ramener d'en bas (leurs logements sont situés au cinquième étage). Il lui tend une ordonnance et demande deux boîtes d'un médicament. Une heure plus tard, elle revient. On l'entend ouvrir la porte extérieure, et après quelques minutes, elle amène à Denis *«les médicaments»*.

«Denis: — *Ah, t'as pris qu'une boîte. J'en avais demandé deux. C'est chiant parce que je pourrai pas envoyer les papiers pour...* (Le ton est désolé. Il expliquera que cela bouleverse le scénario habituel de remboursement.)

Véronique: — *Excuse-moi, j'ai pas écouté... Chacun son tour...*»

Et elle va faire autre chose chez elle.

Mais l'échange de services est possible: il s'inscrit dans une relation de bon voisinage. Couramment, quand l'un-e *«descend»*, il/elle demande à l'autre ses besoins; mais cela n'est pas une obligation.

RANGER, NETTOYER: UN DÉBAT ENTRE DENIS ET VÉRONIQUE

Souvent, Denis cherche un dossier ou un papier administratif en pestant du temps perdu à cette recherche. Si l'ensemble du bureau-atelier a l'air organisé, classé par grands thèmes, chaque thème ayant ses propres dossiers à l'intérieur de chaque classeur, il lui faut prendre du temps pour retrouver le document recherché. Lui-même précise qu'il a besoin d'un minimum de désordre pour être à l'aise dans son lieu.

«Il faut, dit-il, *que quand je rentre ou quand les gens rentrent, que la pièce soit agréable à l'œil.»* Cela explique le souci de la décoration, l'utilisation des couleurs (bibelots, papiers personnels affichés au mur, ensemble de collages, compositions...) et l'organisation du rangement. Il explique que le moment de décoration est extrêmement *«jouissif»*.

Le rangement, à son stade actuel, est le produit d'un débat avec Véronique: *«Avant, comme plein d'autres mecs, j'attendais la limite, un peu comme pour payer les impôts le dernier jour. J'attendais la limite du sale, et c'était l'excès inverse: je rangeais. Véronique m'a aidé pour ne pas accumuler de retard, faire les choses au fur et à mesure. Maintenant, c'est plus équilibré. Je m'efforce de ne pas passer par les extrêmes.»*

Le rangement et le nettoyage ne sont pas programmés (excepté celui, hebdomadaire, de sa chambre), il le fait *«à l'œil»*: *«Quand il y a trop de poussière, je passe l'aspirateur, ou quand je vois quelque chose... le balai...»* L'accent est mis sur l'importance de la circulation: *«Il faut pouvoir circuler, accéder aux choses.»* Le *«merdique»*, le *«bordélique»* est énervant: cela rompt l'équilibre nécessaire.

Le propre et le rangé font l'objet de débats entre Denis et Véronique, qui les présentent l'un-e et l'autre comme un exemple particulier du rapport social entre un homme et une femme. On peut, sans trahir l'intimité de ce couple, signaler deux exemples d'interaction centrée sur ce point. Pour ce faire, nous utiliserons le cahier de notes du chercheur.

• Denis est en train de construire une sorte de flûte étrange, le chercheur est avec lui dans le bureau-atelier. Lui a choisi chaque tige de bois, la fait résonner devant un petit instrument chargé de contrôler la note, puis rabote, râpe, lime, coupe jusqu'à obtenir l'équilibre de la note désiré. Véronique entre au fond. Elle vient du salon, frappe à la porte. Denis lui dit d'entrer, elle demande:

«T'aurais pas une petite chute de bois?... qui traîne?» et de poser un regard circulaire sur l'ensemble des bouts que Denis a disséminés dans l'atelier. *A priori,* le ton de Véronique laisse entendre que toutes les petites chutes *«qui traînent»* sont disponibles pour son utilisation, et de fait, aussitôt la question posée, elle commence à fouiller dans celles qui sont immédiatement à proximité. Il la voit et, en haussant un peu la voix, il dit: *«Non, non, non... je vais t'en trouver une...»*, et il prend dans une caisse située plus loin dans la pièce un bout qui, après discussion, sera retaillé pour répondre aux souhaits de Véronique.

• L'autre exemple se situe dans la même pièce:

Véronique, après l'observation du même rituel (elle frappe, attend un son, marque l'arrêt et ne rentre qu'après l'accord verbal de Denis), lui demande de rechercher un papier concernant un ancien contrat. Lui, quitte l'établi, se dirige vers le bureau, lance un rapide coup d'œil sur les papiers posés à même le bureau (certains sont empilés, d'autres non), se retourne pour ouvrir un dossier... Au bout de trente secondes de recherches infructueuses, Véronique mi-agacée, mi-ironique, lui propose de l'aider à trouver. Elle s'exclame: *«C'est pas dans ce...»* et commence à critiquer le mode de rangement de Denis *«dans lequel il ne trouve jamais...»* Elle veut participer à la recherche. La tension monte très vite. Denis abrège: *«Écoute, c'est chez moi, je trouverai plus tard»*.

Le rappel du territoire privé suspend la tension et l'interaction.

On le voit, les conflits latents ne sont actuellement régulés que par le partage strict des territoires de l'un-e et de l'autre. La thèse défendue par Véronique est que *«les mecs»* (elle généralise volontiers les critiques portées à Denis à l'ensemble du groupe des hommes), *«ils attendent la dernière limite, ils ne savent pas ranger, entretenir...»*, alors qu'elle et les femmes en général font de la prévention. Denis explique son évolution. Il décrit le stade actuel comme un compromis entre l'avant, où rien n'était rangé si ce n'est par d'autres (en habitat collectif) ou par Véronique (lorsqu'ils vivaient en couple), et un minimum de dérangement qui lui est nécessaire.

Contrairement à d'autres tâches domestiques (lavage, cuisine, vaisselle...) pour lesquelles le *«faire»* ne pose pas de questions ni à l'un-e ni à l'autre, le rangement est le point cristallisant débats, conflits et constats d'évolution.

Si les deux scènes décrites se terminent bien, ils décrivent d'autres interactions (hors de la présence du chercheur) qui se sont finies en pleurs ou en séparations dramatiques, pour lesquelles il faut mettre en œuvre parades et rituels d'approche pour dénouer la situation. Les deux sont globalement d'accord (interrogé-e-s séparément) pour en définir le sens.

Tout au long de sa vie commune avec Denis, Véronique avait mené des luttes quotidiennes pour aboutir à ce que l'espace commun soit *«à peu près»* rangé et propre; autrement dit, qu'elle ne soit pas la seule à assumer le ménage correspondant à l'état du rangé minimum qu'elle pensait acceptable. Comme de nombreuses autres femmes vivant en couple, elle dit sa tendance à *«être mégère»* et s'interdit maintenant d'intervenir dans le rangement et le ménage de *«l'appartement de Denis»*.

Elle signale que Denis a fait beaucoup d'efforts, notamment pour éviter que la vaisselle *«traîne»* ou *«déborde»*. Pendant la période de vie commune, elle avait l'impression que *«si je ne le faisais pas, il ne le faisait jamais»*. Pour elle, le non-rangé est associé *«aux mauvaises odeurs, à la putréfaction, à la mort»*. Elle compare le rapport avec Denis au rapport mère-enfant, l'une éduquant l'autre, et pense qu'il est maintenant passé à un autre stade.

Lui, tout en critiquant *«sa tendance héréditaire à tout organiser»*, décrit les différentes phases de son évolution. Il serait passé d'un laisser-faire où le non-rangé était associé à *«bohème et artiste»* à l'état actuel *«agréable à la vue»*. Il se déclare *«maniaque et pointilleux»* et pense avoir atteint un point d'équilibre. L'évolution s'est faite en remettant en cause l'appris masculin relatif au ménage, et au propre. Il ne tient pas pour autant à *«perdre ses acquis»*, ce qui serait pour lui la laisser *«déborder sur les limites de l'autre»*.

D'une relation mère/fils pour le ménage, on est passé à une relation homme/femme où l'un-e et l'autre expliquent que la situation actuelle est le produit d'une relation. Celle-ci est faite de discussions — mais aussi *«d'engueulades»* — et d'évolutions réciproques pour parvenir à l'équilibre. Ces relations ont lieu à la fois dans des lieux collectifs (c'est-à-dire appropriés par l'un-e et par l'autre) et dans les espaces privatifs. Chacun-e semble admettre que Denis privilégie la vue, la forme, l'harmonie des couleurs et la circulation du corps, tandis que Véronique pense d'avantage à l'utile, au pratique et à l'odeur.

Un temps pour soi

On voit par les exposés précédents que les territoires privés de l'un-e et de l'autre sont particulièrement cruciaux dans l'organisation quotidienne. Mais cette gestion de l'espace ne pourrait être complète si on ne considérait pas la question du temps quotidien; d'autant que Denis tient particulièrement à ses «temps pour lui».

Le matin, il se lève vers 8 ou 9 h, ou plus tôt s'il doit travailler à l'extérieur ou chez lui. L'heure du lever est souvent communiquée entre Denis et Véronique pour permettre à celui ou celle levé-e plus tôt de réveiller l'autre. Chacun-e dort dans sa chambre, excepté lorsqu'il y a nuit commune. Le réveil doit être *«cool»*. Denis s'arrange pour ne pas être obligé de se lever d'un bond, en réglant par exemple le réveil une demi-heure avant l'heure nécessaire. Il reste alors seul à réfléchir ou à somnoler.

Lorsqu'il y a des gens de passage, cela le pousse à se lever plus *«d'un bloc»* car il aime les *«accueillir»* et *«profiter»* de leur présence. À cet égard, le petit déjeuner est pour lui un temps important. Juste après son réveil, il veut préserver une heure et demie pour ses activités matinales: bain, petit déjeuner et *«bricoles»* (collages de papier, lecture...)

Après, selon son emploi du temps, il commence sa journée de travail. La semaine est organisée en liaison avec son *«secrétariat artistique»*. Le terme le fait sourire: dans les milieux artistiques alternatifs, l'utilisation d'un-e agent-e ou d'un secrétariat a été parfois mal perçue par certain-e-s, car cela rompait avec la tradition. À l'époque de l'étude, son secrétariat est assuré par Véronique qui partage son temps entre plusieurs artistes de la région.

Il s'organise quelques *points fixes* réguliers hebdomadaires ou mensuels: cours de musique dans une école, présence à la «coop bio»... C'est à ce propos qu'il explique sa visite régulière à l'acupuncteur ou à l'homéopathe. Des soins réguliers pour prendre du temps pour soi.

Le reste est variable en fonction des contrats et des tournées. Il s'efforce d'aller une fois par semaine à la piscine et au cours de taï-chi, mais reconnaît en rigolant qu'il ne peut tenir ce rythme.

Chaque jour, il s'efforce de réserver du temps pour faire de la musique pour lui, il joue alors du saxophone ou du piano. C'est le moment où il compose des chansons. Et surtout, il garde des moments pour *«délirer»*: *«Un délire créatif où je ne me censure pas, je hurle, j'enregistre, je travaille devant une glace, ou j'écoute quelque chose de fou; je délire sur une idée.»* Pour ce faire, il doit être *«sûr d'être seul»*. Bien souvent ce temps est pris l'après-midi ou le soir entre minuit et 2 h du matin. La présence de Véronique est d'ailleurs signalée comme diminuant ses moments créatifs.

Le chercheur évoque les loisirs: *«Je ne sais pas ce que c'est,* dit-il, *j'ai du mal à sentir l'idée de loisirs.»* En revanche, il arrive qu'il marche dans la rue ou flâne la nuit dans le quartier lorsqu'il veut se *«détendre»*.

Denis est quelqu'un qui travaille beaucoup, chez lui ou à l'extérieur, en s'efforçant de varier les différentes occupations. Il explique d'ailleurs ainsi son non-désir d'enfant pour maintenir sa liberté et sa relation avec Véronique. La pilule pour hommes, qu'il a prise pendant quatre ans, semble d'ailleurs authentifier ce choix.

Au moment de l'étude, les expériences «pilules pour hommes» ont cessé depuis plusieurs années. Mais comment ne pas lire dans cette monographie ses effets directs? Certes, il est loin le temps où Denis criait sa culpabilité d'être homme; loin aussi les revendications de travailler moins pour prendre du temps pour soi. Aujourd'hui, le temps pour soi est pris... en travaillant.

Quant à la relation entre Denis et Véronique, elle nous a semblé significative de nombreux couples entrevus. Ils essaient d'inventer un modèle d'union où l'un-e et l'autre respectent toutes les différences. On peut y voir les différences de constructions sociales entre hommes et femmes, les exemples sont nombreux. Mais pas uniquement.

La relation contractuelle entre Denis et Véronique transcende la relation amoureuse, l'entretient et la dépasse à la fois. On pourrait dire: deux personnes partagent des bouts de quotidien. Le reste est l'affaire de chacun-e.

Chapitre 5

Claude
Les frontières de l'autonomie

Histoires d'enquête… les premières rencontres

Claude et Morgane sont mariés depuis 8 ans. Il a 52 ans, elle en a 42. Claude est universitaire, professeur en biologie. Morgane est enseignante. Tous deux résident à La Marasque, un habitat collectif situé dans les Cévennes. La première visite du chercheur dans cet habitat eut lieu lors d'un repas chez Gilbert et Claudine, qui participaient également à cette enquête. Il y avait là 8 adultes: tous et toutes semblaient être de vieilles connaissances.

Claude inspire la sérénité, il semble sérieux et rigoureux. Quant à Morgane, assez discrète pendant ce repas, le chercheur la rencontra une seconde fois chez Gilbert et Claudine à qui elle rendait visite. Cet après-midi-là, on parlait cinéma, un des objets de la visite étant une émission de télévision à laquelle Morgane voulait assister. Autre situation, autre ambiance. En cet après-midi de semaine, le chercheur s'est senti un peu hors du monde du travail, en compagnie plutôt souriante et joyeuse.

Les intentions du chercheur ayant été suffisamment claires, un premier rendez-vous lui est aisément accordé. Lorsqu'il arrive chez Claude et Morgane, d'emblée, dès les premières questions usuelles sur les modes d'habiter, Claude l'interrompt et précise: «*Quelques éléments d'histoire dès maintenant te permettraient de modifier ta proposition.*» Et, annonçant qu'ils sont mariés depuis huit ans, il insiste sur le fait qu'il y a une «*longue histoire avant...*»

Claude: «indépendant très tôt», il devient prêtre

Lorsqu'il parle de sa famille d'origine, Claude la présente comme appartenant à la «*petite-bourgeoisie française un peu déclassée*». Son grand-père paternel était technicien, son grand-père maternel officier. Il mentionne que ses quatre grands-parents sont originaires de quatre régions différentes, dans lesquelles il ne s'est jamais rendu. Il parle alors d'une «*disparition de racines*».

Son père était ingénieur et sa mère, après avoir été associée à un atelier de couture en Alsace avant son mariage, était au foyer. De ce mariage sont nés quatre enfants: Claude se trouve au troisième rang. Un frère et une sœur aînés ont six et cinq ans de plus que lui, tandis qu'une autre sœur lui est cadette de deux ans. À la maison, la répartition dans les chambres se fait d'abord par l'âge: Claude et sa cadette sont dans la même chambre, puis lorsque la maison sera agrandie, il aura sa propre chambre. Le frère aîné utilisait une chambre au rez-de-chaussée, séparée de la salle à manger par une porte vitrée, tandis que les deux sœurs, bien qu'ayant sept ans d'écart, partageaient la même chambre au premier étage.

Claude se souvient également qu'une femme de ménage était présente environ trois fois par semaine, tandis que les enfants aidaient leurs parents au bricolage et au jardinage.

Lorsqu'il évoque son frère aîné, Claude le juge «*moins bricoleur, moins polyvalent*» que lui. Quant à Morgane, elle le considère «*moins brillant que Claude*». Il est aujourd'hui ingénieur, marié et père de trois enfants.

Sa première sœur est mariée, «*au foyer*» avec trois enfants, tandis que la dernière est mariée, sans emploi, et a deux enfants.

Parmi ses références familiales, on compte aussi son oncle paternel, «*marginal, artiste, reporter, peintre, il fait des expos...*» Sa tante maternelle est agrégée de géographie, célibataire; une autre tante, paternelle, est mariée à un travailleur social militant catholique. Enfin, son oncle maternel fut administrateur des colonies.

Claude a peu de relations avec ses aînés. Scout à 12 ans, il devient «*indépendant très tôt*». Bien qu'il reconnaisse qu'il y ait eu «*probablement une pression de la mère*», c'est à la suite d'une «*décision personnelle*» qu'il s'oriente vers le Grand Séminaire. Durant ses études de théologie, il se forme en mathématiques puis en biologie. Il est ordonné prêtre en 1967. Assez vite, vers 1968-1970, il travaille pour le compte d'un laboratoire, avant de rejoindre le ministère de la Santé jusqu'en 1973. Il démissionnera de ce poste quelque temps plus tard pour se consacrer à un travail militant auprès d'associations humanitaires.

Morgane: «la mère comme modèle»

Morgane est issue d'une famille franco-péruvienne *«bourgeoise»* qui vit au Pérou. Elle possède, comme tous ses frères et sœurs, la double nationalité. Ils ont toujours vécu dans la même maison, *«une grande maison»*.

Sa mère est d'origine française (les grands-parents sont bordelais, *«très sportifs, très sociables, beaucoup d'humour...»*) et on peut la caractériser de *«maîtresse de maison»*: un *«grand succès auprès des autres»*, un *«rôle féminin traditionnel avec la direction de la maison»*, une maison toujours propre, nette. Avec une réputation digne de ce nom, c'est aussi *«celle qui met la dernière main pour la présentation du plat pour les invités»*. Les domestiques sont de mise. Notamment *«une cuisinière, un chauffeur et serveur»* sont au service des grands-parents paternels, qui vivent à l'étage au-dessus. De même, chez les parents, une couturière et un jardinier viennent une fois par semaine.

Son père est péruvien. Il est issu de milieu bourgeois, d'une famille dans laquelle on trouve des *«ingénieurs»* (les hommes), *«des artistes et des travailleuses sociales* (les femmes), une sorte d'*«aristocratie ayant pris ses distances par rapport au système»* (c'est Claude qui parle), sauf les ingénieurs qui, eux, perpétuent la *«tradition»*. Cet aspect conservateur est aussi le fait du père.

Sept enfants composent la fratrie de Morgane; elle en est l'aînée. Un écart d'un an et demi sépare les quatre premiers enfants, tandis que cinq ans s'installent entre le quatrième et le cinquième enfants. Parmi les sept enfants, seul le frère aîné, ingénieur, poursuit dans la voie *«traditionnelle»*, les autres étant tous et toutes *«rebelles par rapport au milieu social»* dans lequel ils ont grandi: *«Tous les enfants ont plus ou moins été dévoyés»* (Claude). Une sœur fait des études de sciences du langage, tandis qu'une autre travaille dans un centre de recherche d'éducation populaire: elle a été *«engagée avec l'Église dans une cantine populaire. Elle a une intelligence pratique, sur le terrain.»* La dernière sœur *«toujours douée manuellement»*, fait les Beaux-Arts. Elle s'est mariée au Pérou et vit en France. Enfin, parmi les deux derniers frères: l'un est artiste et qualifié de *«marginal»* par Morgane; l'autre est ingénieur, il a 25 ans.

De sa grand-mère française, Morgane retient qu'elle *«bricolait, s'occupait de l'électricité de la maison»*, tandis que son époux était *«une forte personnalité, sociable, poète»*. Morgane était sa *«petite-fille préférée, il m'offrait plein de cadeaux, des colliers de perles»* (quand elle était adolescente) *«et des voyages en Europe»* (lorsqu'elle sera plus âgée). Elle mentionne qu'à l'opposé, sa sœur était *«haïe»* par ce même grand-père et que ça les a *«beaucoup marquées dans le choix de nos couples»*.

Pendant les entretiens, Morgane parle aussi beaucoup de sa mère car, pendant longtemps, on l'identifia à elle. Morgane se souvient de cette réputation notamment véhiculée par son père: *«C'était une période dure, car dans toutes les comparaisons, j'étais en dessous.»* Cela poussait Morgane à l'imiter, et de l'avis de Claude, *«elle ressemble beaucoup à sa mère...»*

«Pouvez-vous nous prêter votre aspirateur?»

En 1974, dans une aumônerie parisienne, Claude rencontre Morgane, qui est alors en lien avec la communauté chrétienne universitaire de l'aumônerie. Tous deux se retrouvent à Paris, dans le même arrondissement. Morgane partage un logement avec trois étudiantes.

Claude, lui, est encore engagé dans la vie religieuse. Il s'inscrit dans un projet dynamique de communauté religieuse avec deux prêtres et un religieux (non prêtre), afin de *«revitaliser une vie communautaire, redonner un tissu nouveau à la vie religieuse»*.

Ces deux communautés (l'une étudiante, l'autre religieuse) sont voisines. Des visites ont parfois lieu, mais apparemment limitées à un but utilitaire. L'objet de transition, cité par Morgane comme marquant la rencontre, est un aspirateur: *«Alors, on allait leur demander l'aspirateur* [rires]. *Nous, on n'avait absolument rien, on allait tout leur demander... On détestait aller leur demander, alors on y allait à tour de rôle.»*

Ces rencontres anodines sont l'occasion pour Morgane d'apprécier Claude: *«Je le trouvais très accueillant... et, tu sais, en général, les Français ne sont pas accueillants.»*

Mais, en 1976, Morgane retourne au Pérou:

«Claude: — *Quand Morgane est partie au Pérou, on avait échangé nos adresses... Elle m'avait dit: «Viens, si tu viens en Amérique latine...» L'année suivante, on me propose une mission en Équateur. C'était une trop belle occasion, je suis allé au Pérou. [...]*

Morgane: — *Je suis retournée au Pérou à 30 ans. J'étais en crise, la crise forte des 29 ans. "Qu'est-ce que je fais de ma vie?" Je vais au Pérou voir, il y avait eu des problèmes politiques.»*

Les rencontres n'avaient pas été aussi anodines que peut le laisser penser la simple évocation d'un aspirateur. Sans développer ici les multiples petits pas qui rapprochèrent les futurs époux, la vie commune n'est cependant pas encore à l'ordre du jour. Selon Claude, il lui fallait le temps d'être clair vis-à-vis de sa position religieuse, à la suite de quoi il pourrait envisager de vivre avec une femme. C'est ainsi qu'à la fin de l'année 1980,

Claude démissionne de sa congrégation religieuse et envoie un exemplaire de sa lettre de démission à Morgane. Il s'installe au début de l'année 1981 dans un deux-pièces en banlieue parisienne. À cette période, Morgane vient un mois en France et l'aide pour l'emménagement. Ce moment reste dans la mémoire de Claude: «*J'étais en mission au Brésil, j'ai débarqué vers le 20 janvier et, en arrivant à la porte de l'appartement, tu étais là en train de m'attendre. [...] Mais je n'étais pas clair sur ma vie affective, alors je lui ai dit: "Tu attends."*» Et Morgane d'ajouter: «*Je passais l'été, j'étais au Pérou... j'ai failli prendre l'avion* [rires].»

Sans qu'une décision soit prise quant à une cohabitation en ce début d'année, l'échange est suffisamment fort pour que la future union se dessine.

«Claude: — *On a décidé de vivre ensemble par courrier.*

Morgane: — *J'ai reçu une lettre!*»

En septembre 1981, Claude est de nouveau envoyé en mission au Brésil. Un nouveau détour par le Pérou et tous deux rentrent en France pour s'y installer définitivement. Le couple décrit ce moment comme «*une relation intense, sans savoir ce qu'on allait faire*». Finalement, le couple s'installe définitivement en octobre 1981, ils vivront un an et demi dans ce deux-pièces. Mais cette mise en couple ne doit pas faire oublier le mode de vie communautaire:

«Morgane: — *On habitait à Paris et on voulait vivre avec d'autres l'un et l'autre: on avait l'habitude de vivre avec d'autres gens. Je trouvais que se retrouver en couple à deux c'était limitant, surtout à Paris. Et à Paris, c'était difficile de trouver des logements pour vivre à plusieurs, des amis avaient cherché et ils n'avaient pas trouvé. Avant de venir ici* (à La Marasque), *deux couples nous ont proposé de venir habiter à côté de chez eux, c'étaient des appartements voisins. Ç'aurait été une possibilité mais moi, je ne m'entendais pas avec un des couples.*

Le chercheur: — *Qu'est-ce qui ne te plaisait pas dans ce couple?*

Morgane: — *Le caractère.*

Claude: — *Le mode de relation aux enfants aussi.*

Morgane: — *Je les sentais un peu névrosés.*»

Claude et Morgane ne resteront pas longtemps dans ce deux-pièces. De par son itinéraire professionnel tardif, Claude estimait avoir une «*retraite insuffisante*». Cela le conduit à épargner et à se concentrer sur l'achat d'un autre appartement, dans lequel il vit avec Morgane de mars 1983 à octobre 1984. L'idée était celle d'un «*investissement, un placement, une acquisition. Il n'était pas question du tout de rester dans le même logement: le piège. Actuellement, un neveu y loge avec un copain. C'est un pied-à-terre pour nous à Paris*». Le couple possède toujours cet appartement aujourd'hui.

Mais la vie parisienne ne leur convient plus. Claude et Morgane vont bientôt emménager à La Marasque, l'habitat collectif dans lequel ils vivent aujourd'hui. Mais comment en sont-ils arrivés là?

La Marasque ou les effets des réseaux communautaires

Offrons-nous un petit retour dans l'histoire.

L'itinéraire de Claude et Morgane peut être mis en parallèle avec celui de Paul et Martine H., également résident-e-s à La Marasque. Les groupes communautaires, en nombre dans les années soixante-dix, se rencontrent pour échanger leurs expériences. À Loubières, un petit village de la Drôme, vit une communauté exclusivement masculine. Paul vit ici. Un peu plus de 10 ans plus tôt, en 1957 exactement, Paul et Claude étaient ensemble dans une congrégation religieuse. Ils se rencontrent au Séminaire (*«15 jours séparent nos naissances»*) et se voient régulièrement après cet épisode de vie commun. Les liens se consolident autour des expériences communautaires. *«Moi, j'étais sur Paris à l'époque, dans une communauté urbaine. J'ai démarré l'expérience communautaire sur Paris avant que Loubières ne démarre. Donc ils étaient venus nous voir pour savoir ce qu'on faisait. On communiquait sur la manière de faire. C'était en 1972-1973.»*

Coïncidence? Lorsque Morgane s'installe dans l'appartement collectif partagé avec ses collègues étudiantes, une forme de communauté féminine, elle succède à Martine H., actuelle épouse de Paul. Mais pourtant, elles n'étaient pas amies... Mieux encore, elles ne s'étaient jamais rencontrées. Ainsi, chaque membre des deux couples a connu son homologue, indépendamment l'un de l'autre. De plus, Paul, de passage à l'appartement des étudiantes lorsque Martine y vivait encore, se rendait dans la communauté masculine *«pour aller aux chiottes»* (Claude).

Les contacts avec Paul et Martine se sont prolongés, mais de manière ponctuelle, *«en pointillé»*. À l'occasion de vacances dans le Sud, Claude et Morgane en profitent pour s'arrêter de temps en temps à La Marasque, *«un lieu où c'était agréable de s'arrêter»* (Claude). *«On avait dit à Paul et Martine: "Voilà un habitat qui nous plairait", mais sans nous engager.»*

Un peu plus tard, en 1984, Claude et Morgane reçoivent une lettre des membres de La Marasque leur proposant une place; il s'agissait d'une *«démarche explicite de la collectivité de La Marasque»*.

Le logement de La Marasque: aménagements et ouvertures

L'espace de cohabitation comporte au niveau inférieur une entrée, une cuisine, un séjour, un jardin et au niveau supérieur une chambre, un bureau et des W.-C.-salle de bains.

RÉAMÉNAGEMENT DES PIÈCES ET CIRCULATION

Le logement où se trouvent actuellement Claude et Morgane est situé dans la partie arrière de ce que le groupe a appelé lors de sa période communautaire «la grande maison». De ce fait, quelques négociations ont été nécessaires, notamment pour l'utilisation du couloir collectif dans lequel Claude et Morgane avaient, au départ, déposé une armoire encombrante.

Mais, pour leur logement, *«le gros du travail aura été d'aménager la cuisine»*. Une cloison, trois portes, une salle de bains, une porte condamnée, pas de fenêtre, telle était la distribution de l'espace au rez-de-chaussée lors de leur arrivée à La Marasque. Les W.-C. du haut ont été agrandis en salle de bains, tandis qu'en janvier 1988, avec l'aide de Jean-Philippe O. (un résidant du domaine), le sol a été *«défoncé et changé»*, des fenêtres ont été posées, des portes comblées, une autre porte réouverte, l'entrée refaite. Claude ayant étudié un peu l'électricité s'y consacra en partie.

L'appartement est le seul de la *«grande maison»* qui donne au sud, au soleil. Pour Morgane comme pour Claude, il fallait donc y mettre une fenêtre qui donne sur cette orientation positive de la maison. Morgane souhaita la fenêtre la plus large possible. Par ailleurs, elle désira avoir une porte-fenêtre qui donne sur le parc. Or, celui-ci est commun à tous les membres. La réaction négative de la communauté a relativement étonné Morgane, qui nous dit: «*J'aime les choses très claires; en arrivant à La Marasque, c'est la première chose que j'ai souhaitée. J'aime voir les couchers de soleil, c'est magnifique... je n'ai pas le souhait d'envahir le parc!*» En fait, une telle modification aurait entraîné une transformation de la façade de la «*grande maison*», ce qui n'est pas souhaité par certain-e-s. Cette réalisation n'aura pas lieu.

EN BAS: «VEUILLEZ ENTRER PAR LA CUISINE...»

Parce qu'il est situé dans l'ancienne partie communautaire du domaine, le logement de Claude et Morgane est un lieu relativement crucial. En effet, l'entrée sert également de couloir pour se rendre aux chambres d'amis de la collectivité et dans la salle de télévision. Elle est également utilisée par le couple pour placer quelques meubles: une malle et une armoire à quatre placards de taille équivalente. La mise en place de ces meubles à cet endroit est autant liée à leur encombrement qu'à la volonté de protéger les aliments de quelques souris dévoreuses.

Les quatre placards de l'armoire sont répartis comme suit: à droite, celui du haut contient une majorité d'objets propres à Morgane (une réserve de cadeaux artisanaux achetés lors de nombreux voyages), tandis que celui du bas comporte une majorité d'objets propres à Claude (bricolage); à gauche, les deux derniers placards sont communs. Dans la malle, on trouve une réserve d'aliments.

Mais le seuil réel du logement est la porte qui donne sur la cuisine. Une table massive en bois est située dans l'axe de l'ouverture de la porte tandis que l'ensemble des appareils ménagers et des placards se situe sur la droite. Avec Morgane, et dans une ambiance souriante, le chercheur dégage le côté esthétique: les bocaux sont transparents, ils laissent apparaître leurs contenus colorés, tandis qu'*«il faut des placards pour cacher le reste»*, annonce-t-elle. Parmi les appareils ménagers, on note une cuisinière *«récupérée»*, un réfrigérateur *«d'occasion à 700 francs»*, un lave-vaisselle, un robot-ménager *«offert pour notre mariage»*.

Entre ces deux ensembles mobiliers, l'espace laisse une ouverture vers le séjour. Une porte existe pour séparer ces deux pièces, mais elle est *«toujours ouverte»*.

Le séjour est la grande pièce où le chercheur a été accueilli lors du premier entretien. Les quelques meubles qui y ont leur place sont situés à une faible hauteur du sol (matelas recouverts de toile ou de laine sur lesquels sont posés quelques coussins). Aux murs se trouvent des décorations, qui proviennent de voyages (d'Amérique latine principalement). On y trouve également une chaîne hi-fi. Claude a été l'instigateur de l'achat et se trouve être l'utilisateur principal de cet appareil. Celui-ci est composé à parité d'éléments neufs et d'occasion.

La pièce ne comporte pas de téléviseur. Lors de leur arrivée dans ce logement, le couple en possédait un, acquis *«d'occasion à Paris»*, cassé peu de temps après. Comme une pièce de télévision commune existait au domaine de La Marasque, il a été décidé de ne pas en racheter.

Globalement, Claude regrette que le salon soit assez peu utilisé. Il explique cela par l'importance du temps passé au travail et dans les autres pièces.

Enfin, le logement donne de plain-pied sur un jardin, qui appartient à la collectivité. Alors que d'autres personnes y consacrent beaucoup de temps (serres, plantations, légumes...), cette partie est peu investie par Claude et Morgane. Claude dira: *«Nous ne sommes pas terriens»*, sachant que *«on va partir tout l'été, on n'en profitera pas»*. Pourtant, Morgane aime aller au jardin, le cultiver; c'est aussi une occasion pour rencontrer les voisins, les voisines et discuter un peu.

EN HAUT: LES ESPACES PRIVÉS ET INTIMES

Quatre pièces composent le niveau supérieur: la chambre conjugale, les W.-C. — salle de bains, le bureau de Claude et une chambre d'ami-e-s[1].

La chambre conjugale sera à peine entrevue par le chercheur. Morgane souhaita exclure cette pièce des prises de vue photographiques. Lors de son séjour, le chercheur remarqua également que la pièce salle de bains-W.-C. subit le même sort. Il utilisa alors un cabinet de toilettes situé juste au-dessous de sa chambre d'hébergement. En fait, ce lieu est utilisé par les personnes qui rendent visite à un des membres de la collectivité. Mais revenons à l'histoire de la salle de bains du premier étage, car elle n'est pas simple.

À l'origine, une salle de bains était située au rez-de-chaussée. On trouvait des W.-C. à l'étage. Mais ces W.-C. appartenaient à la collectivité. Il était utilisé par les gens de passage à La Marasque. Donc, contrairement aux autres ménages de la collectivité, Claude et Morgane n'avaient pas de toilettes personnelles et devaient utiliser celles des parties collectives. Le fait que ces toilettes étaient

1. C'est une chambre d'ami-e-s appartenant à la collectivité; c'est là que le chercheur séjourna. Il eut la drôle d'impression d'être dans une pièce de l'espace domestique de Claude et de Morgane, tout en ressentant une ambiance «communautaire».

collectives ne posait pas de problème à Claude: «*On achetait des robes de chambre un peu chaudes, et puis ça allait.*» Mais ce n'était pas le cas de Morgane, chez qui «*l'aspect propreté est développé, plus que l'aspect rangement*» (Claude). Une négociation s'entama avec la collectivité pour une nouvelle définition des pièces. Afin de gagner de la place dans la cuisine au rez-de-chaussée, la salle de bains passa à l'étage, rejoignant ainsi les W.-C., qui devinrent des W.-C. privés. Au rez-de-chaussée, dans le couloir principal du bâtiment, des W.-C. et un lavabo furent installés à l'usage des gens de passage.

Mais la pièce la plus significative d'un marquage du territoire personnel est le bureau de Claude. La porte de cette pièce est «*toujours ouverte*». *Martine* (la voisine immédiate) *n'aime pas*»: lorsque les W.-C. étaient communs aux résidants de La Marasque, elle devait passer devant pour s'y rendre. Quant à Morgane, elle peut entrer dans la pièce, mais elle ne peut pas «*toucher à certaines parties sacrées, le bureau lui-même*» (Claude). Si bien que l'emprunt par Morgane d'un objet de Claude peut être source de conflits:

«Claude: — *J'ai besoin d'un certain nombre d'objets. En un seul exemplaire, j'ai l'objet dans mon espace professionnel, et comme elle n'a rien sous la main, elle vient le chercher.*

Morgane: — *Il y a tout, c'est magnifique! Je n'ai jamais rien eu de ma vie... il y avait des clés sur les tiroirs de mes frères et sœurs!*»

Le territoire est de toute évidence clairement marqué. Mais cela n'est pas sans paradoxe. Notamment lorsqu'on entend Claude déclarer: «*Je m'enferme dans mon bureau, je laisse la porte ouverte.*»

QUELQUES OBJETS SYMBOLIQUES

Dans les rencontres, le chercheur peut remarquer à une intonation de voix, à un geste particulier, un sourire, un regard vif et pétillant l'attachement apporté à certains objets ou à certains événements. Il en a été ainsi pour une curieuse pièce de tissu, suspendue au mur du salon. Sa signification? Claude et Morgane l'ont posée sous forme de devinette. Devant l'apparente banalité de cette pièce tissée rectangulaire et frangée, le chercheur fixe l'objet, acceptant le jeu offert par ses hôtes. Il remarque une série de lignes parallèles, toutes de couleur marron clair sauf deux: l'une est rouge, l'autre bleue. Impatiente de livrer la réponse, Morgane parle: «*C'est un peu le symbole de notre union. Quand on s'est mariés, on n'a pas mis d'alliance. Le fil rouge représente Claude, c'est lui qui l'a passé; le fil bleu ciel, c'est moi. La célébration a duré trois heures, tous les amis sont venus passer un fil.*»

Claude complète dans la foulée: «*Ça a été entièrement fait pendant la cérémonie. Elle a eu lieu dans une salle de réunion d'une communauté protestante qui nous l'avait prêtée. La partie haute de la pièce a été prétissée et tous sont passés derrière.*» Morgane résume: «*C'est symbolique de la vie indépendante de chacun, mais avec les autres.*»

Outre ce tissu, d'autres objets prennent valeur de symbole pour le couple. Il en va ainsi de LA table. Dans leur logement parisien, Claude et Morgane avaient décidé d'avoir une table de salle à manger. Par la connaissance qu'ils avaient de La Marasque, ils commandèrent ce travail à Céline J. (actuelle résidante au domaine) et à son frère Pierre (ex-résidant), passionné-e-s de menuiserie. La table sera un des rares meubles à être déménagé de Paris à La Marasque. Pour Claude comme pour Morgane, ce meuble représente LE meuble, «*le meuble au sens "meuble", parce que le lit, par exemple, c'est un casier en bois»*, rien de plus. Ce meuble est maintenant situé dans la cuisine et on peut le découvrir en passant le seuil de la porte d'entrée collective.

On note également dans le séjour un tableau offert pendant le mariage par la communauté parisienne où a vécu Claude. Il s'agit du fleuve Amazone, sur des tons bleus et verts. Puis, un tapis offert par une sœur de Morgane au moment de leur premier emménagement commun. Enfin, un autre tapis provenant du frère de Morgane et auquel il tenait. Elle annonce qu'il a fallu une *«pression»* pour qu'elle l'obtienne. En fait, on peut remarquer que les nombreux voyages qu'ont faits Morgane et Claude leur ont permis de constituer des associations d'objets à la fois beaux et curieux, souvent artisanaux. *«Tout le reste des objets sont des souvenirs de voyage.»*

L'organisation du temps: travail, loisirs et voyages

UNE SEMAINE TYPE SANS RÉGULARITÉS?

Dans le cadre des enquêtes, les chercheurs avaient prévu, outre l'observation, de questionner les résidant-e-s sur la manière dont étaient organisées les semaines. Avec Claude et Morgane, lorsque le chercheur aborde la question, les réponses sont sans appel: *«Quand Claude est présent?...»* demande Morgane; *«Il faut d'abord distinguer si elle a une réunion ou pas»*, dit Claude. Et les deux de conclure: *«Des régularités?... Il n'y en a aucune... C'est ça qui est impressionnant... on a une vie très irrégulière.»* Finalement, en décrivant petit à petit les activités et leurs horaires respectifs, nous pouvons quand même donner les grandes lignes de l'emploi du temps de Morgane, Claude étalant ses travaux sur des périodes inégalement réparties sur l'année.

L'emploi du temps professionnel hebdomadaire de Morgane est le suivant:

Le lundi, elle se réveille vers 7 h 45 et part travailler dans un grand centre urbain de 9 h à 12 h. Après une pause-repas de 1 h 30, elle donne des cours dans une université jusqu'à 16 h 30, avant une autre série de cours de 18 à 20 h. Elle est de retour au domicile vers 20 h 45.

Le mardi et le jeudi, Morgane a les mêmes activités: le matin, elle travaille pour une association d'enseignant-e-s, tandis qu'elle dispense des cours particuliers l'après-midi.

Le mercredi matin est libre en général, sauf dans des cas exceptionnels de réunion pour l'association d'enseignant-e-s. L'après-midi, de 14 h 30 à 16 h 30, elle donne des cours dans une commune voisine, à 10 km de chez elle, avant de se rendre dans une autre commune, située à 40 km de la précédente, pour y dispenser des cours de 18 h à 20 h.

Enfin, les vendredis matin sont libres. L'après-midi, elle enseigne à 40 km de chez elle.

En ce qui concerne l'emploi du temps de Claude, cela dépend s'il a du travail sur place ou non. Il dispense des cours dans une université parisienne trois à quatre mois dans l'année. Le reste du temps, ses recherches se font tant à son domicile que dans un laboratoire parisien où il se rend selon les besoins en matériel ou les échanges avec d'autres chercheur-e-s. Nous avons pu toutefois repérer quelques manières de faire.

Le matin, *«si j'ai du travail sur place, je me lève quand je suis prêt. Si je dois partir à l'extérieur, je mets le réveil»*. Le petit déjeuner peut être pris à 10 h du matin, lorsqu'il travaille à l'extérieur (*«café-croissant dans un troquet* [bar] *quand je pars»*); lorsqu'il est à domicile, il le prend quelques heures après le lever. Mais dedans ou dehors, il ne le prend que très rarement avec Morgane qui, elle, déjeune généralement debout, parfois chez un voisin ou une voisine.

Le repas du soir est *«plutôt tardif»*, compte tenu des emplois du temps allongés de chacun-e. Mais quoi qu'il en soit, Morgane et Claude s'attendent pour les repas, les couchers et les levers.

Cette organisation n'est pas allée sans poser de problème à Morgane. En effet, elle a plus ou moins insisté pour que Claude réserve au moins une journée à un temps commun où les loisirs auraient leur place. Cette «convention» est plus ou moins respectée.

«Claude: — *J'aime les marches dans la nature, mais on n'en fait pas assez à mon goût. On s'est décidés à fixer une journée par mois à marcher.*

Morgane: — *C'était un week-end, on l'a réduit à une journée. Cette année, ç'a été presque inexistant.*

Claude: — *J'ai été malade.*

Morgane: — *C'est difficile de négocier actuellement... on pose un truc, mais on tient pas. À Paris, on sortait du cadre quotidien, on allait au restaurant, au cinéma, ça produit une communication plus riche. Depuis qu'on est ici, on n'est jamais allés au restau, ni au ciné.*

Claude: — *Teu, teu... On y va quand même...*»

Peut-être les vacances sont-elles suffisamment variées pour compenser ce manque de loisirs au quotidien. Cependant, Morgane aime la mer et Claude la montagne. Ainsi sont généralement prévues une semaine à la mer, une semaine à la montagne et une semaine avec des amis. Au moment de l'enquête, le temps des vacances concerne 6 semaines de suite, du 1er juillet au 15 août, réparties comme suit: 10 jours de marche (randonnée, camping sauvage), 3 à 4 jours à Paris, quelques jours en montagne. Pour les 3 semaines restantes était prévu une voyage au Brésil qui fut annulé, Claude ayant été appelé d'urgence pour un travail. En fait, les loisirs autant que les vacances doivent avoir un aspect «nature» important. Le scoutisme de Claude est considéré comme fondateur dans son rapport à la nature, par laquelle il est *«fasciné»*. Ce côté *«débrouillard»* fait dire à Morgane: *«Il me fait découvrir des choses passionnantes.»*

Comme nous venons de le voir, les emplois du temps hebdomadaires ne sont pas clairement définis, notamment par le fait que Claude exerce une profession d'indépendant. Cela l'amène à être absent quelques mois d'affilée, notamment pour des missions à l'étranger. Il a décidé que ces absences ne dépasseraient pas trois mois, *«pour ne pas emmerder Morgane»*. Il juge l'ensemble de ces activités *«lourdes»*, si bien qu'il a réduit ses charges de travail à l'étranger de quatre à trois semaines. L'aménagement de ses missions coïncide avec les vacances de Morgane. Le travail de Claude est en tout cas au centre d'une négociation sur le temps passé au travail et celui à domicile. Morgane déclare: *«Quand il est là, il est au travail. Après manger, il peut aller travailler… ça me gêne. Pour moi, c'est dur d'être avec quelqu'un d'absent.»*

Allons voir cela de plus près.

Quelques aspects de la vie domestique

LA GESTION FINANCIÈRE

Le revenu mensuel du ménage est de 20 000 à 25 000 F, sachant que les travaux fluctuants de Claude font varier ce revenu. Le revenu personnel de Claude est évalué entre 15 000 et 20 000 F, tandis que celui de Morgane est de 5000 à 6000 F. En comparant les revenus imposables de deux années, on constate de larges fluctuations; en l'occurrence, l'écart est de 80 000 F.

Cette partie de la gestion domestique revient exclusivement à Claude.

«*Il fait tous les comptes, même les miens!*» s'écrie Morgane.

Claude estime que Morgane «*fait peu de dépenses*» et en pense autant de lui-même. Il souligne qu'il a toujours été le comptable dans les groupes qu'il a traversés. Mais il précise qu'il était — et qu'il est toujours — «*hors de question que je sois la bourse de Morgane*».

Le puits central du ménage est représenté par un compte commun. Les impôts, la part d'accession à la propriété du domaine, l'approvisionnement quotidien concernent les dépenses principales qui y sont faites. «*Si Morgane fait des dépenses pour ça, je la rembourse*», dit Claude. Ce compte fait l'objet d'une «*convention*» entre les deux personnes. Les revenus de Morgane s'ajoutent à ceux de Claude pour l'alimenter. Morgane dispose d'un compte propre: si elle a de l'argent en trop, elle le verse sur le compte commun; sinon, le compte commun alimente son compte propre.

Le solde qui revient à Morgane se monte actuellement à 3400 F par mois, «*pour son espace privé: essence, voiture, vêtements...*» et ses propres «*solidarités*». (Morgane aime beaucoup faire des cadeaux, tant aux ami-e-s qu'à la famille.) À cela, il faut ajouter les dépenses artisanales auxquelles elle se consacre, trop fréquemment au goût de Claude. «*C'est en fait ma seule dépense*», répond Morgane. Dans le cas d'une augmentation demandée par Morgane, cela doit faire l'objet d'une «*négociation*» (Claude); et «*si elle ne le demande pas, je ne propose pas*» (Claude).

On va le voir, ce qui est appelé «négociation» est riche de sens sur les rapports sociaux qu'entretiennent Morgane et Claude:

«Morgane: — *Alors il m'a dit qu'il y avait eu une inflation... "Ben dis donc, qu'est-ce que j'ai perdu!"*

Claude: — *Ça voulait dire qu'avec les 3000 F ça se passait très bien.... Je l'aide à comprendre ce qui se passe... je peux contrôler tout ce qui arrive.*

Morgane: — *Mais j'ai le pouvoir sur son carnet de chèques. Il m'est arrivé d'embarquer son carnet au lieu du mien.*

Le chercheur: — *À quel nom est-il?*

Claude: — Au nom de M. F., avec une procuration. J'ai des craintes de risques de découvert... Elle ne sait pas ce que je dépense. Je sais ce qu'elle dépense puisque je compte. Si elle ne note pas, je sanctionne.»

Sanction douce, évidemment.

Depuis que Claude occupe un poste de travailleur indépendant, il a repris l'orientation «épargne»: *«Je prévois mes arrières car comme je suis indépendant, si je tombe malade ou si je dois écrire un bouquin... J'ai dû le faire comprendre à Morgane.»*

RANGEMENT, PROPRETÉ

Quelquefois, les propos des résidant-e-s valent mieux qu'une longue analyse. Écoutons-les:

«Claude: — *C'est plutôt moi qui vais nettoyer la cuisine.*

Morgane: — *Et c'est plutôt moi qui vais nettoyer les chiottes.*

Claude: — *On s'est aperçus très rapidement que c'est celui qui est le plus sensible sur un point qui devait s'en occuper. Et moi je ne supporte pas que la cuisine ne soit pas rangée quand je me mets à la faire et je me bagarre avec Morgane parce qu'elle ne la range pas.*

Morgane: — *Il ne faut pas la même éponge pour tout...*

Claude: — *La salle de bains, je n'interviens pas, parce que je sais qu'elle interviendra de toute façon avant.*

Morgane: — *Je déteste ranger et je n'aime pas faire le ménage. Mais j'ai besoin de nettoyage plus que de rangement. Pouvoir être bordélique, c'est une liberté difficile à conquérir dans cette société.*»

Puis Claude parle de la chambre conjugale: «*Quand le bordel gagne l'accès au lit, je shoote dedans. Si ça gagne sur ce terrain-là, il y a des réactions telles de ma part qu'elle se rend compte qu'il faut qu'elle fasse quelque chose. Alors quand elle est un peu amoureuse et que je suis absent, je rentre, elle s'est arrangée pour faire bien propre pour me faire plaisir.*»

En ce qui concerne la vaisselle, Claude l'a toujours faite, durant les six premières années. Morgane, pendant ce temps, a poussé à l'achat d'un lave-vaisselle: «*Mais c'est moi qui ai insisté... six ans de négociation*», nous dit Morgane. «*Elle obtient ce qu'elle veut*», dira plus tard Claude.

L'alimentation: le point sensible?

L'alimentation est particulièrement importante dans la gestion domestique, car elle comporte un grand nombre de phases. De l'achat des provisions à la conception des menus, de la préparation des plats, sans oublier le stockage, à la réception d'ami-e-s, de la vaisselle au rangement, elle constitue une vraie mine d'observations.

Chez Claude et Morgane, ce domaine domestique paraît crucial. Tout du moins semble-t-il être le point sur lequel l'un-e et l'autre ont le plus négocié. Détaillons et voyons en leur présence comment se vit cette question quotidienne.

APPROVISIONNEMENT, STOCKAGE, CONGÉLATION

Pour ce qui concerne les achats (*«les courses»*), c'est à Morgane qu'ils incombent, *«parce que je me déplace plus»*. Lorsqu'ils étaient à Paris, Claude s'en occupait davantage que maintenant. Cependant, lors d'un repas, Claude montre qu'il a son mot à dire:

«Claude: — *Je n'ai aucune raison de la priver du plaisir qu'elle a à faire les achats* (ironique). *Mais ceci dit, elle fait des achats sur lesquels je ne suis pas toujours d'accord. C'est pourquoi j'aime y aller. Par exemple, des variétés de viande, certains alcools, la charcuterie. En revanche, elle sait bien choisir les fromages, à présent. Mais elle ne saura pas acheter un saucisson.*

Morgane: — *Pas vrai!*

Claude: — *Elle n'a pas trop pénétré mes goûts au niveau charcuterie. Par contre, pas de problème avec le fromage.*

Morgane: — *Mais je ne trouve pas très bon de manger de la charcuterie.*

Claude: — *Morgane ne boit pas d'alcool.*

Morgane: — *Comme j'achète, j'impose plus mes goûts.*

Claude: — *Si j'avais fait les achats, on aurait plutôt mangé de la viande ce soir. En matière de cuisine, j'ai tendance à y consacrer moins de temps qu'avant et j'avais acquis une réputation de bien préparer les viandes en sauce.*

Morgane: — *À Paris, on faisait nos achats au marché. Ici, c'est à l'hypermarché. J'adore les promotions. J'achète beaucoup en supermarché, c'est proche du travail. [...] En fait, les courses sont faites en fonction du stock, du temps, de l'envie.*»

Trois endroits sont principalement utilisés pour le stockage: dans un ensemble de placards et d'étagères situés au-dessus de l'évier et des appareils ménagers; dans un grand meuble installé dans le couloir qui mène aux pièces collectives; et dans un congélateur. Celui-ci correspond à une part des congélateurs appartenant à la collectivité, où un *«espace est plus ou moins déterminé»* pour chacun des ménages.

La congélation était beaucoup pratiquée par le couple à une certaine époque, notamment lorsque Morgane a découvert le congélateur. Selon Claude, son utilisation a diminué du fait qu'elle ne savait pas, ou qu'elle oubliait, qu'il ne fallait pas congeler au-delà d'une certaine période. Actuellement, du poisson, des beefsteaks peuplent le *«petit congélateur»* du réfrigérateur.

LA PRÉPARATION DES REPAS: À TOI, À MOI

Mais la préparation des repas reste difficile à gérer car tous deux souhaitent y participer activement. Un soir d'enquête, Claude prépare un poisson, d'un commun accord avec Morgane:

«Claude: — *Quand on invite des gens, on peut se disputer pour savoir qui prépare la cuisine. Si on a tous les deux le temps, on se disputera pour savoir quel plat on fait.*

Morgane: — *Quand on décide qu'Untel fait telle chose, il est interdit de toucher à ce que fait l'autre.*

Le chercheur: — *Vous ne faites jamais le même plat ensemble?*

Morgane: — *Le même plat? Non! Il faut tout faire à part.*

Claude: — *Elle fera le dessert et moi le poisson ou la viande.»*

À ce moment, nous passons du salon à la cuisine où va se prolonger, mais cette fois en action, la préparation des plats du soir. Morgane et Claude mettent en scène le vécu domestique, se démènent, interagissent dans leur environnement culinaire, pressés par quelque cuisson minutée ou quelque incompétence technique de l'un-e ou de l'autre:

«Claude: — *Allume le four! Allume le four! Ça va être encore plus bref à préparer.*

Le chercheur: — *Tiens, cette poterie, elle vient de Jean*[2]*...*

Morgane: — *Oui c'est un cadeau.*

Le chercheur: — (À Claude) *Le poisson, c'est ta spécialité?*

Claude: — *Non, mais j'aime bien.*

Morgane: — *Une fois, il a très bien préparé un poisson, alors des fois je lui demande de me le préparer... Mais il se souvient pas exactement comment il avait fait.*

Le chercheur: — *C'est du poisson frais?*

Claude: — *Oui. Morgane l'a acheté.*»

Ce soir-là, il y a du pain à décongeler.

«Claude: — *Non... Mets-le un peu... mets-le un petit peu... mets un petit peu... non! ... un petit peu au...*

Morgane: — (hésitante) *Non...*

Claude: — *Mais si!... mais pas jusqu'au bout, tu le mets deux minutes à décongélation et après on laisse sécher, c'est impeccable...*

Morgane: — *Dans le four?...* (demande de confirmation)

Claude: — *Dans le micro-ondes.*

Morgane: — *Et... Ah non, moi je n'aime pas! Moi j'aime le four* [électrique].

2. Jean est un potier installé dans un village relativement voisin et fait partie du groupe à l'origine de la communauté. Il a quitté le groupe quatre ou cinq ans après son établissement au domaine. Le chercheur l'a rencontré à plusieurs reprises et connaissait ses activités.

Claude: — *Attends que le poisson soit sorti alors...*
Le chercheur: — *Le four micro-ondes, tu n'aimes pas?*
Morgane: — *Non.*
Le chercheur: — *C'est Claude qui a décidé de l'acheter?*
Morgane: — *C'est plus compliqué... parce que Claude n'aime pas s'encombrer de choses. Je le lui ai offert pour son anniversaire avec des garanties de changement: "Tu te décides si tu le veux ou pas." Il a mis une journée pour se décider. [...] On l'utilise pour réchauffer ou décongeler.*
Le chercheur: — *Vous faites de la cuisson au micro-ondes?*
Claude: — *Oui.*
Le chercheur: — *C'est délicat?*
Claude: — *C'est tout un art la cuisine! Je me sers du livre de cuisine qui est avec... J'essaie de comprendre la logique technique pour bien l'utiliser.*
Morgane: — *Souvent, c'est moi qui fais la cuisine.*»

Cette séquence illustre succinctement comment on peut passer d'une action simple de préparation de la nourriture (cuisson, réchauffement...) à un discours sur l'appropriation d'une technique culinaire et de ses tenants dans la gestion domestique.

LA CONSOMMATION ALIMENTAIRE

Le couple tient à «*l'équilibre des repas*». Selon Morgane, Claude est «*tout à fait français, il a besoin de viande, le steak, le fromage, le vin, le pain... je le trouve très français. Moi je suis bordélique au niveau bouffe, je grignote à n'importe quel moment... Quand il est là, il me règle un peu. Claude est très équilibré au niveau de sa bouffe. Moi les sucreries, sans problème, une tablette de chocolat, je mange sans me priver.*» (Pendant cette séquence d'enquête, Claude est au téléphone, c'est pourquoi seule Morgane s'exprime ici.)

Dans le domaine de la consommation alimentaire, l'irrégularité semble être à nouveau revendiquée par les deux personnages, comme lorsque nous parlions d'emploi du temps. Claude et Morgane se trouvent «*démarqués par rapport à la moyenne des Français*», il faut «*varier les genres*», «*être un peu marginal*», «*un jeu de dedans-extérieur*». Mais il semble que, dans cette gestion de l'alimentation, la question de l'«équilibre» soit centrale. Deux régimes... un dialogue:

«Le chercheur: — (À Claude.) *Et toi, ça te gêne pas, ce rapport au diététique?*

Claude: — *Les seuls problèmes que ça me pose, c'est éventuellement quand ça passe pas. Je suis très sensible au déséquilibre physique que ça peut entraîner. Quand il y a un problème, je... Par exemple, ce soir, c'est peut-être pas recommandé de boire encore de l'alcool, mais il y a des limites qu'on transgresse de temps en temps.*

Morgane: — *Tes excès vont au niveau de l'alcool uniquement.*

Claude: — *C'est ce qui te travaille le plus.*

Morgane: — *C'est ce que je constate.*

Claude: — *C'est ce qu'elle accepte le moins. Je mangerais tout ce qui reste ici de meringue, elle ne trouverait rien à redire, alors que c'est beaucoup plus nocif pour moi que le peu d'alcool que j'ai pris.* (À Morgane) *On est d'accord?...*

Morgane: — (Rires.) *Je sais pas* (rires).

Claude: — (À Morgane.) *Je crois que je vis plus que toi l'équilibre alimentaire.*

Morgane: — (Ironique.) *Ah! mais toi, tu es l'équilibre même.*

Claude: — *Si je sens un déséquilibre dans mon corps, je peux être très draconien pour rétablir.*»

RECEVOIR

L'espace de ce logement est propice à l'accueil et à la réception. Vaste cuisine au centre de laquelle se tient, bien campée, la grande table en bois massif. Séjour spacieux où gisent quelques larges coussins mœlleux. Le soir de la première rencontre, le chercheur fut accueilli dans le séjour pour l'apéritif, puis à la cuisine pour le repas, enfin au séjour de nouveau pour une tisane.

Outre ces observations immédiates, les questions sur la réception dans l'espace domestique sont souvent difficiles à éclaircir. La plupart du temps, un discours ne suffit pas pour traduire l'intensité des scènes de réception. Les méthodes employées ici ont permis de vivre ces moments et de les commenter en direct. Évoquant la manière dont il a été accueilli tel soir, le chercheur peut enchaîner sur la manière de recevoir les gens de façon plus générale. Alors, au hasard de la conversation, apparaissent les rapports qu'entretiennent les hôtes entre eux.

«Le chercheur: — *Ce soir, le menu était pensé à l'avance?*

Claude: — *On a convenu que Morgane faisait les achats pour toi. Comme elle a fait les achats, je trouvais normal que je participe en cuisine. [...] Il y a des conflits possibles entre deux plats proposés par l'un et l'autre. On fait la guerre sur les envies. On négocie... et on s'amuse.*

Le chercheur: — *Vous recevez beaucoup?*

Claude: — *On aimerait recevoir beaucoup... on est très irréguliers. Mon travail est toujours irrégulier, c'est pas toujours facile. En France il faut prévenir trois semaines à l'avance... Parfois la veille ou le jour même, ça marche.*

Le chercheur: — *Des collègues de travail?*

Claude: — (À Morgane.) *Des collègues de travail?*

Morgane: — *Mmmm...*

Claude: — *Quelques connaissances ici.*»

Alors que le chercheur ne s'y attendait pas particulièrement, apparaît soudain l'évocation des relations avec la collectivité de La Marasque:

«Morgane: — *Il y a une chose qui m'a frappée, si tu veux, les gens qu'on a rencontrés ici se soucient assez peu du dernier arrivant pour le sortir de son isolement, je sais pas si toi tu ressens ça?*

Claude: — *On a été frappés que des communautés locales invitaient les copains et nous laissaient tranquilles, nous ignoraient. [...] Il y a des liens très forts entre ceux qui ont fondé... ça marque très fort le compagnonnage. Quand je pars, des fois, il y a des gens qui invitent les autres et laissent Morgane seule... ça m'a surpris.*

Le chercheur: — *Vous en parlez?*

Claude: — *À certains. À Gilbert et Claudine notamment.*

Le chercheur: — *Pas aux réunions?*

Claude: — *Non, on parle finances.* [...]

Morgane: — *On aime et on tient à recevoir. On apprécie cette salle* (elle parle du séjour, où nous nous trouvons). *L'appartement qu'on a acheté à Paris, on l'a choisi notamment pour sa convivialité, c'est-à-dire une cuisine non séparée de la salle de séjour. On a facilement invité 30 à 40 personnes sur 25 m^2.*»

Les références à d'autres appartements se font alors jour, comme pour marquer que La Marasque n'était pas un passage obligé dans leur itinéraire résidentiel. Il/elle parlent d'une maison qui a failli être achetée, «*une maison pyramidale avec des jardins suspendus, dans la région parisienne. Malgré les contraintes de transport, c'était fascinant. On ne serait peut-être pas venus ici. L'appartement faisait 75 à 80 m^2 et 50 m^2 de jardin. Toutes les pièces donnaient sur ce jardin... les vacances permanentes. Aucune chambre n'était carrée.*» (Claude.)

En fait, la réception renvoie à la fois à des questions d'espace, mais aussi à la manière dont le couple s'organise pour savoir qui fait quoi. On retiendra ici toute l'ambiguïté des interactions dans cette préparation: à la fois, on «fait la guerre», on «négocie» et on «s'amuse»...

Quelques propos sur l'évolution du mode de vie

«DE LA NON-CONSOMMATION À LA CONSOMMATION»

Comment passe-t-on de la communauté au couple? Difficile de généraliser. Difficile, lorsqu'on n'est pas présent, de comprendre les éléments qui président à cette décision, de saisir les moments charnières. D'autant plus lorsqu'il s'agit du passé, même d'un passé proche. Il nous reste les paroles de ceux et celles qui l'ont vécu. Ces discours nous renseignent sur les représentations que les personnes ont de ces transformations. Ainsi, dans le cas qui nous préoccupe ici, nous sont à la fois présentées une envie de communauté et une envie de vivre en couple. C'est notamment très fort chez Morgane. Les communautés sont perçues, par Morgane comme par Claude, avec l'avantage de l'entraide, de la solidarité, du «copinage», et l'inconvénient de certaines contraintes en temps et en espace[3].

---

3. La communauté démontre un soutien plus idéologique qu'économique. L'ascension sociale de ses membres en est un signe. Cependant, l'époque communautaire a été l'occasion de fournir à la structure collective d'avoir un *«permanent»*. Sorte d'homme au foyer entretenu par le groupe, il était l'élément régulateur des rythmes, s'occupait des enfants, prenait soin des espaces collectifs.
Il faut aussi remarquer qu'il est plus gratifiant pour un membre d'une communauté que la structure soit plus idéologique qu'économique, la

Mais s'il y avait quelque chose à mentionner dans l'évolution du mode de vie, ce serait, selon Morgane, un passage *«de la non-consommation à la consommation»*. Elle souleva le problème lorsque nous évoquions l'acquisition de véhicules. Ainsi, depuis son arrivée à La Marasque, le couple possède deux voitures, alors qu'il n'en possédait aucune lorsqu'il vivait en banlieue parisienne. Il s'agit d'une Renault 5, achetée *«presque neuve, 35 000 F»* et d'une Citroën GS, *«d'occasion, 13 000 F»*. Chacune d'elles est équipée d'un auto-radio, achetés au Pérou et que Claude a installés lui-même.

Morgane souligne: *«Avant, on avait un souci de non-consommation... il fallait pas s'embourgeoiser... il fallait vivre sobrement, avec le moins possible. Depuis que je suis à La Marasque, ça a changé. Il y a eu une influence de voir que beaucoup de gens avaient beaucoup de choses qui pouvaient être utiles.»* Sur le même thème, Claude confirme: *«On avait des engins pourris en arrivant là. Quand les copains arrivaient...: "Mais qu'est-ce que c'est que ces machins que vous avez!"»*

MARIAGE, RELATIONS AMOUREUSES, ENFANT

Cette histoire de vie présente une certaine originalité. En effet, l'exercice du sacerdoce a marqué Claude au-delà de sa quarantaine. Autant pour lui que pour Morgane, le temps des remises en cause fut long, le souci d'indépendance et l'aspect militant[4] marquant les

---

seconde donnant une représentation potentielle d'assisté, donc marquée négativement; tandis que la première se pare d'une aura intellectuelle, voire spirituelle, marquant positivement la représentation.

4. À ce sujet, Morgane déclare: *«J'aime beaucoup travailler avec des femmes... pas trop les hommes. [...] C'est pas du militantisme, je ne suis pas trop militante... enfin, j'en sais rien... mais j'ai besoin de la réflexion pour l'action.»*

histoires de l'un-e et de l'autre. Il nous a paru intéressant d'aborder la manière dont cela est vécu par le couple. Une longue discussion eut lieu, un soir après un repas. Mariage, positions vis-à-vis de potentielles aventures extraconjugales, parentalité...

Le choix du mariage tient à plusieurs raisons. Pour Morgane, c'était d'abord un «*principe de sécurité*», puisqu'elle quittait son pays d'origine. Ce principe a cependant été remis en cause dans son esprit à l'occasion d'une consultation chez une psychothérapeute. De cet échange a émergé une relative méfiance vis-à-vis du mariage: «*C'était un piège; c'est une croyance de sécurité, mais en fait c'est l'inverse.*» Pour Claude, c'est plus par rapport à sa famille qu'il a envisagé le mariage: elle «*n'aurait pas supporté*».

Le couple peut-il ne pas finir sa vie ensemble?

«Claude: — *Intellectuellement, on le dirait... psychologiquement, on ne supporterait pas. Ce que je ressens, c'est que quand la relation se détruit un peu, j'en souffre beaucoup. Je suis prêt qu'une rupture existe, mais ça laisserait...*

Morgane: — *Moi je me dis que comme on s'est mariés vieux, ça a plus de chances de terminer ensemble, et donc ça, c'est rassurant.*

Le chercheur: — *En ce qui concerne les relations amoureuses* [en dehors du couple]?

Claude: — *C'est pas refusé* a priori, *mais c'est pas accepté, je crois.*

Morgane: — *De parler, j'ai besoin de parler... donc je lui dirais.... tu serais complètement mis au courant. La transgression sexuelle, c'est une étape... je me la suis posée, mais je sens un danger. Si j'ai des rapports avec quelqu'un d'autre, j'ouvre cette liberté à Claude, et le problème, c'est que Claude est quelqu'un qui se donne très entièrement aux personnes. C'est difficile de dissocier le sexuel et l'affectif.* (Court silence.)

Le chercheur: — (À Claude.) *Tu es d'accord?*

Claude: — *Oui. Je suis plus secondaire et elle beaucoup plus primaire.*

Morgane: — *Moi, je contrôlerais. J'ai une crainte de la relation parallèle.*»

Aucune histoire connue n'a eu lieu entre l'un-e des deux et un-e autre partenaire, ce n'est qu'au titre des expériences potentielles que les faits sont relatés.

Le dernier thème abordé dans la discussion sera celui de l'enfant. Délicatement, le chercheur fait remarquer que, dans la population étudiée, peu de couples sont sans enfant. Claude et Morgane sont de ceux-là. La question fut explicitement posée.

«Claude: — *Je m'attendais à la question* [silence]. *C'est pas venu. Morgane a fait une fausse couche et depuis ça ne marche pas.*

Morgane: — *Tu le présentes comme ça… Moi je dirais que j'aurais envie de vivre une relation de couple et que je n'aurais pas envie d'enfant. Je sentais que Claude avait un désir que je n'avais pas. Ma psychologue m'a dit que je ne pourrais pas le faire pour quelqu'un d'autre. En principe, il n'y a rien d'anormal, c'est plutôt dans la tête.*

Le chercheur: — *L'adoption a-t-elle été envisagée?*

Claude: — *On y a réfléchi, mais on n'a pas tenté.*

Morgane: — *C'est Claude qui a toujours eu plus envie d'enfant. Moi c'était surtout physique: être enceinte.*

Claude: — *Et de fait, je me sens très à l'aise avec les enfants et Morgane moins.*

Morgane: — *Mais ça a dû jouer, d'être la sœur aînée et six frères et sœurs après moi, je me suis posé la question… mais c'est bien plus compliqué que cela.*

Claude: — *Et un des choix de venir ici, c'était ce besoin d'espace propice à un enfant. La fausse couche a eu lieu juste avant ici… on pensait que ça démarrerait rapido.*

Morgane: — *Actuellement, l'âge est tel que ça se complique. Quand on a 52 ans.*»

Remarquons que, dans ce dernier propos, Morgane cite l'âge de Claude et non le sien. L'important semble être que l'écart d'âge entre le père et l'enfant doit être assez faible.

UNE HISTOIRE COMPLEXE

Il n'est pas toujours facile de comprendre une histoire de vie. D'autant plus quand elle semble peu commune.

Après avoir remis en cause un corps masculin jugé oppresseur — en l'occurrence l'Église — et s'en être définitivement affranchi, Claude a pris le temps d'être certain à la fois de sa carrière professionnelle et de ses sentiments pour Morgane. Les expériences communautaires, teintées de féminisme et de révoltes masculines contre les rôles traditionnels, qui restent fondatrices d'une volonté mutuelle d'enrichir leur vie de relations humaines fortes, ont été une étape. Progressivement, dans et hors les groupes communautaires, une forte conscience de l'autonomie à acquérir s'est affirmée. Mais on le voit bien, à travers les différents dialogues qu'on a pu lire, que ce n'est pas si simple.

En effet, à y regarder de plus près, cet apprentissage semble n'avoir jamais éliminé complètement les positions dominantes et contrôlantes de l'homme, les attitudes de sujétion de la femme. Cela, nous l'avons vu, les maintient l'un-e et l'autre dans des positions sociales différenciées. L'autonomie de chacun-e, même si elle semble être négociée, reste fragile.

N'aurions-nous pas ici un exemple de changements masculins qui s'arrêtent aux contours des discours?

CHAPITRE 6

Christophe
La mise en scène des conflits

Un peu d'histoire…

DE QUELQUES SOUVENIRS

Christophe est instituteur. Il a 35 ans et vit avec Monique, institutrice, âgée de 37 ans. De cette union sont nés 2 enfants, Pauline et Stéphane, âgés respectivement de 8 et 5 ans.

D'origine paysanne, sa famille vécut dans un village de 700 habitants, situé dans le nord. Il resta dans ce village pendant les six premières années de sa vie, avant que son père se rapproche de son lieu de travail, une menuiserie.

Depuis son plus jeune âge, Christophe rêve aux métiers de la nature: garde-chasse, garde-pêche… Or, l'institution scolaire, si ce n'est le lycée agricole, semble ne pas pouvoir satisfaire ses aspirations naturalistes. Bien que découragé par l'ensemble des adultes de son entourage, Christophe se «*prend en main*» et fait ses demandes d'inscriptions dans les lycées agricoles de la région. Un concours réussi, une école, et le voici en internat. Des souvenirs lui reviennent: «*C'était l'ambiance bizutage… j'avais 14 ans et ça allait jusqu'à 25 ans… J'ai subi quelques brimades, c'était dur à passer à travers. T'avais le port de la blouse bleue, le costard le dimanche, la cravate… super rétrograde!*»

Puis vint le temps du lycée, théâtre des premières expériences extrafamiliales, lieu de découverte des plaisirs: «*les cuites*», «*les filles*», «*on commençait à se remuer un peu…*», «*le lieu était tellement répressif que ça engendrait des explosions… la soupape!*» Résultat: Christophe est «*viré*» de l'internat, 1 mois avant le bac, comme 11 de ses collègues.

Son dégoût des mathématiques lui fait prendre conscience que l'agriculture, «*c'est vraiment fini… il fallait être bon en maths…*» Il se dirige alors vers la «*fac*» de psychologie.

À cette époque, l'atmosphère post-soixante-huitarde rime avec «*Pink Floyd… les premières fumettes… baba, branché…*» Christophe s'inscrit dans cette mode-là. Il ne tient pas à rester longtemps à l'université. De par ses origines familiales, il développe une conscience de classe, au point d'avoir quelques scrupules vis-à-vis de ses ascendants: «*Ils étaient prolos, donc ils avaient pas les moyens de m'entretenir à glander en fac et j'avais vachement conscience que je venais d'un milieu prolo, qu'il fallait que je me démerde par moi-même. Ma mère disait: "T'as qu'à faire instit'!* [instituteur]*!". "Ça va pas, c'est chiant!" Et un jour, elle a envoyé un dossier d'inscription. Bon, je remplis le dossier et d'autres aussi, pour d'autres écoles, je sais plus quoi… Et donc, paf! ce concours tombe, j'y vais et j'ai été reçu… C'était au début de la deuxième année de psycho, je suis entré dans cette école.*»

Monique, sa compagne, est issue d'une famille de commerçants. Parmi ses grands-parents, on trouve un couple formé d'un instituteur et d'une institutrice. Les avatars professionnels de ses parents impliquent de nombreuses mutations géographiques, qu'elle subit pendant sa scolarité. Vivant dans un milieu teinté de religion, elle s'engage sur le terrain chrétien militant, *«humaniste très politisée»*, investissant notamment quatre ans de sa vie aux Jeunesses étudiantes chrétiennes (JEC). Responsable d'une section locale dans le nord de la France, et participant à divers rassemblements à Paris, Monique se forge une forte conscience politique.

Munie d'un bac en études littéraires, après son passage dans une école privée pluridisciplinaire, elle choisit la psychologie. À ce moment-là, elle partage un appartement avec deux filles de cette même école, toutes trois sont adhérentes à l'Union étudiante chrétienne (UEC).

C'est après sa deuxième année de psychologie que Monique rejoint l'École normale. Par la même occasion, elle intègre la section du Parti communiste de cette même école, à laquelle adhère Christophe, après un détour par la Fédération anarchiste.

DE LA VIE COLLECTIVE ENTRE COPAINS À UN MARIAGE PASSAGER

Étudiant à l'école Normale, Christophe partage avec trois hommes et une femme une maison qui sera pour les un-e-s et les autres le lieu de leur première réelle expérience de vie domestique hors du domicile parental. La gestion financière de ce groupe est égalitariste: chacun-e devait noter ses dépenses pour la collectivité et ils/elle partagent les frais en parts égales. Les éventuels déséquilibres arithmétiques, les consommations différentes n'étaient pas pris en compte. Il faut dire que ces années d'école Normale étaient rémunérées, et que pour la plupart il s'agissait du premier salaire, donc: *«Le fric, on le craquait allègrement.»*

Chacun-e ayant délimité son espace de vie personnel (sa chambre), il restait une gestion des espaces collectifs à effectuer. Les expressions utilisées par Christophe pour décrire l'état de ces espaces sont: «*le foutoir complet*», «*le bordel*», «*cradingue*». Et d'illustrer cela par l'exemple de la vaisselle, faite après plusieurs repas, quand les assiettes venaient à manquer: elle était nettoyée par celui ou celle qui rentrait le plus tôt à la maison. Bref, l'entretien de la cuisine faisait l'objet de «*petits tiraillements et de petits conflits*». Mais outre ces détails, ce qui est qualifié de «*bonnes bouffes*» soudait le groupe. Elles faisaient partie intégrante de cette vie quotidienne, le groupe se livrant notamment à des concours de cuisine pendant lesquels chacun-e se devait de confectionner de «*bons petits plats*», généralement bien arrosés. Si la tendance culinaire «*biodiététique*» était absente, les salades composées restaient des «*valeurs sûres*».

Christophe se souvient aussi du rangement de ses affaires personnelles. Il était particulièrement «*correct*», «*parce que mes parents m'avaient inculqué des valeurs importantes: le respect du matériel, ne pas déchirer ses habits, "Comme tu poses ton pantalon, tu le retrouves le lendemain..."* [rires], *ne pas sortir avec des vêtements chiffonnés*». Quant à l'hygiène corporelle, l'absence de salle de bains dans la maison (équipée seulement d'un chauffe-eau) n'aidait pas. Alors, ensemble, une fois par semaine, ils s'en allaient dans un quartier universitaire de la ville où existaient des douches gratuites.

Cette expérience collective est surtout marquée par des visites fréquentes de copains et de copines, beaucoup de musique, une ambiance «*conviviale*». Parfois, les visites féminines[1] sont l'occasion de «*dragues*», la parte-

1. Il n'a pas été question pendant l'entretien des visites masculines envers la cohabitante.

naire logeant alors ponctuellement dans l'espace de cohabitation. À une occasion, on suggéra à un des copains de se tenir dans la pièce la plus isolée de la maison: les bruits d'amour venaient aux oreilles des colocataires, la partenaire étant jugée «*bruyante à faire vibrer tous les carreaux de l'immeuble*».

C'est à cette même époque que Christophe rencontre une fille, enseignante en éducation physique et sportive, alors en faculté dans une ville du sud de la France. Dans un souhait de rapprochement de conjoints, selon les modalités existantes dans l'Éducation nationale, le mariage est envisagé comme la seule solution possible: «*Ni une ni deux, on s'est mariés!*» Peu de temps après, la relation souffre de désaccords avec la famille de l'épouse, notamment suite à un courrier d'un membre de cette famille mettant en cause Christophe personnellement. Après 10 mois de mariage, le couple divorce, le rapprochement des conjoints ne s'est jamais réalisé. Marqué par cette expérience, Christophe ne vivra par la suite que le concubinage.

CHRISTOPHE ET L'ARMÉE: LE SOUTIEN DE MONIQUE

Après l'école Normale, Christophe obtient un poste dans le nord de la France. Il vit avec un copain de passage: «*cheveux longs [...] au niveau activités: les filles, le PC, syndiqué au SNI*[2]». Christophe redécouvre à ce moment-là «*les loisirs en tant que tels: ski de fond, montagne, concerts*». Un tournant, en quelque sorte: les plaisirs euphorisants sont évacués, fini le temps des «*cuites monumentales*», des «*amphétamines*», des «*petites fumettes*»;

2. PC: Parti communiste. SNI: Syndicat national des instituteurs, largement majoritaire chez les enseignant-e-s des classes primaires.

se manifeste un certain retour à la nature, un retour aux activités «*saines*». Il ne veut pas faire l'armée. Pour échapper à la «*vie de bidasse*», entre la réforme et les différentes formes d'objections possibles, il choisit la coopération. Sa demande n'aboutit pas, il sera chasseur alpin. À défaut, il s'arrange pour être adjoint à l'officier, afin de s'occuper des activités culturelles (cinéma, théâtre). Son souhait: vivre l'armée le plus civilement possible, de manière la moins aliénante qui soit: «*On faisait des promenades en montagne, un camion nous rejoignait, avec des bancs, des tables, un barbecue, un fût de 200 litres. On revenait et on passait l'après-midi torse-poil au soleil. On bullait* [ne rien faire]. *On faisait des superbalades en montagne, mais pour le plaisir, on portait pas d'armes... Après, je m'occupais du journal de l'armée, du théâtre... Mais enfin, ils m'ont fait faire un maximum de gardes, de défilés...*»

Parallèlement, Monique obtient son premier poste d'institutrice remplaçante et, à cette occasion, on lui attribue un logement de fonction. Christophe vit avec elle une liaison depuis quelques mois. Il dit apprécier le soutien «*affectif et financier*» que lui procure Monique; tous les deux jours, elle vient le chercher, ce qui leur permet de vivre quelques moments ensemble dans ce logement de fonction qu'elle gardera deux ans. Christophe se souvient y avoir repeint la cuisine et, avec Monique, installé un lit. Il aime le confort qu'il trouve à son retour: «*... j'arrivais, les pieds sous la table, crevé de l'armée, et Monique me faisait du veau aux carottes... et après il y avait un gâteau...*» C'est également pendant cette période que survient le premier achat ménager: une machine à laver le linge. Le reste de l'équipement provenait soit de dons ou prêts familiaux, soit d'achats bon marché.

Le service national terminé, Christophe retrouve des postes de remplacement, tandis que Monique finit sa seconde année sur le même poste. Nous sommes à la fin de l'année scolaire 1979-1980, Christophe et Monique décident de s'installer ensemble, dans un «vrai» logement commun.

Les deux premiers logements communs

MOBILITÉS ET CONDITIONS SOCIALES: LA SYMÉTRIE DANS LE COUPLE

La décision de *«vivre ensemble»* s'accompagne d'une demande de travailler ensemble. Une même école, un même logement. Le problème du rapprochement de conjoints ne se pose pas ici, car il était hors de question qu'un mariage ait lieu. Alors, *«on a pris la carte du coin... Salmiers, ville nouvelle, plein de postes, plein d'écoles, moyenne d'âge des instit très jeune... Bien qu'on n'ait pas le droit d'envoyer une fiche de vœux ensemble, on l'a fait et on a pu avoir des postes.»*

À Salmiers, ville dont la population s'élève autour de 5000 âmes, les groupes scolaires sont nombreux, les postes de l'Éducation nationale sont en rotation fréquente, cela permet au couple de s'installer. Dès leur arrivée, Christophe et Monique se dirigent vers les associations, très nombreuses, et qui drainent bon nombre de militant-e-s. Poursuivant son intérêt pour les choses de la nature, Christophe découvre une association de protection de la nature, à laquelle il adhère. Il en sera, jusqu'à aujourd'hui, un représentant très actif. Monique y adhère par la suite.

Puis elle attend son premier enfant. Sensibilisée aux problèmes de santé des femmes, elle met en place une association à but sanitaire avec des habitantes du site. Au même moment, le passage à Salmiers de cadres supérieurs d'Afrique du Sud est l'occasion pour les militant-e-s locaux de lancer un mouvement contre l'apartheid.

Christophe et Monique partagent ainsi le même rythme de vie à leur arrivée dans la ville. À la maison, le couple vit de manière égalitaire: équilibre dans les tâches ménagères, aucun espace privilégié pour l'un-e ou pour l'autre. Leur travail est commun, ils utilisent les mêmes objets (fournitures, livres...). Le bureau partagé devient le symbole d'une symétrie au sein du couple.

DES CHANGEMENTS NOTOIRES

La mise en couple effective a produit quelques changements notoires dans les attitudes domestiques de Christophe.

Ses pratiques d'hygiène, par exemple, se sont modifiées. Un peu fatalement, puisque la salle de bains traditionnelle faisait largement oublier les douches collectives de la résidence universitaire. Il nous fera remarquer qu'il commença à passer plus de temps dans cette pièce qu'il ne le faisait auparavant. Tout en précisant qu'il n'est pourtant adepte ni de l'après-rasage ni des parfums et autres déodorants: «*Je suis resté fidèle au savon de Marseille.*»

Concernant la nourriture, Christophe observe que les «*bonnes bouffes*», faites de viandes en sauce, gratins de légumes, fromage et vin ont toujours eu leur place; mais il fallait quand même les consommer sans trop d'excès. Les premiers changements diététiques se font sentir: «*On a suivi la mode... manger des céréales... le pil-pil... les p'tits déjeuners, on se faisait des müesli.. on prenait le temps de les préparer: les noisettes coupées en petits morceaux, grillées, trempées la veille...*» En outre, Christophe mentionne (sans que Monique ne s'en souvienne) qu'ils partageaient souvent une bouteille de cidre pendant les repas.

Enfin, les pratiques de réception s'intensifiaient avec les ami-e-s. Pendant cette période, en effet, on ne note aucune visite des parents de l'un-e ou de l'autre. En revanche, frères et sœurs étaient volontiers accueil-li-e-s. Mais le traitement différait selon la situation maritale: les frères et sœurs marié-e-s n'étaient jamais reçu-e-s, tandis que les célibataires pouvaient l'être et subissaient alors le même traitement que les ami-e-s.

Lorsque ces ami-e-s séjournaient plusieurs semaines de suite, il était important d'éviter la dimension solennelle. La plupart du temps, les invité-e-s participaient à la vie collective au même titre ou presque que les locataires: «*Ils mettaient la main à la pâte, faisaient leur bouffe, leur vaisselle.*» À l'occasion de ces hébergements, on installait des matelas, qui étaient entreposés dans la pièce-bureau.

Un peu plus tard, Christophe et Monique consacrent leur deuxième achat important après celui de la machine à laver le linge: des petits sièges de salon («*les chauffeuses*») qui serviront de lit aux visiteurs et visiteuses.

Cette période est donc marquée par des modifications très sensibles: distance par rapport à la famille d'origine, transformations du régime alimentaire, redéfinition de l'hygiène et de la santé, répartition égalitaire des tâches ménagères... auxquelles s'ajoutent la rupture d'avec le militantisme politique traditionnel (Christophe et Monique abandonnent le PC quelques mois après leur arrivée à Salmiers) et un début de recentrement sur l'activité professionnelle. Cette phase correspond à une sorte d'initiation de prise en charge de la vie quotidienne du couple.

Mais rien ne sera plus décisif que la naissance du premier enfant.

UN ENFANT... DEUX ENFANTS...

Christophe n'a jamais eu «*envie*» d'enfant. Mais lorsque le premier arriva, il fut «*très content*» de l'avoir. Pour Monique, cela semble avoir été particulièrement important, et cette naissance s'inscrivait dans une prise de conscience générale d'une qualité de vie. L'association de santé, à laquelle elle participait plus ou moins, est affiliée à un réseau local de médecins militants se réclamant de la «nouvelle médecine». Au centre des préoccupations de ces groupes figure la prise en charge par les citoyens et les citoyennes de leur propre santé, autrement dit l'automédication.

Cet engagement aura des incidences particulièrement fortes sur le régime alimentaire de Christophe et Monique: une attention accrue sur les produits achetés, pour une raison financière d'un côté, pour une raison sanitaire de l'autre. Émerge une «*prise de conscience par rapport à la santé du corps... surtout au moment des gamins, on a plus fait gaffe à ce qu'on donnait à manger aux gamins, donc à nous aussi [...]. En fait, c'est par rapport aux gamins, pour pas leur donner n'importe quelle merde*», dit Christophe. Il précise toutefois qu'ils n'ont «*jamais été intégristes*» pour la nourriture.

À ce moment de leur histoire, Monique travaille à mi-temps tandis que Christophe a un poste à plein temps. Après avoir fréquenté le même groupe scolaire, Christophe a intégré, suite à une formation spécialisée, une équipe pédagogique particulièrement dynamique sur la commune. Christophe justifie que ce type d'enseignement spécialisé est difficilement envisageable si l'on ne s'y investit pas à plein temps. Monique, elle, multiplie les hobbies comme la peinture, le dessin et la couture.

La prise en charge de l'enfant fut objet de préoccupations. Monique reprochait souvent à Christophe de ne pas s'en occuper. Mais il ne s'agissait pas d'un reproche constant: «*C'était plutôt pendant les périodes de crises, du fait que j'étais plus souvent à la maison, à cause de mon mi-temps*», dit-elle. En fait, Christophe se chargeait aussi de l'enfant, notamment lorsqu'il fallait se lever pendant la nuit et le changer. Monique se rappelle qu'elle avait toujours eu l'idée de travailler à plein temps pour éviter d'avoir la charge complète de l'enfant. Cette volonté (même si elle prit la forme d'une plaisanterie lors de la discussion) paraît significative d'un souci de partage égalitaire des tâches. Le modèle idéal apparaît en filigrane. Elle réalise ce changement pendant l'année scolaire 1987-1988. Entretemps, un deuxième enfant est apparu.

QUELQUES ANNÉES APRÈS: VERS UNE DIFFÉRENCIATION DES ACTIVITÉS

Le deuxième logement occupé par la famille se compose de trois chambres dont une, celle des parents, comprend un bureau. Monique travaille toujours à mi-temps, l'utilisation du bureau est dissymétrique.

Les deux autres chambres appartiennent à chacun des enfants. Cette décision tient à plusieurs raisons. La première (selon Monique) est que les bureaux ont été déplacés; du fait de son mi-temps, leur utilité est moindre et donc le gain d'espace est important. La seconde (selon Christophe) est qu'ils n'avaient jamais souhaité mettre les enfants ensemble, «*parce que ça semble important qu'ils aient chacun leur espace*».

Monique invoque aussi les rythmes de sommeil différents pour chacun des enfants. Christophe, lui, dit qu'*«il ne s'agissait pas d'un problème de réveil»*, mais qu'*«on privilégiait que les gamins aient chacun une pièce. Ils habitent là de manière permanente... on avait de la place...»* Quoi qu'il en soit, *«les chambres étaient prévues avant de savoir le sexe»* des enfants, précisent les deux.

Aucune chambre d'ami-e-s n'est prévue, ce serait *«utiliser une pièce pour rien»* (Monique). Il faut préciser ici que le projet d'habitat groupé autogéré est sur le point de se réaliser. Les familles engagées dans ce projet résident à proximité, dans un autre quartier de la ville. Ainsi, la chambre d'ami-e-s était peut-être moins nécessaire. Alors, quelques matelas empilés derrière le placard de Pauline, l'aînée, serviront occasionnellement pour d'éventuelles visites.

En fait, cette période du deuxième logement commun constitue un temps de rupture dans l'histoire de vie de Christophe et Monique. C'est une période où chacun-e se différencie peu à peu de l'autre dans ses activités. Christophe s'investit de plus en plus dans son association de protection de la nature, abandonnant petit à petit les autres activités militantes. Monique, quant à elle, découvre les activités plastiques et la danse. Cette différenciation renvoie essentiellement à la gestion des charges engendrées par la présence des enfants: *«Avec les gamins, on ne peut pas faire les mêmes activités, il faut faire des roulements.»* Cela se retrouve dans le logement: le bureau se scinde et s'individualise.

Le dernier logement: L'Ormille, habitat groupé autogéré

APPRÉCIATIONS GÉNÉRALES SUR L'ESPACE DE COHABITATION

Le logement que Christophe et Monique intègrent en 1986 est situé dans un habitat groupé autogéré en région parisienne. Après qu'une société immobilière publique ait accepté d'octroyer un ensemble de logements pour ce groupe, un architecte a servi de conseiller, afin d'adapter les logements aux besoins et aux aspirations des futurs résidant-e-s. Tous deux ont participé à l'élaboration du projet, mais le résultat n'est pas à la mesure des aspirations. Christophe dit: «*L'architecte n'a pas compris ce qui était important!*» Seulement deux pièces correspondent aux souhaits initiaux: la cuisine, pour son côté fonctionnel, et la chambre conjugale, tout du moins la partie couche.

La deuxième partie de la chambre (le bureau de Christophe) n'est pas vraiment conforme à ce que celui-ci en attendait. À l'origine, dans la chambre du couple, il voulait réserver un espace pour se faire «*une pièce à lui*» (Christophe). Féru de nature, le projet était d'envergure: un véritable laboratoire d'exploration naturaliste avec un aquarium. L'espace-bureau devait être «*plus qu'un bureau*», ce qu'il aurait défini par le terme pour le moins paradoxal de «*no man's land*». Mais comme pour pallier ce relatif échec, il lui arrive de recevoir des amis (en général naturalistes) dans son «*bureau-chambre*». Monique dira plusieurs fois pendant les entretiens qu'elle n'aime pas cette manière de recevoir en privé. Christophe a l'air de l'apprendre et, apparemment, ne tient pas à négocier cette affaire, puisque, dit-il, «*ça arrive rarement*».

Aussi, cette pièce a fait l'objet de «*grosses exigences*» en vue d'une isolation phonique. Pourtant, l'intimité maximale ne peut être atteinte, puisque cette pièce est adjacente aux W.-C. des voisins:

«*Il y a toujours des problèmes... Par exemple, quand Thierry pisse, on l'entend. [...] C'est surtout certains bruits. Alors, c'est pas terrible*», dit Christophe.

Monique juge l'espace intérieur «*contraignant et source de conflits*». Cela nécessite une concertation presque systématique chaque fois qu'un événement vient remettre en cause l'organisation initiale. Elle explique le cas du hall d'entrée, prévu à l'origine comme espace de jeu pour les enfants. Seulement, on doit le traverser pour se rendre de la salle de bains à la chambre des parents (et vice versa) et sa superficie n'est pas très élevée: cela ne permet pas que les jeux durent longtemps. Quoi de plus désagréable pour deux enfants de huit et cinq ans... On parle également du salon, que tous deux avaient imaginé bien plus grand que ce qu'il est. Alors on incrimine l'architecte: «*J'aurais aimé que l'architecte nous dise, notamment pour mes idées de labo, aquarium... "Attention, vous aurez des problèmes, c'est pas possible à réaliser, ça".*» Les insatisfactions sont telles que Christophe et Monique se posent la question de reconstituer un bureau commun.

Mais les territoires personnels sont acquis:

«Christophe: — *On avait rêvé d'espace... Et comme l'espace est réduit... on va peut-être être obligé dans un premier temps d'aménager. Pas par choix, mais parce qu'il faudra laisser plus de place aux enfants. Mais on garde la même optique, c'est un espace, c'est mon coin, de même que celui de Monique... je bute...* (sollicitant Monique) *hein je bute?*

Monique: — ...

Le chercheur: — *C'est marqué...*

Monique: — *Fortement marqué.*

Christophe: — (Ironique.) *C'est normal, tu laisses des papiers partout...* (Redevenant sérieux.) *Non, mais nous, on y passe facilement deux heures par jour, alors...*»

À présent, allons voir de plus près les différentes parties de l'appartement.

Pour la première fois de leur histoire commune, Christophe et Monique ont un logement sur deux niveaux. Deux accès sont possibles. Soit de plain-pied: dans ce cas, nous arrivons au niveau inférieur. Soit en passant par la coursive[3]: dans ce cas, nous arrivons au niveau supérieur. L'accès au logement varie selon le climat et selon qu'on est de la famille, proche voisin, voisin plus éloigné ou extérieur au bâtiment. Le chercheur étant plus souvent passé par la coursive, nous décrirons le logement en commençant par les pièces du haut.

LES PIÈCES DU HAUT

Nous découvrons d'emblée un hall d'entrée. Son étroitesse n'a pas permis qu'il fonctionne comme espace de jeu pour les enfants, nous l'avons dit. Cependant, les parents les laissent jouer, mais très vite il/elle leur demandent de ranger leurs jouets. «*Ce hall est mal conçu. Il sert d'entrée, d'aire de jeu pour les enfants, d'espace de circulation... On voudrait le recloisonner pour un espace pour les enfants, une sorte de chicane*[4]... *C'est difficile quand ils installent des grands jeux...*»

À gauche de l'entrée, la salle de bains. Peu après l'installation dans le logement s'est posé le problème de

3. Le terme *coursive* est celui employé par les gens du groupe. Le terme québécois approprié serait *corridor*. Notons que la coursive désigne généralement un couloir étroit situé dans un navire.

4. Le mot *chicane* est évidemment pris ici dans son deuxième sens: «passage en zigzag qu'on est obligé d'emprunter». Si jeu de mots il y a, c'est de manière complètement fortuite.

la place de la machine à laver le linge. À l'origine, elle aurait dû se trouver dans la cuisine. Or, pour Monique, avoir cette machine dans la salle de bains était une «*exigence*». Alors un placard a été sacrifié dans la chambre de Pauline (pièce contiguë à la salle de bains) pour satisfaire cette exigence: «*C'est plus pratique par rapport au déshabillage des gamins... tu mets tout directement dans la machine [...] Et puis non, dans la cuisine, ça fait du bruit quand on est là* (dans le séjour)...»

En face, on trouve les chambres des deux enfants; elles sont adjacentes. Ces chambres étant «*minuscules*», des lits surélevés ont été installés dans chacune d'elles afin d'augmenter la surface disponible au sol. Sous le lit de Stéphane, on trouve un établi de bricolage et un bureau. Sous celui de Pauline, on trouve un bureau tandis qu'un des montants de cette mezzanine sert d'étagère.

Mais la pièce la plus sensible de cet étage est la chambre conjugale. En effet, elle fait office de chambre pour le couple, mais, comme nous l'avons dit, c'est aussi là que se situe le bureau de Christophe. Ce bureau se trouve dans l'axe de la porte d'entrée, tandis que la couche située à sa gauche est précédée de deux marches recouvertes de moquette bleu ciel. Ces deux demi-pièces sont séparées par un meuble qui attire fatalement l'œil. Décoré de petits objets divers, il mesure 1,20 m environ. Transmis de père en fils depuis trois générations, il est garni de multiples petites vitrines et de tiroirs, et sert de petite bibliothèque à Christophe. Des placards profonds et larges lui font face et recouvrent la totalité de la surface de la cloison. Il y range ses affaires: vêtements, dossiers...

À gauche du meuble qui sert de bureau, un petit fauteuil au velours vert pâle. Ce siège a pour Christophe une fonction symbolique importante: on y lit l'image du patriarche. Provenant de la famille de Monique, il «*peut servir à tout: à se relaxer, être bien, faire le point de la journée, avoir un bon bouquin et se dire: "Je suis bien."* Quelque temps plus tard, le chercheur remarquera la présence de ce même fauteuil dans la grande pièce située en bas. Un autre fauteuil, héritage de la lignée paternelle de Christophe, plus confortable, a pris sa place dans la chambre-bureau, laissant le premier cité «*dans l'attente*».

Toujours à gauche du bureau et presque en face du lit, une glace gigantesque (héritage familial de Monique) aux rebords frisés et dorés recouvre une large partie du mur. Ce miroir peut être mis en parallèle avec un petit tableau, situé au fond de la pièce, et qui représente un accouplement vu de trois-quarts, le personnage féminin chevauchant le masculin.

Enfin, à droite de la porte d'entrée, d'immenses cartes géographiques servent à Christophe pour préparer les nombreuses balades qu'il organise et effectue au sein de son association.

LES PIÈCES DU BAS

Au bas des escaliers, nous débouchons sur le séjour. Christophe l'appelle plutôt la «*pièce à vivre*» (traduction littérale de *living-room).* L'expression semble mieux convenir, car chacun-e y passe beaucoup de temps. C'est ici que «*Pauline fait ses évolutions*».

En face, un meuble massif trouve sa place contre la cloison qui donne sur le plain-pied. Acheté au marché aux puces, il renferme les éléments haute-fidélité, dont Christophe semble être (à ses dires) le principal utilisateur: «*Je l'utilise en permanence... le plus souvent dans la cuisine. D'ailleurs, on a mis des baffles dans la cuisine. C'est des petites enceintes qui viennent de chez Hi-Fi Technic... un copain y récupérait des trucs.*»

Un peu sur la gauche, une table nous indique la proximité de la cuisine. Cette dernière présente la particularité de posséder une cloison oblique (d'un angle de 45 degrés). La pièce se compose d'appareils ménagers (cuisinière, lave-vaisselle), de placards ouverts et fermés et d'un plan de travail. C'est, selon les locataires, une des pièces les plus réussies. Dans son prolongement, le cellier qui contient le réfrigérateur et quelques rayonnages. Un jour de visite, le chercheur se trouve dans la cuisine, en présence de Christophe; puis vint Monique qui avait à faire dans cette pièce. Elle ouvre le cellier pour y chercher un produit, puis referme la porte:

«Christophe: — (En théâtralisant la situation.) *Non non... laisse ouvert! Alors Monique, c'est une maniaque du cellier. Elle déteste montrer ces aspects de notre vie intime.*

Le chercheur: — (À Monique.) *Ah ouais? Ça va te gêner que je regarde alors?*

Monique: — *Absolument.*

Le chercheur: — *C'est vrai?*

Monique: — *Ah non!... que tu rentres dedans je m'en fiche, c'est pas...*

Le chercheur: — *C'est le fait de laisser ouvert...*

Monique: — *Comme perspective, c'est ignoble!*

Christophe: — *Ohhhh... ignoble...*

Monique: — *Je n'entrerai pas dans le débat.*»

Le cellier n'est pas la seule pièce objet de perceptions spécifiques quant à l'ouverture et à la fermeture. C'est aussi le cas des W.-C., qui sont situés à gauche de la descente d'escalier, juste en face de la porte-fenêtre qui donne sur le plain-pied. «*C'est ignoble... quelqu'un entre, tu sors des chiottes... Euh, bonjour...*» (Monique.) Et d'ajouter: «*... Moi, ça me fait chier!*» Alors que Christophe «*s'en fout*». À propos des mêmes W.-C.

«Christophe: — *J'ai vu que t'avais remis une clé!...*

Monique: — *Ah! tu l'as retrouvée?*

Christophe: — *Non… je viens de la voir dans la serrure…*

Monique: — *Ah ben, c'est super!… Ah! ben non, je sais pas…*

Christophe: — (Au chercheur, sur un ton très ironique.) *Pas de clé dans les chiottes…. tu te sens vachement tranquille, t'sais…*

Monique: — (Approuvant.) … *Facilement, le gamin, il ouvre la porte…*

Christophe: — *On aime bien être tranquilles, alors là euh… c'est pas vraiment le cas…*

Monique: — (Parlant du retour de la clé.) *Ah! ben ça, c'est une bonne nouvelle…*»

Nous terminerons cette présentation des lieux par deux petites pièces.

Dans le prolongement de la pièce à vivre, un salon. La taille de cette pièce paraît très petite aux locataires qui l'avaient envisagée bien plus grande. Lieu de détente et de réception, c'est également de l'une des banquettes qu'on peut regarder la télévision, située sur l'étagère. Au mur, une toile figure en bonne place; c'est celle d'une amie, peintre à ses heures, rencontrée pendant la formation professionnelle et actuellement résidante de L'Ormille.

Enfin, situé derrière le salon et séparé de celui-ci par une étagère rouge, le bureau de Monique. Christophe le trouve souvent en désordre et plaisante lorsqu'il décrit l'amas de papiers, documents ou divers objets qui obstruent l'entrée. La présentation de cette pièce fut l'occasion, lors d'une entrevue, d'une discussion sur la séparation des bureaux. Elle correspond à un «*désir d'individualisation de l'espace*» (Christophe). Mais Monique «*aimait bien quand on travaillait à deux*», ce que confirme Christophe: «*Monique ne voulait pas cette séparation.*» Et là, comme dans celui de Christophe, des placards profonds et larges recouvrent la totalité de la surface de la cloison; elle y range ses affaires: vêtements, dossiers...

La gestion domestique et les rythmes

L'ORGANISATION DU TEMPS

On l'a vu, l'itinéraire de ce couple est marqué par les jeux d'emplois à plein temps et à temps partiel. Fréquente chez les couples d'instituteurs, cette organisation est particulièrement commode lorsque des enfants arrivent dans le groupe familial. Aujourd'hui, tous deux travaillent à plein temps.

«Christophe: — *Un plein temps, c'est un peu lourd. Ça nous fait un rythme de vie vachement précipité... Mais seulement, quand il y en a un qui est à mi-temps, ça lui fait plus de tâches ménagères.*

Monique: — *Mais moi aussi, ça me plaisait le mi-temps, mais au niveau boulot, ça devenait moins intéressant et c'est vrai que je voulais partager plus les tâches ménagères... mais c'est pas dit que ça ne recommence pas [...]*

Christophe: — *C'est vrai, le p'tit déj, tu étais là, c'était toi qui le débarrassais... alors que maintenant, on le fait tous les deux...*»

L'organisation du temps hebdomadaire est à considérer sur trois périodes distinctes: les jours de semaine hors le mercredi, le mercredi et le week-end. Une quatrième période nous intéressera: celle des vacances.

- ***Journée (lundi, mardi, jeudi, vendredi)***

6 h 30: Le réveil sonne. Un radio-réveil permet, grâce à une commande, de redéclencher une sonnerie neuf minutes après et cela autant de fois que souhaité.

6 h 45: Christophe se lève tandis que Monique reste au lit. Il met en route la cafetière, puis se rend aux W.-C. où il passe de 10 à 15 minutes.

7 h: Lorsque Christophe sort des W.-C., il va réveiller Monique. Pas de câlins; il est trop tard. Le matin: «*Ça speede, il faut aller bosser!*»

Ils prennent le petit déjeuner ensemble, souvent dans un silence couvert par le *7-8 de Jacques Pradel*[5] sur France-Inter (ou parfois par France-Info).

7 h 15: Christophe va ouvrir la porte des chambres des enfants, les appelle pour qu'ils se lèvent. Tandis que Monique finit son petit déjeuner, Christophe va dans la salle de bains, fait sa toilette (la douche est plutôt réservée au soir) et se rase tous les matins (auparavant, c'était tous les deux jours; cette transformation est due à une exigence de la part de Monique). Pendant ce temps, les enfants mangent avec leur mère.

7 h 30: Monique a fini son petit déjeuner, les enfants aussi. C'est alors que Christophe lave et habille Stéphane, tandis que Monique s'occupe de Pauline. Celle-ci est assez grande pour le faire elle-même, mais comme Stéphane est un «*grand fainéant*» et qu'il aime être pris en charge par Christophe, Pauline est jalouse et réclame le même traitement. Contrairement à Pauline, Stéphane n'est pas du tout exigeant sur ce qu'il portera comme vêtements. Avant, Christophe s'occupait de Pauline de temps en temps, mais il a abandonné: elle avait trop d'exigences et ça l'«*énerve*» (il citera l'exemple d'une volonté radicale de porter des sandales un jour de neige).

Si Christophe est en avance par rapport à Monique, ce qui semble être souvent le cas, il en profite pour redescendre et nettoyer la table du petit déjeuner. Il est préférable qu'elle soit nettoyée, sinon c'est «*ignoble*»

5. Avant qu'il ne se recycle dans les *reality-shows*.

(Monique) ou «*cradingue*» (Christophe). Un jour, le beurre restera toute la journée sur cette table.

8 h – 8 h 05: Christophe dit plusieurs fois: «*Je suis en retard*», ce qui énerve autant de fois Monique. Prenant le temps de se faire un «*bisou*», Christophe souhaite: «*Bon courage*» à Monique, ce qui l'étonne un peu; en riant, elle dira: «*Mais pourtant, j'ai pas peur...*» Puis, comme chaque matin, Christophe va sur son lieu de travail à pied et dépose les enfants à l'école située sur son chemin. Le couple ne possède qu'une voiture, c'est Monique qui l'utilise pour aller travailler.

Jusqu'à 15 h 45: Chacun-e reste sur son lieu de travail, mange à la cantine.

15 h 45: Christophe rentre du travail. Exceptionnellement, un jour d'entrevue, une réunion pédagogique le retient jusqu'à 17 h au collège où il travaille. Le matin, il avait pris soin de dire à Pauline qu'elle devait aller chercher son frère à la sortie de l'école. («*Tu es la grande de la maison.*»)

16 h 30: Monique rentre du travail. La prise en charge des enfants est organisée sur une semaine et fait intervenir d'autres adultes. Cette organisation est la suivante:

	11 h 30	**16 h 30**
Lundi	Pauline → voisine 1 Stéphane → voisine 2	Pauline → voisine 1 Stéphane → voisine 2
Mardi	Pauline et Stéphane à la cantine	Christophe va les chercher
Jeudi	Pauline → cantine Stéphane → voisine 3	Christophe va les chercher
Vendredi	Pauline → voisine 2 Stéphane → voisine 4	Pauline → voisine 2 Stéphane → voisine 4

Une fois rentrée, Monique prépare le goûter pour les enfants. Christophe rentre un petit peu plus tard et passe généralement quelque temps au téléphone. Il en profite pour régler des questions liées à la gestion de sa vie hors travail (associations, famille...)

18 h 30: Christophe prépare le repas. Monique aussi, mais moins souvent. Au moment du retour, chacun-e se consacre à la préparation de son cours du lendemain ou de la semaine. Avant le repas, les enfants sont lavés et préparés pour la nuit (pyjamas). Cela est motivé par le fait qu'*«ils sont crevés après et ils ont la flemme»*. La prise en charge de cette préparation à la nuit incombe autant à l'un-e qu'à l'autre.

19 h 15: La famille au complet prend le repas.

19 h 35: Fin du repas commun. Un jour d'entretien, Christophe et Monique viennent d'acheter un nouveau livre pour enfants destiné à Stéphane. Pauline se joint à eux et en lit quelques passages. Durée de la lecture: un quart d'heure, car les enfants sont fatigués.

20 h environ: Les enfants vont se coucher. Christophe et Monique se consacrent à leur travail de préparation de cours, parfois ils vont à des réunions: association nature pour Christophe, association santé et association de parents d'élèves pour Monique (Christophe s'en occupait à une époque, mais à présent ça l'*«emmerde»*). En outre, Monique va à la danse deux fois par semaine et rentre vers 21 h. Ce sont les deux seules fois où elle mange seule.

Après 21 h: Christophe se couche en général assez tôt et va lire au lit. Avant, il prend une douche (trois fois par semaine minimum l'hiver, sept fois par semaine l'été). Il se lave toujours les dents deux fois par jour et quand il ne prend pas de douche, il se lave le sexe et les fesses.

En ce qui concerne la lecture, c'est presque tout le temps des romans; si ça dure très longtemps, c'est soit *«du polar»*, soit de la *«SF»* (science-fiction); sinon, quelques ouvrages scientifiques ou naturalistes.

Quant à Monique, elle travaille tard et va se coucher ensuite. Elle se lave les dents chaque soir, mais oubliera parfois le matin (peu de précisions sur sa toilette du soir). Elle lit également une fois couchée, mais s'endort très vite; par contre, elle ne peut s'endormir si elle n'a pas lu sa page. Elle lit exclusivement des romans.

• ***Mercredi***

Vers 8 h: «*Tout le monde se lève.*» Tous et toutes déjeunent ensemble dans une ambiance détendue (contrairement aux autres jours où il peut y avoir des tensions, dues aux préoccupations liées au travail). Après le petit déjeuner, ils en profitent pour «*traîner un peu*» étant fatigués par les deux jours de travail. Le mercredi, c'est une coupure dans la semaine. Lorsque Monique était à mitemps, ils se répartissaient les deux demi-journées de manière à ce que chacun puisse avoir son loisir individuel (en général, des balades): Christophe prenait le matin et Monique l'après-midi.

10 h: Monique accompagne Pauline à la danse puis rentre pour quelques minutes, se préparant à un jogging autour d'un étang à proximité (une demi-heure): «*Ça me fait juste, clic-clac, je me douche et je repars chercher Pauline.*» Parfois, il arrive qu'une voisine aille chercher Pauline à la danse. Pendant ce temps, Christophe s'occupe des problèmes liés à l'association de protection de la nature qui n'ont pu être réglés la veille au soir ou à d'autres activités hors travail (courrier, coups de fil...) et prend en charge Stéphane qui reste à la maison.

12 h environ: La famille prend le repas: «*Toujours collectif à 100 %.*» Il est préparé par la personne présente, en général Christophe.

Après-midi: Souvent, le couple reçoit des enfants d'une autre famille. Christophe se consacre à quelques activités techniques, par exemple réparer les vélos. C'est aussi l'occasion de faire des courses dans le cas où celles du marché n'auraient pas suffi: dans ce cas, c'est Monique qui va au supermarché, mais elle évite «*à cause du monde*». Cette partie de la journée peut être aussi l'occasion d'aménager une partie de l'espace intérieur.

• ***Week-ends***

Chaque samedi matin, depuis quelques mois (un an environ), Christophe et Stéphane font le marché et préparent le repas à leur retour. Pauline ne les accompagne pas car, contrairement à Stéphane, elle n'aime pas aider à la cuisine; cependant, elle possède une «fausse cuisine» dans sa chambre avec des services de table, la traditionnelle «dînette». «*Elle n'a pas de boulot assigné, elle préfère jouer*» (Monique). Quant à Monique, elle finit sa semaine d'institutrice à 11 h 30.

Après, la famille consacre son temps essentiellement à des balades, souvent à vélo. Dans le cas de promenades à pied, un petit problème se présente avec Pauline, qui n'aime pas marcher; elle préfère jouer «*là*» (dans l'appartement).

Le week-end est un moment important pour le couple. C'est ce moment qui est choisi pour faire des choses à deux, car les rythmes de vie de la semaine ne le permettent pas trop. «*On essaie de faire des trucs ensemble.... On LUTTE pour faire des trucs ensemble*», nous dit Christophe.

Quand il s'agit de vélo, il est fréquent qu'ils se joignent à un groupe (en général, de L'Ormille); en revanche, quand il s'agit de cinéma, «*on n'est pas tentés d'inviter quelqu'un d'autre*», sauf si un spectacle est prévu dans une commune proche, alors une partie du groupe se déplace.

Christophe et Monique aiment le cinéma et possèdent une télévision. Elle fonctionne très peu. Monique l'allume parfois le soir pour accompagner ses préparations de cours, ce qui n'est «*pas efficace*». Christophe la regarde très rarement. Christophe cite quelques exemples d'émissions: *Buffet Froid,* un film de Bertrand Blier, *La planète en marche,* émission-débat ayant pour thème l'avenir de la Terre; Monique cite le magazine d'informations *Édition spéciale.* Malgré cette utilisation limitée, ils possèdent un abonnement à un magazine TV: *Télérama.*

En été, les week-ends sont souvent consacrés à des balades en montagne.

• ***Périodes de vacances***

L'été, ils partent toujours et se réservent 10 à 15 jours tous les deux, sans les enfants. Au programme: marches, vélo... Dans ces cas-là, la garde des enfants peut revenir aux grands-parents.

Un mois est prévu pour les quatre membres de la famille nucléaire (l'été dernier, c'était l'île de Ré, où ils ont vu «*défiler*» les frères et sœurs de chacun-e pendant tout le mois). En plus, trois semaines peuvent être consacrées à des vacances en montagne. Ils partent avec des amis, eux aussi parents, ce qui leur permet de se garder mutuellement les enfants.

Le reste du temps, ils passent des vacances séparées. Ainsi, une fois par an, Christophe part une semaine en balade avec ses amis naturalistes. Pendant cette période, Monique en profite pour descendre chez ses parents dans le sud de la France: «*C'est l'occasion... c'est dans le Midi...*», dit Christophe. Monique part avec une ou plusieurs amies pendant que Christophe passe une huitaine de jours avec les enfants: début juillet, il part, seul adulte, accompagné de Pauline et Stéphane et de deux de leurs jeunes copains et copines. Il se charge alors pendant toute cette semaine de s'occuper exclusivement des enfants. C'est lui qui a décidé cela. Selon lui: «*Tant que de garder les gamins, autant partir à la campagne, inviter de leurs copains et copines ... Les gamins sont heureux, il n'y a pas de problème de conflit.*»

LA GESTION FINANCIÈRE: CHACUN SON RÔLE

«*Hyperclassique!*» dira Christophe.

«Christophe: — (Ironique.) *Je gagne... beaucoup. Elle gère... très très très mal, ce qui fait que la banque nous envoie sans arrêt des lettres!*

Monique: — (Sur le même ton de plaisanterie.) *Si je gérais mal, ça ferait longtemps que tu serais sur la paille!... Non, ça ferait longtemps que tu pourrais pas payer tes impôts...*

Christophe: — *Moi, c'est simple, les sous, je les dépense, mais il faut pas me demander autre chose.*»

Par cette mise en scène, on peut supposer une évolution de la gestion et une répartition assignée, ce qui nous éloigne notamment d'un modèle égalitaire en ce domaine.

Le couple possède deux comptes communs avec pour chacun un-e titulaire différent-e: «*C'est une sécurité s'il arrive quelque chose à l'autre*», dit Monique.

Auparavant, l'utilisation d'un seul compte commun était la règle, mais Christophe et Monique ont trouvé que sa gestion devenait difficile. À présent, chaque compte a une fonction précise. Sur un premier sont versés le salaire de Christophe (environ 8000 F), les allocations familiales et les primes éventuelles liées à son travail d'instituteur spécialisé. L'argent est disponible pour les dépenses courantes (alimentation, vêtements, essence et entretien de la voiture, sorties...), tandis qu'un second, sur lequel est versé le salaire de Monique (7200 F environ), est réservé aux prélèvements mensuels (électricité, loyer, réserve pour les taxes sur l'habitation et sur le revenu). Les liquidités restantes servent d'économies.

Cette répartition est une idée de Monique, Christophe «*n'y met pas son nez*». Elle s'organise de manière à toujours avoir de l'argent en fin de mois sur les deux comptes. Si d'aventure l'un-e des deux désire faire l'achat d'un produit qui lui serait personnalisé, une concertation s'engage afin d'évaluer les problèmes que poserait un tel achat (cela reste toutefois rare). De même, au cas où le compte de Christophe n'a pas assez de réserve, l'alimentation est faite automatiquement par la banque à partir du compte de Monique, le rajout étant minimal (cela est jugé rare également).

Christophe se déclare «*pas très économe... ce que j'ai, je le dépense, sauf en cas de projet*» (vacances, par exemple). Il explique cela par le fait qu'avant d'avoir des enfants ils avaient suffisamment d'argent et ne «*regardaient pas trop*» leurs dépenses: «*Avec les gamins, c'est plus dur... mais Monique le fait très bien.*»

En ce qui concerne les enfants, ils ne possèdent pas de compte où une somme serait versée mensuellement afin de les préparer à des achats futurs. En revanche, Pauline possède «*un vieux compte d'épargne qu'on a retrouvé avec 400 F dessus*» (Monique). En fait, «*les enfants ont suffisamment de fric de leurs grands-parents...*» et en outre, «*Pauline a eu de l'argent de poche à un moment donné, mais elle ne fait pas encore la différence entre le jeu et l'argent*».

DISCOURS SPONTANÉS SUR LES CONFLITS

Monique nous rappelle de manière chantonnée cette expression familière: «*On lave le linge sale en famille.*»

Lors d'une entrevue, le chercheur aborde le sujet des occasions de conflits. Après un temps de silence, Monique et Christophe signaleront une évolution particulière:

«Christophe: — *Je te laisse la parole...*

Monique: — *Ben pourquoi?...*

Christophe: — *T'es plus au courant que moi...*

Monique: — *Pourquoi?...*

Christophe: — *Tu analyses plus...*

Monique: — ...

Christophe: — (Au chercheur.) *Mmmouais. C'est des conflits primaires, liés à ma personnalité parce que je suis violent et emporté...*

Monique: — (Moue, puis rires aux éclats.)

Christophe: — *On arrive à en vivre... c'est vrai que je suis violent et emporté...*

Le chercheur: — (À Monique.) *Là, t'es pas d'accord?*

Monique: — *Non.*

Le chercheur: — (À Christophe.) *Quand il y a quelque chose qui t'embête...*

Christophe: — *Ouais, je réagis violemment... je fais pas dans la nuance...*

Monique: — *Il peut aller jusqu'à la méchanceté.*

Christophe: — (Dubitatif.) *Mmmouais...*

Monique: — *Ah! si, si... si si. Mais ça a quand même évolué dans la mesure où c'étaient beaucoup des conflits... Bon, à partir de choses matérielles, des futilités... c'était soit parce qu'on s'acceptait pas tels qu'on était, soit, de mon côté, parce que j'acceptais pas qu'il me reproche des trucs parce que moi je les ressentais comme tels...*

Le chercheur: — *C'est une exigence par rapport à ce qu'on aimerait que l'autre soit...*

Monique: — *Voilà. Et aussi l'exigence par rapport à moi... ce que j'aurais aimé être, c'est-à-dire qu'il mettait le doigt sur un truc qui me blessait.*»

Les analyses étant parfois difficiles à produire, la discussion dérive vers le récit du dernier conflit en date vécu par les deux personnes; à savoir, le matin même...

«Monique: — *Du style... comme ce matin, je te demande si t'as pas vu mon truc, euh... bon...* (Rires.)

Christophe: — (Plaisantant.) *En-re-gis-trons ce conflit...*

Le chercheur: — (Inquiet pour la continuité de son enregistrement.) *Attendez... je retourne la cassette!...*

Christophe: — *... Là, c'était... Elle me montre une jambière... elle me dit: "T'as pas vu ça?..." Alors moi je réponds, d'une manière extrêmement malintentionnée...*

Monique: — *"Si, dans le placard.. il y a un tas!..."*

Christophe: — *"Dans le placard, il y a un tas!..." Elle me dit: "C'est pas un tas!... C'est rangé!..." En plus, on n'a pas les mêmes notions de rangement.*

Monique: — *En plus, ça m'énervait à cause des histoires à la danse... des conflits ailleurs...*

Christophe: — *Oui, ça j'ai pensé après, ça faisait chier parce que c'étaient des collants de danse et qu'il y avait conflit avec des gens... "C'est pas un tas, c'est rangé!..."... "Je t'ai pas dit que c'était pas rangé, j'ai dit que c'était un tas"...*

Monique: — *J'ai dit: "C'est un tas organisé!"*

Christophe: — *"Je m'en fous qu'il soit organisé, c'est un tas!..", parce que pour moi c'est un tas, c'est le terme qu'il me plaît d'employer. Je l'employais évidemment pas comme ça, ça avait une connotation péjorative, mais je l'avais pas exprimé verbalement.*

Monique: — *Mais le genre de conflit lié à l'espace, ce sera par exemple dire aux gamins plus souvent qu'il ne faudrait que... bon, il faut ranger ça parce que s'ils rangent pas, on peut pas passer...*

Christophe: — *Non.*

Monique: — *Non?*

Christophe: — *Enfin... entre nous, on n'a pas de problème de conflit lié à l'espace quand même, c'est plus par les gamins.*»

En gros, les conflits, c'est «*pour des bricoles... sauf quand on ressent d'avoir plus besoin d'espace privatif, quand chaque personne aimerait avoir plus d'espace*».

RANGEMENT ET NETTOYAGE: AUX SOURCES DES CONFLITS?

La fréquence du ménage n'est pas régulière, il est plutôt fonction d'un seuil de tolérance (défini par «*l'insupportable*»), et qui varie selon l'une ou l'autre des deux personnes concernées. «*C'était surtout qu'on n'avait pas les mêmes exigences au même moment... Parce qu'on tolère le bordel pendant des jours et des jours, et un jour, tu as vraiment envie que ça soit propre... Je sais que quand j'ai pas le moral, j'ai envie de nettoyer... J'ai les boules, je nettoie. Il faut déblayer, il faut que ça soit* clean. *Monique pas du tout, moi oui... elle a pas ce truc-là.*» (Christophe.)

Les bureaux sont notamment sujets à plaisanterie: aux dires de l'autre, ils sont fréquemment désordonnés. Le problème est que celui de Christophe est situé dans la chambre conjugale. C'est lui qui se charge du nettoyage de ces lieux: «*C'est la chambre qu'on a le plus réussi et c'est ce qui me plaît le plus dans la maison.*» Monique y fait un peu son «*désordre*» quand elle se déshabille, laissant traîner ses vêtements sur le fauteuil. Christophe prétend que le bureau «*ne dérange pas*» Monique, ce à quoi celle-ci répond: «*Si.*»

Mais selon Christophe, on ne peut pas considérer le nettoyage et le rangement sans tenir compte de l'arrivée des enfants dans la famille. «*Tu as tes envies, et puis après, tu as celle des enfants... tu arrives pas... on fait comme on peut.... c'est difficile de faire autrement... Mais c'est vrai que c'est un sujet de conflit... Tu tolères le bordel, puis une nuit tu te lèves, tu glisses sur une bagnole, toutes les bagnoles devant la porte, tu chopes les boules, le lendemain tu dis: "Je veux plus de bagnoles devant ma porte!* (Rires.) *Interdit!" Et puis huit jours après, il y a tous les soldats devant...* (rires)» (L'espace dont Christophe fait mention ici est le hall d'entrée.) «*Mais enfin, le fait que l'espace soit relativement réduit, intérieurement et extérieurement, ça génère quand même des conflits. On est au-dessous d'un seuil de convivialité. C'est le cas pour les petits, autour du bac à sable. C'est pas assez...*»

UN TIERS SALVATEUR: LA FEMME DE MÉNAGE

Depuis que Monique travaille à plein temps, la présence des deux adultes dans le logement est moins fréquente. Cela les a incités à employer une femme de ménage. La question était apparemment délicate pour Christophe, qui ne s'imaginait pas «*lui donner des ordres... il faut regarder ci, il faut regarder ça... En fait, elle est super!... elle fait tout toute seule, elle prend des initiatives...*» De plus, «*étant maghrébine, je me vois encore moins, en tant qu'homme, lui donner des consignes dans la maison...*»

Elle est présente chaque lundi à 8 h et travaille 3 heures. Chaque membre du couple est conscient que le fait qu'elle soit femme de ménage ne doit pas autoriser à tout laisser en désordre: par exemple, si le petit déjeuner a laissé des traces sur la table du séjour, Christophe débarrasse, et ce, même s'il est en retard.

Le recrutement de cette employée occasionnelle s'est fait par le biais de réseaux liés à L'Ormille. C'est d'abord une voisine, suite à une fracture de la jambe, qui a eu besoin d'une aide ménagère. À Salmiers, il existe une association qui propose ce type de services. Ce réseau s'étend notamment au groupe des médecins associés d'un quartier de la ville, dont certains ont fait partie du projet d'habitat groupé autogéré. Ainsi, «*elle a son réseau perso... elle est vachement appréciée, elle est discrète*», et en plus, «*elle est spécialiste du cri du you-you*», jubile Christophe.

Du point de vue de l'espace domestique, tout lui est accessible à l'exception du bureau de Christophe et de la chambre du couple. Depuis peu, «*la femme de ménage fait le repassage en dernière instance*». Pourtant, Monique annonçait que le repassage était «*un problème quasiment résolu*».

«Christophe: — *Le repassage, c'est en général avant le boulot.*

Monique: — *Juste avant qu'il dise: "Je suis en retard!..."*

Christophe: — *... Je repasse MES vêtements et UNIQUEMENT LES MIENS.*

Le chercheur: — *Juste ceux de la journée?*

Christophe: — *Uniquement ceux de la journée. En général, seulement la chemise.*»

Les vêtements repassés sont les chemises, les chemisiers et les taies d'oreiller, mais ni le petit linge ni les draps: ils possèdent une couette et estiment que les draps-housses n'ont pas vraiment besoin d'être repassés. De même pour les vêtements de Christophe, qui sont tous en coton; il ne supporte pas le synthétique.

Le petit dialogue précédent nous fait entrevoir une évolution en ce qui concerne le repassage. Les marques de possession surlignées par l'intonation laissent supposer la résolution de conflits antérieurs par une répartition individualisée de l'activité. Toutefois, rien n'est dit sur les vêtements des enfants: qui les repasse?

De l'égalitarisme à l'autonomie

L'histoire de Christophe et Monique est-elle singulière? Les enquêtes de terrain ont montré combien ce couple avait une conscience de son itinéraire. Les événements qui l'ont marqué sont clairement identifiés. À force de débats, de souci de compréhension des choses quotidiennes, de conflits, concessions et autres négociations, le couple s'est forgé une histoire. Celle-ci semble marquée dans un premier temps par une expérimentation de l'égalitarisme domestique, lié à des égalitarismes professionnel et idéologique. Dans un second temps, on passe à un apprentissage progressif de l'autonomie doublé d'une redifférenciation.

Les indicateurs de ces changements sont nombreux. Ils sont inscrits dans le logement par une individualisation progressive des espaces: le bureau commun se scinde en deux, l'un situé au niveau supérieur, l'autre au niveau inférieur. Pour les autres pièces, les rythmes de vie imposent une faible présence des deux adultes dans un même lieu du logement (mercredi, week-ends, loisirs extérieurs), ce qui confirme cette utilisation relativement parcellisée de l'espace domestique.

Par ailleurs, on observe une différenciation des activités extradomestiques (associations, loisirs, vie politique...). Aussi, l'expérimentation des rythmes a produit le désir de définir des périodes réservées au couple, isolé de toute présence de l'entourage habituel.

Enfin, la fidélité, jadis définie par rapport au corps, s'exprime aujourd'hui par rapport au logement. L'autorisation d'avoir d'autres partenaires sexuels, qui peut donner lieu à des relations suivies, l'illustre jusque dans le discours produit: «*dans la mesure où le couple n'est pas remis en cause*». Il reste toutefois encore quelques incertitudes quant aux limites de cette autorisation: pour Christophe, la négociation sur ce point interdit tout rapport avec un-e autre dans le logement, tandis que pour Monique, elle autorise toute pièce de celui-ci comme lieu d'échanges, excepté la chambre. L'organisation du mode de vie produit fonctionne comme une garantie de durabilité de la cellule familiale, dont le pendant est une certaine négociation entre les deux partenaires.

Afin d'arriver à leurs fins (le bien-être? le bonheur? «*ne pas être emmerdé*»), Christophe et Monique mettent en place négociations, concertations et dialogues. On peut voir alors le couple reproduire, dans le cadre de la cellule familiale, les valeurs contemporaines chères aux professions intermédiaires. On y trouve une centralité de la responsabilisation et de l'autonomie de l'individu.

Mais, hors ces principes, les rythmes de vie impriment leurs tensions. Celles-ci semblent être autant de contraintes qui s'opposent à ces objectifs.

CHAPITRE 7

Antoine
L'insoumission à l'ordre domestique

Insoumis

Antoine S. a 39 ans et ses parents travaillent aux PTT[1]. Son père est technicien en électronique, et sa mère, après avoir été secrétaire, devient femme au foyer pour élever ses enfants. Il est l'aîné d'une famille de 3 enfants. Son frère, de 1 an son cadet, est informaticien, marié depuis 1 an, sans enfant. Sa sœur, de 10 ans plus jeune, continue de vivre chez ses parents et collectionne actuellement «*petits boulots*» et stages.

Son père, en déplacements permanents, n'était au foyer que le week-end: Antoine parle d'«*absence*». Quant à sa mère, «*elle n'assurait pas*», explique-t-il; il la décrit comme une personne s'occupant de tout, mauvaise cuisinière, mais «*qui aurait pu faire autre chose*». Lorsqu'il évoque sa famille, il parle d'une grand-mère paternelle

---

1. Le sigle PTT a d'abord signifié «Postes, Télégraphe et Téléphone», puis «Postes, Télécommunications et Télédiffusion». Aujourd'hui, deux sociétés, La Poste et France Télécom, se partagent ces charges.

«rigide à en faire peur», une tante paternelle *«ressemblant à un vieux tromblon, une abomination»*, bref, d'images féminines peu valorisantes. À l'opposé, il admirait son grand-père paternel qui, suite à un problème de surdité, avait dû se contenter de travailler en usine alors qu'il aurait souhaité être instituteur.

Vivant dans la région parisienne, Antoine a mené une existence normale d'élève studieux; à l'époque, il voulait être médecin, chirurgien ou vétérinaire. Mai 68 passe, et à cause de la peur qu'éprouvait son père, il ne participe pas aux événements. Mais l'année suivante, il se rapproche des *«Jeunesses communistes»* et devient rapidement délégué de classe.

La principale rupture intervient en 1972, année où il est appelé sous les drapeaux. Il se focalise alors sur l'armée et son incorporation: *«J'ai fait en sorte de ne pas y aller.»* Il tente de se faire réformer pendant les *«trois jours»* en usant de différentes stratégies, mais en vain.

Pour lui qui manifeste son indépendance d'idées en portant les cheveux longs et en faisant de la moto, l'armée est le *«moule»* qu'il refuse. Appelé à Berlin, il hésite beaucoup, prend des contacts avec des militants issus des mouvements de 1968, en parle à ses amis et décide de ne pas s'y rendre. Il adhère alors à l'idée d'un regroupement national des insoumis à Lyon[2]. C'est donc à cette époque et face aux problèmes militaires qu'il rejoint ceux qui par la suite l'accompagneront tout au long de ses démêlés avec l'armée, la justice et la prison.

A posteriori, il analyse ses motifs de refus comme *«une conscience politique non exprimée»*. Mais, dans la description des raisons de cette insoumission, nous trouvons avant tout

2. À cette époque, les «insoumis» à l'armée vivaient leur refus de manière dispersée. La prison représentait la seule alternative possible au service national. Le statut d'objecteur de conscience n'était accordé qu'aux hommes qui revendiquaient des motifs religieux.

une somme de refus individuels de la norme traditionnelle: l'uniforme, pour ne pas dire l'uniformisation, la dégradation que représentent la coupe de cheveux, la violence, les images de guerre et d'embrigadement, bref un ensemble de critiques du modèle de virilité que représente l'armée.

Antoine décrit ensuite *«l'épopée lyonnaise»*. Elle est caractérisée par une rencontre nationale des insoumis (qui se réduit à la rencontre de quatre insoumis venant de Paris), une série de *«luttes»*, de *«plongées»* très diversifiées dans des milieux militants fortement influencés par l'extrême gauche maoïste, trotskiste, et surtout anarchiste. C'est pour lui le début de la *«clandestinité»*, d'une circulation incessante de rumeurs, de rendez-vous secrets, de fuites, de rencontres. Certains de ses camarades font le choix de vivre entièrement cette clandestinité: faux noms, fausses adresses, emplois précaires sans protection sociale. D'autres — notamment les *«quatre de Paris»* — refusent pour eux la clandestinité et décident de *«lutter ouvertement»*: l'objectif était de se faire arrêter collectivement pour revendiquer haut et fort le refus de l'armée.

Antoine rencontre à cette époque Francis J., insoumis comme lui, avec qui il découvre l'amitié, le militantisme, la solidarité et la théorisation. Le mouvement est également soutenu par de nombreuses femmes qui, pour quelques-unes d'entre elles, marqueront ultérieurement le mouvement féministe lyonnais.

Pour revendiquer le droit à l'insoumission, il effectue une grève de la faim à Lyon. Il est le premier insoumis arrêté et séjourne cinq mois en prison. À sa sortie de détention, son ami Francis est arrêté à son tour. Associé à un groupe parisien, Antoine organise alors une campagne de soutien pour son ami. Appréhendé au cours d'une manifestation, il retourne trois mois en prison, dont un passé à l'hôpital.

En huit mois de détention, il fréquente huit établissements différents; il y rencontre des prisonniers de droit commun, mais aussi d'autres *«prisonniers politiques»*. Les mouvements de soutien extérieurs sont nombreux: grèves de la faim, manifestations... À cette époque, une amie qui l'attend à sa sortie lui fournit un soutien moral important.

En prison, il affine la critique politique du modèle militaire. L'armée n'est plus alors le simple moule normalisant, elle représente pour lui les intérêts d'une classe sociale qui, au travers du sexisme, de la répression coloniale et de l'abrutissement des jeunes hommes, devient un obstacle central aux rêves d'épanouissement individuel qu'il nourrit avec ses ami-e-s.

À sa sortie de prison, il retourne à Paris et s'inscrit en formation de plombier. Il y retrouve le plaisir du bricolage et part faire un stage à Bordeaux. Par la suite, à travers les petites annonces du journal *Libération*, lui et Jean-Yves C., un ancien stagiaire, *«se louent à des particuliers»* sur des projets communautaires. Aussi, à l'occasion, il travaille ponctuellement en entreprise: *«On était en plein dans la mouvance folk-communauté.»*

Ils achètent un minibus et se transforment en *«ambulants de la plomberie»*. Sorte de compagnons modernes, se déclarant entrepreneurs provisoires, ils parcourent ainsi pendant sept ans de nombreuses villes en choisissant leur travail. Autour du *«mouvement marginal et alternatif»*, ils participent, en fonction de l'intérêt social ou personnel de chaque chantier, à des tranches de vie de différents groupes en France.

En 1982, alors qu'il travaille sur un chantier, *«l'échange travail-salaire n'a pas fonctionné»:* de ce fait, il a perdu 20 000 francs et son recours au tribunal des Prud'hommes[3] est resté sans effet. C'est juste après cet

3. Tribunal particulier qui règle, en France, les conflits entre employeur-e-s et employé-e-s.

événement qu'il s'installe dans un logement à Lyon (qui est celui où il habite encore aujourd'hui). À cette époque, la rénovation croix-roussienne est encore réalisée par les habitants eux-mêmes; ils profitent ainsi des loyers relativement bas pour construire des mezzanines, des escaliers[4] et installer des salles de bains et des W.-C. à l'intérieur des logis.

Son ami Francis, devenu travailleur social, lui propose un remplacement dans un foyer comme veilleur de nuit. Antoine, qui veut changer, accepte cette offre. Par la suite, il devient lui-même une sorte d'éducateur et s'inscrit en formation de technicien dans l'aide humanitaire.

Après un an de stage dans une association caritative, il est engagé dans l'association où il travaille actuellement. Celle-ci accueille dans la banlieue grenobloise des femmes avec enfants en difficulté. L'objectif de l'association est de fournir une aide au *«retour au travail»*. La population visée est surtout composée de mères célibataires, *«appelées par euphémisme familles monoparentales»*, dit Antoine, et de femmes en rupture de couple ayant pour la plupart connu la violence de leur conjoint. Il explique ce choix de population par *«le désir, après tout ce que j'avais vécu au niveau individuel et sexuel... d'avoir une certaine utilité pour les femmes [...], de mettre en application une certaine conception que je pouvais avoir du rapport entre les hommes et les femmes, donc d'agir à un point très sensible»*.

À la même époque, il prend contact avec *«le groupe d'hommes de Lyon»* et formule une demande de vasectomie. Le groupe était alors engagé dans l'expérimentation de la pilule pour homme[5]. Intéressé surtout pour

4. Rappelons que la hauteur moyenne des plafonds des anciens appartements des canuts est d'environ quatre mètres.

5. Antoine avait déjà par le passé rencontré des membres d'ARDECOM à Grenoble.

vivre une expérience de groupe de parole, il s'intègre au groupe. Et avec quelques-uns des ses membres, il sera un des soutiens d'une association grenobloise qui désire accueillir les hommes violents.

Au moment de l'enquête, il reste militant dans un ensemble de domaines divers: il soutient un groupe de théâtre alternatif, il est administrateur d'une association qui s'occupe de la santé des femmes dans la banlieue grenobloise et il participe au collectif «Le viol: ras le bol...» près de la frontière suisse.

Le parcours d'Antoine et sa perception du rapport homme/femme ne sont pas dus à des histoires de vie individuelles avec des femmes féministes. Certes, il en a rencontré au cours de ses péripéties militantes, mais il n'a jamais vécu de relations quotidiennes avec elles. Son itinéraire singulier s'organise plutôt à partir d'une remise en cause des valeurs mâles et viriles, à partir du syndrome *«armée»*. L'insoumission l'a confirmé dans l'idée d'une alternative possible aux représentations militaires. Mais plus largement, Antoine est aujourd'hui insoumis à un ensemble de normes qui, selon lui, prescrivent le mode de vie des hommes: il négocie au fur et à mesure ses inscriptions sociales. De l'époque militante, il garde des valeurs éthiques où solidarité, entraide et libre circulation d'un appartement à un autre restent dominantes. Si ses parents l'ont aidé dans les premiers temps de sa vie, ce sont par la suite un ensemble de personnes appartenant au *«milieu alternatif et communautaire»* (aux *«réseaux»*, comme il les appelle) qui lui serviront de famille élective.

Un homme de réseaux...

Les rapports très étroits qu'entretient Antoine avec ses ami-e-s étonnent. Il est inséré dans une toile serrée de réseaux. Les différents segments de réseaux qu'il fréquente sont repérables de diverses manières.

Leur omniprésence est visible et intervient quotidiennement. Ainsi, sa machine à laver est utilisée par ses *«voisins»*, avec qui sont échangés une voiture (il n'en a pas, mais peut en trouver une très rapidement), des services liés à l'informatique (un des voisins met à disposition son ordinateur) et des aides diverses.

Il n'est pas tenu de comptabilité d'échange, mais de fait, c'est l'apport d'un service dans le pot commun qui détermine l'inscription individuelle de chacun-e dans ce voisinage. Il décrit des réseaux différents pour qualifier le groupe d'hommes, les amis de Jocelyne B. (son amie actuelle), ses voisins proches... Toutefois, les différents segments de réseaux ont des particularités communes. Notamment, une localisation géographique ou symbolique à la Croix-Rousse, qui s'affirme comme lieu de centralité[6]. La fréquentation du marché du dimanche matin sur le plateau de la Croix-Rousse fonctionne comme nœud de rencontres et d'échanges d'informations.

Un autre moyen d'établir une classification des segments de réseaux et de comprendre les différents échanges effectués a été le téléphone d'Antoine. Il possède un appareil avec 100 numéros à mémoire automatique qu'il a bien voulu nous commenter.

6. Si nous parlons de localisation symbolique, c'est en référence à d'anciens habitant-e-s du quartier, qui prennent toujours la Croix-Rousse comme centre symbolique. On trouve ainsi d'autres Croix-Roussien-ne-s dans l'association grenobloise qui emploie Antoine.

D'abord, une liste de premiers numéros inscrits de 1 à 10 sur le poste, où apparaissent les initiales. Cette liste comprend ses relations amoureuses, ses parents et les personnes qui sont pour lui des correspondants particuliers de chaque segment de réseau fréquenté.

Si l'on classe les numéros en les regroupant, nous voyons apparaître: le groupe d'hommes de Lyon, ceux de l'association grenobloise qui veut accueillir les hommes violents, ses collègues de travail. On y trouve aussi les ami-e-s de Jocelyne B., sa compagne, un réseau qu'il qualifie d'*«artistique»*. Certaines œuvres de ces chorégraphes, photographes, acteurs... sont exposées dans son appartement. Enfin, une partie de ces numéros indique le réseau lié au centre de santé des femmes, ses voisins immédiats, les connaissances issues de l'insoumission, dont la plupart sont encore reliées au groupe d'hommes. Nous n'oublierons pas Francis, son ami de la première heure, *«un réseau à lui tout seul»:* par son passé, Francis a accès facilement à la presse ou aux avocats.

Une autre trace de ces échanges de voisinages ou de réseaux permanents est l'échange de clés. Antoine possède les clés de six appartements et quatre personnes possèdent les siennes. Pour Antoine, l'échange doit être automatique et immédiat. Une anecdote le montre facilement.

Vers la fin du mois de juin, à l'occasion de la fête de la Saint-Jean, certain-e-s de ses ami-e-s artistes jouent une pièce de théâtre sur une grande place lyonnaise. Le décor — un bateau reconstitué — est grandiose. Antoine veut prendre des photos. Un homme du groupe d'hommes de Lyon habite sur cette place. À cette époque, il est pour quelques jours à l'hôpital. Antoine téléphone à la femme de cet ami pour lui dire que ce samedi-là il aimerait utiliser les balcons donnant sur la place pour faire des photos et qu'il sera accompagné de son amie. Il connaît peu la femme de cet ami. Le service semble pour lui évident, il s'inscrit dans une continuité de dons et de contre-dons. Mais son interlocutrice, qui veut être seule ce soir-là, refuse. Ce refus paraît alors inacceptable à Antoine. Il ne comprend pas. Pour lui, l'automatisme de l'échange et du service semble une norme.

L'espace domestique

L'INDESCRIPTIBLE: ENTRE GROTTE ET LOFT

L'espace domestique d'Antoine est difficilement descriptible. À première vue, cela ressemble à une grande pièce compartimentée par un meuble, une mezzanine et un voilage. Envahie de toute part de journaux, livres, bouteilles, planches et fragments de meubles, elle donne une très forte impression de «surappropriation». À l'arrivée du chercheur, la cuisine est envahie de vaisselle sale, la table centrale recouverte de journaux, livres et dossiers; les chaises et les fauteuils sont submergés de piles du *Monde* ou de *Libération*. Les fauteuils et les canapés d'un coin détente sont aussi recouverts par des journaux, des toiles d'araignée et divers objets.

La première question qui se pose au visiteur est de savoir où s'asseoir. Seul un fauteuil situé à l'extrémité de la table centrale, dont on distingue difficilement quelques centimètres carrés, semble pouvoir offrir une alternative à la station debout.

«*C'est le bordel*, explique Antoine, *je rentre de stage.*»

L'espace domestique d'Antoine est à mi-chemin entre *«la grotte»* (la lessive qui pend le long des fils peut d'une manière ou d'une autre se rapprocher de stalactites et les piles de journaux de stalagmites), *«la caverne d'un Ali Baba»* amateur de littérature (les livres qui jonchent le sol, la table et les fauteuils vous sollicitent d'emblée par leur titre ou leur intérêt) et *«un musée»* (au mur, à côté des photos encadrées, sont exposés des fragments de poupées et des modelages).

L'espace est plus ou moins rangé suivant les périodes, ce qui signifie que les chemins d'accès à la table sont plus ou moins larges, les piles de journaux et de dossiers plus ou moins hautes et la table plus ou moins prête à accueillir assiettes (lors d'invitations à manger) ou cahiers (pour des réunions de travail).

Ce ne fut pas une surprise pour le chercheur, nous avons toujours connu cet espace aménagé ainsi et dans le réseau amical d'Antoine, *«son antre»*, *«son bordel»* est un sujet courant de plaisanteries pour prévenir la personne étrangère qui par hasard serait invité-e à y résider.

D'un côté, cette pièce s'ouvre par une porte sur un jardin où l'herbe haute et d'innombrables débris donnent une image de terrain vague. De l'autre côté, une échelle permet d'accéder à une grande mezzanine où s'élève un lit enveloppé de pans de moustiquaires, qui de loin forme une tache blanche comparable à un voile de mariée.

Trois réfrigérateurs sont répartis dans la cuisine. Un seul est en service, tandis qu'un autre date des années soixante. L'ensemble des niveaux (sol, dessus des meubles) sont occupés. La vaisselle, sale ou propre, est répartie autour de l'évier sur l'ensemble des surfaces disponibles. Seul un meuble fermé masque ce qu'il contient: pâtes, riz et quelques boîtes de conserve. À l'entrée de la cuisine, symbolisée par une plante dessinant un arc de cercle dans l'espace, une étagère relativement moderne contient la vaisselle, les couverts et les bouteilles d'alcool. Le reste du mobilier, matériel de récupération, trouvé, donné ou acheté d'occasion, semble échappé d'un marché aux puces.

L'AMÉNAGEMENT

Antoine habite ici depuis six ans: «*J'ai toujours bricolé chez les copains... Ici, je n'ai rien fait... j'ai posé les choses, réparé certaines...*» Il nous décrit les quelques aménagements visibles: la douchette d'évier ou les traces de travaux (poutres, chevrons, planches) disposées au fond de l'appartement: «*J'ai trouvé ça aussi, du bois, des outils... dans l'entrée...*» Il évoque ses projets et ce qu'il estime pouvoir être nécessaire: «*Il faudrait changer la mezzanine, refaire le plafond...*» Mais en soi, l'état actuel le décourage d'avance. Il réalise chez d'autres (chez la voisine d'en face, par exemple) des aménagements comme il pourrait en rêver ici.

«*J'accumule, j'empile, je repousse et je range au dernier moment... Ce n'est pas de la collection d'objets, de vieux meubles... mais de l'accumulation*», dit-il.

Antoine pousse à bout ce que certaines femmes décrivent comme une logique masculine du rangement. Le rangement n'est pas préventif, pour faire beau ou propre... il devient nécessaire lorsque la menace d'être submergé apparaît. Ici, la principale préoccupation est d'avoir un accès possible au fauteuil devant la table, à quelques places sur la table, à la cuisine, au lit et à une petite étagère où sont rangés des photos et des textes. Le reste est tout à la fois entrepôt, cave et grenier.

L'espace surapproprié est toutefois décoré au mur ou sur les poutres de la mezzanine par des photos, des textes et des poupées reconstituées.

Si ce n'est l'aspect «*maquis*» que dégage l'appartement, rien n'est *a priori* caché, tout est accessible au regard, y compris les W.-C.: l'intimité d'Antoine se donne à voir partout.

En fait, les choses sont empilées et lorsqu'elles ne sont plus utilisées, elles sont recouvertes d'objets de remplacement, de dossiers et de journaux. La chaîne hi-fi peut illustrer cette idée. Antoine la qualifie de *«merdique»* et il lui préfère le magnétophone; ainsi, le magnétophone est disposé sur la chaîne, rendant celle-ci inaccessible. Nous assistons à un phénomène de stratification, le présent recouvre le passé qui, lui, reste en place.

L'INVITATION

L'appartement serait jugé par beaucoup «peu accueillant». Mais probablement n'est-il pas fait pour accueillir. Dans les cas où cela se présente, l'invité-e doit déplacer livres et journaux pour s'asseoir, tout en ayant peur de faire tomber des piles en passant. Antoine est chez lui, cela est signifié partout. D'ailleurs, si l'invitation le pousse à ranger, elle reste rare. Il ne veut pas donner de lui une image *«bordélique». «Le bordel angoisse, car il laisse des traces dans la tête»*, explique-t-il. Si malgré tout, beaucoup de personnes circulent chez Antoine, c'est parce qu'elles sont intégrées à son quotidien. Pour lui, l'invitation signifie l'arrivée de personnes extérieures à son réseau. Il la critique alors en l'assimilant à un rite bourgeois et social. Il lui préfère des échanges qu'il qualifie de *«non polis et non rituels»*.

Mais quelle que soit la dénomination, invitation ou échange, Antoine convie peu de personnes à manger. Non seulement à cause de l'indisponibilité permanente des lieux, mais surtout *«pour ne pas rentrer dans ce rythme-là... Après, l'invit'*[7] *est à rendre, et...»* Pourtant, autour de lui, les *«bouffes en commun»*, comme elles sont désignées, sont fréquentes: *«Chacun amène quelque chose*

7. Dans la société française, principalement chez les jeunes mais aussi dans les milieux artistiques ou assimilés, le terme *invit'* est souvent utilisé pour «invitation».

et on mange ensemble, il ne s'agit pas d'un rite poli, mais d'un moment convivial et désiré.»

Les *«échanges»* sont surtout effectués à l'extérieur de son appartement et notamment autour du couple Antoine/Jocelyne.

Le couple Antoine / Jocelyne: un quotidien en trois dimensions

Jocelyne B., âgée de 28 ans, est enseignante et possède son propre réseau relationnel et amical, composé pour partie d'enseignant-e-s connu-e-s lors de sa formation. Contrairement aux ami-e-s d'Antoine et à ses réseaux actuels, les ami-e-s de Jocelyne privilégient une quête épicurienne d'émotions fortes liées à l'instant. Face à la dégradation, l'ennui et la dévalorisation du métier d'enseignant, ils/elles privilégient une fuite permanente dans l'ailleurs: ce sont les vacances, le bateau, le voyage. Dès qu'un week-end est libre, dès l'approche des vacances, ils/elles cherchent à partir loin.

Jocelyne vient d'un milieu rural et a déjà vécu précédemment en couple. Originaire d'une famille catholique, son refus du mariage, sa vie de *«dépravée»*, l'amenèrent à avoir de nombreux conflits avec sa mère. On lui oppose sa sœur, mariée, qui semble mieux correspondre aux attentes familiales. Jocelyne et Antoine se connaissent depuis deux ans. La rencontre a eu lieu lorsqu'elle vivait encore deux autres relations.

Antoine explique: *«Je savais qu'elle était avec J. L., je le connaissais bien... Je m'interdisais de toucher à leur relation... mais je m'autorisais une relation très intense avec elle...»*

De fait, aujourd'hui, quoique ne partageant pas le même espace domestique, ils vivent une relation affective et sociale commune de couple. Le couple utilise alternativement le territoire de l'un-e ou de l'autre pour se rencontrer, dormir ensemble, manger. D'ailleurs, si on s'intéresse à la description qu'Antoine fait de sa quotidienneté, elle inclut aussi les espaces de Jocelyne. Plus exactement, il définit son quotidien comme un partage en trois espaces:

• ***le temps-travail.*** Il concerne son association: il décrit des horaires *«hachés»*, qui incluent un week-end sur quatre. Pour s'y rendre, quand ses collègues ne l'amènent pas en voiture, il doit passer plus d'une heure dans les transports en commun.

Outre la satisfaction symbolique qu'il tire de son action en faveur des femmes en difficulté, il parle peu de son travail humanitaire et éducatif et ses collègues n'interviennent pas dans son espace privé. Il mange régulièrement sur son lieu de travail. Quelquefois, à propos de telle ou telle discussion, il prend en exemple des situations professionnelles. Les femmes qu'il rencontre *«là-bas»* lui donnent l'image des rapports sociaux *«classiques»*, dont il se distinguerait.

• ***ses passages chez lui.*** Quand Antoine décrit son appartement, et la façon dont il y vit, sa maison apparaît comme un espace de passage, à la limite utilitaire. Il y vient pour dormir (seul ou avec Jocelyne), pour nourrir ses animaux (chien et chat), pour lire, pour se laver ou laver son linge. Il y mange rarement.

• ***l'appartement de Jocelyne.*** C'est un lieu où tous deux se rencontrent, dorment, mangent, passent du temps ensemble.

Les pratiques domestiques

LES REPAS

Comme nous l'avons dit, Antoine utilise peu son appartement pour manger. Mais il déclare y préparer quelquefois des plats élaborés. En permanence, ses réserves consistent en quelques pâtes, œufs, fromage et bière. Plusieurs fois par semaine, il utilise les restaurants à proximité, dans lesquels il retrouve des ami-e-s du quartier. Souvent, il mange avec Jocelyne chez elle.

Dans la relation Antoine/Jocelyne, chacun-e officie chez soi et l'autre «*aide*». Ainsi, Antoine fait fréquemment la vaisselle chez son amie, mais participe peu aux préparations culinaires. La prise du repas consiste le plus souvent à agrémenter les provisions sorties du réfrigérateur.

L'utilisation de services extérieurs (restaurant, cantine du travail...) s'intègre à la vision qu'Antoine a de son environnement: «*Je fais avec la ville telle qu'elle est.*» Il a appris à faire à manger au cours des différents épisdes de sa vie, mais manifestement cela n'entraîne pas chez lui un savoir-faire culinaire qu'il désire mettre en valeur. D'ailleurs, quand il le prend à son domicile, le petit déjeuner consiste à acheter des croissants à la boulangerie d'à côté.

Il n'a pas de planification hebdomadaire de son approvisionnement alimentaire, excepté pour ses animaux. Il fréquente le supermarché du quartier et achète la nourriture au jour le jour. Après une période «*bio*», lorsqu'il vivait «*à la campagne*», il ne fait pas attention à la qualité particulière de tel ou tel mets et s'efforce maintenant d'intégrer la viande dans son alimentation. Il se rend au marché le dimanche matin, mais y achète peu de choses: «*J'ai du mal à prévoir... Je n'arrive pas à acheter des légumes frais.*»

Toutefois, Antoine dispose d'une gamme importante d'apéritifs, essentiellement des vins cuits (vin de pêche, vin de noix) qu'il prépare lui-même. Le plus souvent, il offre à la personne de passage un «*blanc-cass*». La bouteille de cassis, élégant flacon de verre avec un bec effilé, traîne en permanence sur la table centrale et le vin blanc est dans le réfrigérateur.

L'INSOUMISSION À L'ORDRE... DOMESTIQUE

Antoine reste insoumis à l'ordre, l'état de son foyer en atteste. Nous ne l'avons pas vu pratiquer des activités de nettoyage. Il range: «*Quand le bordel ici m'écrase, m'oppresse... c'est lorsque je suis souvent ici, et que c'est sans échappatoire. Souvent, chez les autres, j'utilise l'échappatoire... je retrouve ici ma chambre d'enfant où ma mère ne pouvait pas entrer.*» Conscient de l'effet que produit son environnement sur ses ami-e-s, il explique qu'il a «*envie d'assumer les vitres sales; que je les fasse tous les mois ou tous les deux ans, c'est pareil*». Il reste toujours à la frontière d'un état d'abandon total.

Le rythme du nettoyage est très variable. En fonction de ses propres limites, il détermine la nécessité du rangement. Cela peut être tous les 15 jours ou tous les 3 mois. Depuis 2 ans, il n'a jamais passé l'aspirateur ni nettoyé les vitres. La vaisselle est faite lorsque l'accumulation atteint la limite du possible, c'est-à-dire l'impossibilité d'utiliser la cuisine.

Toutefois, Antoine tient à son autonomie: «*J'aime pas qu'on fasse pour moi.*» Sans doute, à la lecture de ce qui est expliqué ici, devons-nous relativiser cette autonomie en incluant les «*échappatoires*». Il mène jusqu'au bout la logique du «faire par nécessité», qui semble masculine. Si de l'ensemble se dégage une notion d'abandon, de conglomérat indescriptible, il garde pour lui quelques espaces qu'il définit comme *«rangés»*. Ce sont ses décorations, son exposition de poupées, de photos, les emplacements des plantes vertes.

Au moins une fois par semaine, Antoine utilise sa machine à laver le linge. Après discussions avec ses ami-e-s, il a opté pour la lessive liquide: *«Ça sent le propre et c'est pratique.»* L'étendage se fait soit sur un fil qui traverse l'appartement, soit à l'extérieur l'été ou quand le temps le permet. Lorsque ses affaires sont sèches, Antoine les repasse peu. Il ne reprise pas non plus. Il a appris à coudre, et aussi à utiliser une machine à coudre, mais il ne s'en sert plus.

L'APPARTEMENT: UN REFUGE

Une autre fonction dévolue à l'appartement d'Antoine est celle de refuge. En cas de conflit avec son amie ou lorsqu'il veut s'isoler, il retrouve son territoire. Nous pourrions citer plusieurs exemples de scènes rappelant la sécurité qu'offre pour l'un-e et pour l'autre la possession d'un territoire personnel.

Nous nous limiterons ici à résumer les rapports entre Antoine et l'espace domestique pris en tant qu'unité architecturale et spatiale. L'appartement apparaît comme un territoire particulier, personnalisé, intégré à l'ensemble des réseaux affectifs, militants ou de voisinage qu'il fréquente et avec qui il entretient une série d'échanges domestiques.

Ce lieu est particulièrement marqué par son mode de rangement spécifique. Le propre et le rangé sont des marqueurs déterminants qui deviennent dissuasifs pour les autres membres du réseau. Nous pourrions croire qu'il s'agit là d'un mode occupationnel particulier. Or, des observations d'autres espaces domestiques nous font penser que de telles appropriations spatiales n'ont rien d'exceptionnel. Elles semblent signifier: *«Je suis chez moi, je vis comme ça.»* Nous le verrons, Antoine explique qu'il ne peut pas vivre longtemps avec Jocelyne dans son appartement à lui, *«car c'est le bordel, et peu agréable»*. Cela ne lui pose que peu de problèmes, mais cela devient un motif légitime pour éviter la domiciliation du couple Antoine/Jocelyne dans son territoire. L'espace d'Antoine devient l'élément premier, mis en scène, pour imposer *de facto* une séparation des territoires; il s'intègre à son refus d'une quotidienneté permanente avec son amie. Son appartement donne à voir l'exposé scénographique de son autonomie, d'une affirmation de soi et de sa volonté d'individualité.

Quelles sont les raisons qui provoquent de telles attitudes chez un homme? Pourquoi vouloir à tout prix s'individualiser, y compris dans les modes d'appropriation de l'espace domestique? Quels types de rapports hommes/femmes sous-tendent cette organisation spécifique? Pourquoi cette insoumission au propre et au rangé? C'est pour le comprendre en partie que nous développerons ci-après successivement l'itinéraire socio-amoureux d'Antoine et les débats avec son amie actuelle.

L'itinéraire socio-amoureux d'Antoine

LES PREMIÈRES EXPÉRIENCES

Antoine insiste beaucoup sur la continuité de ses relations affectives et socio-amoureuses. Il détaille une suite de relations dans laquelle il situe le rapport actuel avec Jocelyne. Cette relation, comme les autres qu'il décrit, n'est jamais présentée comme définitive.

Après une *«adolescence tardive»*, marquée par des expériences *«pas très satisfaisantes»*, il rencontre une jeune femme qui représente sa première véritable relation amoureuse. Elle est légèrement plus jeune que lui, et il est également sa première relation. Elle est issue d'un milieu bourgeois assez conservateur et terrien du sud de la France. Sa relation avec cette amie se situe avant, pendant et après son incarcération pour insoumission et devient un soutien moral important pendant ses passages à la prison.

Cette union semble avoir été très conflictuelle avec les parents de la jeune femme. Ceux-ci refusaient une mésalliance, mais surtout ne pouvaient envisager une mise en couple si jeune. La liaison s'arrêta lors du passage de la jeune fille à l'université. Pour Antoine, la rupture a été brusque et très douloureuse; il dit en avoir souffert pendant de nombreuses années.

Jusqu'en 1980, il multiplie les relations avec des femmes rencontrées sur ses lieux de travail (il est souvent hébergé dans les maisons et les villages où il participe à la rénovation des maisons). Pas de *«coups de foudre»*, dit-il, mais des *«relations sympa»*. À l'époque, dans les milieux qu'il fréquente, *«tout est possible»*. Toutefois, il déclare avoir souffert de jalousie en voyant une de ses amies dormir avec un autre homme.

Plus tard, il vit sa première expérience de couple. Il est plombier; elle veut élever des chèvres et se lancer dans l'agriculture biologique. Elle a vécu avec sa mère, sans père, et dans un milieu essentiellement féminin. Il la décrit comme une femme autoritaire vis-à-vis des hommes et en même temps passive dans la sexualité, ce qui à cette époque lui pose questions: *«C'était insupportable qu'elle ne réponde pas aux caresses.»*

Suite à la mort de sa mère, son amie hérite d'une grosse somme d'argent et veut acheter une exploitation en Ardèche. Leurs projets divergent. Il raconte une scène: un soir, alors que leur relation devient de plus en plus tendue, elle part en criant, tandis qu'il veut la retrouver pour *«l'empêcher de faire une connerie»*. Il la retrouve sur un parking après avoir *«fait le tour des ami-e-s»*, et de force, lui arrache les clés des mains. C'est le début de la séparation. Elle rencontre un autre garçon, avec qui elle engage une liaison.

Il la retrouvera par la suite en Ardèche, où elle vit avec cet homme. Ce soir-là, lui Antoine dort *«sur la carpette»*; c'est non seulement la fin de la relation amoureuse, mais la rupture définitive. Il et elle ne se reverront plus.

C'est à ce moment-là que, par amis interposés, il prend contact d'abord à Grenoble puis à Lyon avec les groupes d'hommes. Et en 1982, à 30 ans, il se fait vasectomiser.

L'ensemble de cette période est marquée par sa culpabilité d'être homme: *«Je ne supportais pas de bander*, dit-il. *Le pénis était une agression par rapport à la femme.»* La vasectomie marque physiquement et symboliquement la fin de cette période au cours de laquelle il découvre d'autres formes de caresses *«sur toute la peau»*. Il décrit la vasectomie comme un *«passage»* dans sa tête et dans son corps.

En plus de la satisfaction de redécouvrir son pénis, il explique son désir de ne pas vouloir *«mêler un gamin à ça»*. C'est un refus *ad vitam æternam* de procréer. Il congèle toutefois du sperme, qui par la suite pourrait être utilisé pour une insémination artificielle.

Après la première relation de couple, il vit d'autres relations avec des femmes plutôt jeunes. Il cite plusieurs exemples de relations amoureuses avec des femmes *«juste ou à peine majeures»*, où l'essentiel de la relation est soit épistolaire, soit marqué par la non-pénétration. Ainsi, il dormait avec cette femme, Blandine M., *«qui était toujours vierge après leur séparation»*, souvent dans un rapport fait de caresses et d'effleurements. Un jour sous la douche, à l'époque où il refuse les rapports de pénétration, il aura la sensation de *«pouvoir se laisser aller»*: *«Avec l'eau, en me lavant, j'ai découvert la volupté de bander.»* Il décrit avec force des détails de cette scène qui semble coïncider avec une renaissance de son être social: c'est la découverte d'un désir réciproque non oppressif et non agressif. Il ne s'agit pas à proprement parler de peur des femmes, de ses paires du même âge, mais de peurs personnelles de lui-même. Contrairement à d'autres hommes rencontrés dans cette enquête, ce n'est pas le féminisme parlé et vécu par des amies qui l'interpelle, mais son corps et le pénis qui occupent une place centrale et embarrassante.

C'est la négociation d'une relation égalitaire qui le questionne. Il veut être autonome, ne pas être materné, hésite sur ses choix de vie. Sa précarité professionnelle et son instabilité résidentielle accompagnent sa démarche, qui tend à passer de l'insoumission totale (à l'armée, au couple, à l'hétérosexualité pénétrante) à des relations plus stabilisées.

Sa vasectomie, son retour et son installation à Lyon s'accompagnent d'un autre type de relations, qu'il engage avec Claudine S., une amie rencontrée dans le même quartier. Elle a son âge et, à cette époque, ce quartier est le haut lieu de la marginalité lyonnaise: *«C'est ma deuxième expérience longue de vie commune... On avait plein de choses à se dire [...] sur un pied d'égalité... Après des années de galères, c'était difficile d'être calme dans la tête...»* Bien qu'il n'habite pas avec elle, Antoine parle de *«vie commune»*: *«Chacun son bien, même si ce n'est pas très performant d'un point de vue économique.»*

Il décrit Claudine maternante, un bourreau de travail (elle continue des études supérieures). Claudine veut que son territoire soit rangé: «*Elle faisait la vaisselle tout de suite... Quand elle a déménagé [...] en une demi-journée tout a été rangé... En 15 jours, elle avait tout repeint avec des copains... c'est de la folie.*» Antoine a beaucoup de mal «*à investir son lieu à elle*». Elle était «*jalouse de son territoire [...] c'était plus simple de ne pas m'en mêler, de ne pas jouer le maître de maison*».

Comparativement, dans son appartement à lui, «*c'était plus le bordel*», même s'il faisait des efforts. Si chacun-e participait, aidait dans l'espace de l'autre, chacun-e faisait aussi valoir à l'autre son statut d'invité-e sur son territoire.

Ainsi, après huit ans de «*galères*», d'hésitations amoureuses, (de «*tuilage*», dit Antoine, chaque relation venant en recouvrir une autre avant même sa fin) et de culpabilité masculine, il apprend à négocier le quotidien dans une problématique égalitaire. Si la scène sous l'eau lui a redonné une image entière du corps, la relation avec Claudine le confirme dans la possibilité de vivre une relation sociale différente avec une femme.

Claudine et Antoine découvrent ensemble les plaisirs sexuels. Elle ne supportait plus la pénétration, lui n'en voulait pas; mais ils expérimentent une relation physique où la pénétration existe et devient source de jouissance. Leur rencontre durera deux ans, faite de quotidienneté, de discussions... La rupture se joue autour de la jalousie d'Antoine.

LA JALOUSIE

Un homme du groupe d'hommes avait organisé une fête dans une grande maison entourée d'un parc.

«À l'époque, ça se passait moyennement avec Claudine; j'y trouvais à peu près mon compte.» Lui, vient pour s'amuser, danser, boire… Lui et elle, individuellement, festoient avec d'autres personnes: *«De temps en temps, on se croisait avec un signe de reconnaissance.»*

C'est alors que René C., un autre homme du groupe d'hommes, flirte avec Claudine. *«À deux heures du matin, elle me demande: "Ça te dérange pas si je vais dormir avec un autre?" Je lui ai répondu qu'elle n'avait pas d'autorisation à me demander, et j'ai pris les boules: le groupe d'hommes… René…»*

Par la suite, Claudine évoque sa relation, parle beaucoup de René et compare les deux hommes. Pour Antoine, c'est insupportable. Il vit l'approche de René comme une trahison remettant en cause tout à la fois sa relation avec Claudine et le groupe d'hommes, ce groupe qui devait être un territoire protégé de ce type de rivalités. Il ne veut pas avoir à choisir entre telle ou telle relation. C'est le début de la séparation. Malgré les discours de l'époque, Antoine, produit de la «libération sexuelle», ne supporte pas *«de partager le même vagin»* avec un autre homme. L'autonomie et l'égalité s'arrêtent là où commence l'autonomie sexuelle de son amie.

Peu de temps après, il commence sa liaison avec Jocelyne.

Du parcours «socio-sexuel» d'Antoine, outre sa culpabilité d'*«être mec»*, d'être homme dans un système où le masculin domine, outre ses essais de changements qui doivent intégrer une remise en cause des modèles sexuels, nous retiendrons la place de la jalousie.

LA RELATION AVEC JOCELYNE

Dans l'ensemble des discussions que nous avons eues avec l'un-e ou l'autre, plusieurs questions apparaissent importantes pour la survie de la situation actuelle. Elles se résument à deux thèmes centraux: d'une part, le territoire commun avec, pour l'instant, le refus implicite d'Antoine de souscrire aux propositions de son amie; et d'autre part, l'enfant. On les trouve abordés dans l'ensemble des éléments de leur vie commune. Nous les aborderons succinctement.

Lors des entrevues avec Jocelyne, nous avons été étonnés de sa très forte aspiration à vouloir modifier leur organisation actuelle. D'emblée, elle déclare que *«l'indépendance, ça peut se faire en vivant avec un homme»* et pour elle *«vivre avec»* signifie explicitement partager le même territoire. *«Je n'ai pas envie que chacun ait son appartement, il y a un moment où il y a un engagement à prendre… à vivre ensemble dans le même appartement.»*

Bien qu'elle annonce qu'en cas de vie commune elle *«perdrait quelque chose»*, elle ajoute aussitôt dans la même phrase: *«mais j'ai pas peur»*. La solution actuelle n'est qu'un arrangement temporaire. Elle revendique un *«couple»* conforme à l'image traditionnelle. Par deux fois, elle a déjà vécu avec un homme. Le modèle du couple à appartement commun ne semble pas être, pour elle, une forme définitive (*«à vie»*), mais reste une organisation logique pour un homme et une femme qui s'aiment et vivent ensemble.

Interrogé sur cette question, Antoine reste très laconique: *«C'est un débat»*, dit-il. À aucun moment auparavant, il n'avait mentionné cette éventualité.

Devant le chercheur, fortement lié aux réseaux d'Antoine, notamment aux groupes d'hommes et à la contraception masculine, elle clame haut et fort: *«L'histoire de la contraception masculine et de la vasectomie, j'avale pas. […] C'est un problème entre les hommes et les femmes, il n'y a aucune raison d'en discuter entre hommes seuls.»* Elle veut un enfant avec Antoine. Lui, stérile, évoque *«un point douloureux», «quelque chose qui reste»*. Son désir d'enfant est lié à sa perception de la mère. «*Telle que je l'ai vue* (Jocelyne), *je me suis dit que ce serait chouette d'avoir un enfant.*» Il peut facilement envisager une méthode de procréation assistée, mais dit-il, «*pour elle, un enfant ça se fait en faisant l'amour*».

LE CONFLIT: DEUX CONCEPTIONS DE L'AMOUR?

Si Antoine présente son appartenance à des réseaux relativement différents comme une expérience positive, Jocelyne aimerait savoir ce qui se dit et se fait dans les groupes d'hommes. Or, «*il est assez secret par rapport à ça... il en parle peu... il oublie souvent de parler de ses réunions*». Et de citer d'autres hommes qui, tout en étant membres du groupe d'hommes, s'organisent différemment avec leur amie, partagent le même appartement. «*Ils sont pas tous comme ça, je suis un peu rassurée.*»

D'ailleurs, le chercheur a failli être involontairement mêlé à ce type de débats où chacun-e utilise l'ensemble des potentialités (et la présence d'un chercheur en est une) pour persuader l'autre de la justesse de ses points de vue. Si, tout au long de notre enquête chez Antoine, lui et son amie ont été d'une amabilité et d'une gentillesse extrêmes, il n'en reste pas moins qu'à l'époque de notre séjour une tension permanente existait.

Cette tension (Jocelyne parle de «*crise*») se traduit ainsi pour elle: «*Je ne me vois pas me séparer de lui, et il faut que je m'en sépare... mais je passerai sur plein de choses pour ne pas le faire.*»

Au moment de l'enquête, la vasectomie et le désir d'enfant, l'appartement commun sont des sujets en permanence discutés. À aucun moment l'un-e ou l'autre n'incrimine la personnalité de l'autre. Le conflit ne prend pas appui sur les personnes, mais sur la relation: «*Je remets en cause notre relation, la relation elle-même*», dit Jocelyne.

Antoine n'en parle pas ainsi. Il n'explique pas, au moment de notre recherche, la situation en termes aussi pressants et se contente de décrire ses aspirations à lui, son mode de vie souhaité et les aspirations différentes de son amie.

En schématisant, on s'aperçoit que Jocelyne et Antoine ont des représentations différenciées de l'autonomie (qualifiée par eux d'«*indépendance*»), de l'appropriation de l'espace, du temps et du devenir de leur relation. Interrogé sur l'avenir, Antoine reste plutôt discret. Il évoque la possibilité pour son amie, soit de prendre un poste à l'étranger pour un an (elle en avait déjà fait la demande), soit de «*faire un projet ensemble*». Mais rien à ses yeux ne justifie la fin de leur relation.

«Le chercheur: — *Quelles sont les circonstances qui, d'après toi, à l'heure actuelle, pourraient provoquer l'arrêt de la relation?*

Antoine: — *... Je vois pas... Si elle tombait amoureuse de quelqu'un d'autre... soit la relation continuerait comme ça... soit il y aurait rupture... Franchement, je vois pas.*»

Il associe souvent les questions sur le futur et les projets à venir à une critique du réseau actuel de Jocelyne: «*Actuellement, il y a un clivage de réseaux... les réseaux sont là aussi pour se protéger... Actuellement, son réseau* (à elle) *ne peut pas l'aider à s'en sortir.*»

Autrement dit, pour lui, la conception du couple où se vit l'amour-fusion, la visibilité permanente et réciproque des activités de l'un-e et de l'autre, est véhiculée par le réseau actuel de Jocelyne. Antoine et Jocelyne sont d'accord pour affirmer leur jalousie, sur le risque que prendrait l'un-e (excepté pour une relation d'un soir hors de la présence de l'autre) en engageant une relation amoureuse, mais la situation actuelle est pour Antoine un débat, alors qu'elle est pour Jocelyne une crise majeure mettant en cause la relation elle-même.

Pour comprendre la situation, nous pourrions proposer cette hypothèse: Jocelyne présente une conception de l'amour de l'ordre «*de la relation passionnelle*» qu'elle vit maintenant «*après avoir pris du temps avant de s'y engager*». Pour elle, la période «chacun chez soi» correspond à un passage entre une relation amoureuse et sexuelle et une relation sociale de couple. Puis, vient le temps de faire un enfant, de partager le quotidien et l'intimité de l'homme choisi. Cela nécessite de calquer son mode spatial et temporel sur celui des autres couples (qu'elle rencontre dans son réseau). Elle associe sa sécurité aux images de couple à résidence unique.

Ses conceptions s'opposent à celles d'Antoine qui, lui, envisage la continuation de la relation en maintenant *a priori* des lieux différents fortement appropriés, permettant le retrait sur soi en cas de conflit ou de désirs divergents. Ses précédentes expériences de couples le confortent dans ses options. La négociation («*le débat*», dit Antoine) entre deux conceptions d'organisation spatio-temporelle, mais plus globalement entre deux conceptions de l'amour, semble correspondre à une figure du débat actuel entre hommes et femmes.

Au moment de l'enquête, les débats semblent difficiles à l'un-e et à l'autre. Tant du point de vue des choix sur le modèle d'union que de l'organisation de l'espace, tant du point de vue de l'aménagement intérieur que de la question de la procréation, tout semble à négocier.

Deuxième partie

CHAPITRE 8

«Tes désirs font désordre...» Le propre et le rangé dans l'espace domestique

Dans les histoires de vie que nous venons de décrire, nous avons essayé de mettre en lien les itinéraires des un-e-s et des autres et les interactions qu'ils et elles vivent dans leurs espaces domestiques. Rien n'est anodin. Les événements qui jalonnent nos vies s'inscrivent à un moment ou à un autre dans nos logements. Ceux-ci sont les endroits les plus sûrs où nous pouvons déposer à loisir ce que l'extérieur ignorera. Chacune des six histoires nous décrit un fragment de quotidien autour de la question du propre, du rangé, de l'ordre et du désordre. Or, nous vivons tous et toutes des représentations du normal, du propre et du sale qui nous semblent «naturelles» ou «aller de soi». Dans ce chapitre, à partir de l'ensemble des observations recueillies dans les espaces domestiques, nous allons essayer de nous/vous dépayser, de prendre de la distance avec nos/vos quotidiens. Nous proposons des éléments d'analyse du propre et du rangé à partir d'une analyse anthropologique.

Dans un premier temps, nous reprendrons nos catégories de penser le propre, le sale, l'ordre et le désordre. Nous tenterons de les définir, de savoir ce qu'elles recouvrent, et de les mettre en perspective les unes par rapport aux autres. Puis, au vu de la force symbolique contenue dans chaque nomination de catégorie (propre, sale, ordre, désordre), nous serons amenés à nous interroger sur ce que représente l'entre-deux, le mélange des genres.

Nous interrogerons ensuite la notion même de désordre en essayant de classifier les différents types de désordre entrevus dans notre étude. Nous verrons qu'il y a désordre et désordre.

Dans un deuxième temps, les savoir-faire domestiques, l'action de nettoyer ou de ranger nous permettront d'examiner la sexuation[1] de ces pratiques. Les pratiques masculines et féminines du propre et du rangé, non seulement se distinguent dans leurs mises en œuvre, mais créent des marques d'appropriation dans les espaces domestiques. Aussi, nous expliquerons pourquoi et comment les pratiques dites masculines et dites féminines du propre et du rangé créent des ordres symboliques contradictoires qui marquent spatialement les frontières des rapports hommes/femmes dans l'espace domestique et demeurent en constante négociation.

1. La sexuation est l'étude de l'influence de la variable *sexe social* que l'on appelle communément *genre*. Par exemple, ici les différences, si elles existent, des pratiques dites *féminines* et des pratiques dites *masculines*.

Propre, rangé, sale? De quoi parle-t-on?

Mais avant tout, nous vous proposons un détour. Notamment par les écrits d'une anthropologue. En effet, cette partie de notre analyse de l'émergence du masculin dans l'espace domestique doit beaucoup à l'anthropologue britannique Mary Douglas. Nos démonstrations sont largement alimentées par les travaux pionniers qu'elle a pu réaliser dans un remarquable ouvrage sur la souillure et la pollution[2].

Pour rendre intelligibles les limites internes ou externes des rapports sociaux structurant un système, Mary Douglas invite à s'intéresser à l'écart artificiel que crée chaque société entre saleté et propreté, pureté et impureté. Elle rappelle que le corps peut aussi être considéré comme le miroir de la société. Autrement dit, nos représentations du corps, nos croyances sur ce qui est normal ou anormal, donnent à voir et à penser les rapports sociaux qui les organisent. Ainsi, la crainte de la souillure est un système de protection symbolique de l'ordre culturel existant. Sont alors analysables les rites positifs ou négatifs de purification, les interdits s'opposant à la contagion de la souillure, qui, à travers croyances, sorcellerie, morale (interdits alimentaires et sexuels...), viennent souligner les lignes de partage des groupes antagoniques, les rôles contradictoires plus ou moins ambigus. Les idées relatives à la souillure ne seraient qu'une variable de la structure sociale[3].

Mary Douglas montre que la «saleté» profane et la «souillure» sacrée constituent un ordre symbolique, quel

2. Mary Douglas, *De la souillure. Essai sur les notions de pollution et de tabou*, Paris, Maspero, 1971 (édition originale 1967).

3. Luc De Heusch, dans M. Douglas, *op. cit.*, préface à l'édition française, p. 9.

que soit l'arbitraire présidant à leurs définitions. La division des sexes, posée comme limite interne d'une société, va pouvoir alors être étudiée à travers les catégories de la pollution, de la saleté et de la souillure. Même si elles y sont intégrées, celles-ci dépassent de loin les pollutions sexuelles. Le corps humain est le lieu privilégié de toute conceptualisation de la souillure et de ses humeurs (sang, sperme) et les orifices corporels en sont fortement marqués.

Pour notre étude sur la sexuation de l'espace domestique et ses évolutions — parmi lesquelles l'émergence du masculin devient une péripétie moderne —, la relecture de l'ouvrage de Mary Douglas fut un moment incontournable pour avancer dans une analyse mettant en ordre les différents éléments de notre enquête. Nous ne pouvions ici que nous appuyer sur les hypothèses que propose cette auteure en essayant modestement de les développer pour ces lieux particuliers que représentent la maison, le privé, l'intime dans nos sociétés modernes, bref ce que nous avons défini comme l'«espace domestique». Étudier nos sociétés contemporaines, et tout particulièrement le privé avec les outils de l'anthropologie symbolique construits dans les sociétés primitives, offre des moyens pour avancer dans la compréhension de la grammaire domestique.

Propre/sale, ordre/désordre: des catégories exclusives

Notre langue distingue propre/sale et ordre/désordre. Or, dans les faits, nos manières de considérer le propre en opposition au sale et l'ordre en opposition au désordre se conjuguent. Nous verrons plus loin différents types de désordre, différentes manières de désigner ou de qualifier ce qui est propre ou sale, en ordre ou en désordre. La désignation du sale ou du désordre est stigmatisante. Sous couvert de normes «naturelles», les croyances sur la pollution et la souillure tendent à imposer les rapports sociaux qui les sous-tendent. Entre le propre et le sale, l'ordre et le désordre, le rangé et le dérangé, pas ou peu de place pour l'entre-deux. Ces catégories fonctionnent comme des couples en opposition absolue.

Essayons d'avancer dans la compréhension de la place de cet entre-deux impossible, de comprendre ce qui fonde symboliquement ce système binaire. Pourquoi un espace est-il considéré comme propre ou sale, rangé ou dérangé?

Sur les catégories de penser, de distinguer, mais plus encore sur les frontières entre les catégories et les marges de notre système symbolique binaire, il y aurait, selon Mary Douglas, intérêt à interroger ce qui fonde symboliquement nos classifications et comment nous percevons l'entre-deux, le moitié-moitié, l'espace virtuel entre ces couples de catégories: propre/sale, rangé/désordre, pur/impur, mais aussi humain/animal, masculin/féminin... Reprenant l'analyse des interdictions alimentaires professées par l'Ancien Testament et les textes sacrés, l'anthropologue constate qu'aucune interprétation n'est valable pour nous expliquer les interdits: «Il faut oublier l'hygiène, l'esthétique, la morale, la répulsion constructive [...]. Il faut commencer par les textes[4].» Les injonctions incluses dans les commandements appellent la sainteté. Or, nous dit Mary Douglas, «la sainteté est l'attribut de Dieu. Sa racine signifie

4. *Ibid.*, p. 69.

séparer». «Au moyen de la bénédiction, l'œuvre de Dieu consiste essentiellement à créer l'ordre grâce auquel prospèrent les affaires humaines. Dieu promet que les femmes, le bétail et les champs seront fertiles pour ceux qui respectent son alliance et observent tous les préceptes et les cérémonies. Quand Dieu retire sa bénédiction, quand se déchaîne la puissance de sa malédiction, il y a stérilité, pestilence et confusion.»

Dans l'ensemble des injonctions, celle du *Lévitique XVIII-23* attire notre attention sur la manière dont il fut traduit et nous est appris aujourd'hui: «Et à aucune bête tu ne donneras ton épanchement pour en devenir impur et une femme ne se donnera pas à une bête pour s'accoupler avec elle: c'est là une perversion.» Le mot *perversion* est pour Mary Douglas une «erreur significative du traducteur»; l'original en hébreu est en fait *tebhel,* ce qui signifie «mélange» ou «confusion».

L'ensemble des injonctions, précédées du commandement «Soyez saints, car je suis saint», vont définir des catégories de penser et d'agir. La complétude — opposée au mélange — est synonyme de sainteté. La frontière, le mélange, la confusion[5] instituent l'ordre et le désordre, le pur et l'impur.

L'entre-deux (ici traduit par «perversion») n'a pas de place dans notre système binaire. S'agit-il, comme le dit Mary Douglas, d'une «erreur», même significative du traducteur, de l'influence des perceptions morales du groupe social qui diffusa les textes sacrés, ou des deux? Toujours est-il que l'assimilation mélange-perversion est, encore à l'heure actuelle, structurante de nos représentations et pratiques.

---

5. Que l'on trouvera dans d'autres commandements: «Tu n'accoupleras pas ton bétail de deux espèces, tu n'ensemenceras pas ton champ de deux espèces; un habit de deux espèces, hybride, ne sera pas porté par toi...»

Du sale au propre, du désordre à l'ordre

LE SALE FAIT DÉSORDRE

Nos perceptions d'un espace domestique particulier sont globales. Le désordre est essentiellement assimilé à la saleté. Pour preuve les appréciations portées par certain-e-s de leurs proches sur les espaces domestiques que nous avons présentés. Celui d'Antoine, par exemple, va être tour à tour qualifié de *«sale»*, de *«désordre»*, ou de *«bordel»*, de *«foutoir»*, ces dernières nous rappelant les liens entre pollution et sexualité. Si nous suivons encore Mary Douglas, «la saleté absolue n'existe pas: en faisant la chasse à la saleté, nous mettons simplement un nouvel ordre dans les lieux qui nous entourent». Ce qui est déclaré «sale» (autrement dit certaines pollutions) peut servir à entendre l'ordre social que cette déclaration exprime.

Chacun-e a sa propre perception du sale et du désordre. On ne comprend rien à la pollution si on ne comprend pas la différence entre le comportement que l'individu approuve pour lui-même et celui qu'il approuve pour autrui.

Dans l'analyse que nous présentons ici, nous distinguerons différents niveaux du sale et du désordre. Mais quelle que soit la personne qui signifie le désordre, celui-ci est assimilé à pollution et à saleté, il représente un *danger*. Il vient troubler l'ordre organisé dans l'espace domestique. Nous avons vu apparaître plusieurs types de *désignation* et de *qualification* de désordre. Précisons d'abord ces notions:

— La *désignation* consiste en une signification externe à la personne qui organise le rangement. Désigner le désordre exprime la non-conformité avec l'ordre recherché ou attendu.

— La *qualification* de désordre représente la désignation par la personne qui vit dans l'espace considéré. Il représente une forme d'intériorisation de la norme externe ou la norme personnelle de l'individu.

Autrement dit, le désordre peut être défini par la personne elle-même, par les cohabitant-e-s ou par des personnes extérieures au logement.

D'une manière générale, une appartenance sociale semble se traduire dans les notions de désordre. À l'opposé d'un «doux désordre» accepté pour certaines professions intermédiaires[6], le milieu ouvrier et la grande bourgeoisie sont plus respectueux d'un ordre opaque où l'intime est entièrement dissimulé. De la même manière, respectant ces différenciations sociales, moins le couple ou le groupe vit des relations homme/femme traditionnelles, plus le désordre est toléré et montré. Mais dans tous les cas, la désignation du désordre apparaît comme une lutte entre intérieur et extérieur. Pour ranger et remettre de l'ordre, Dominique, Jullien, Christophe, Didier ou Denis modifient non seulement leurs habitudes de nettoyage, mais bel et bien l'ordre d'exposition de leurs affaires personnelles, l'agencement de leur cuisine, du salon et des espaces de circulation; bref, ils modifient leur mode de vie et leur présentation de soi que donne à voir leur espace domestique.

QUI A DIT DÉSORDRE?

Dans un premier temps, nous allons essayer de comprendre les enjeux qui se jouent entre désignation et qualification ou, plus simplement, entre qui désigne et qualifie ce qui pose problème. Quels sens peut-on attribuer aux

6. Parmi lesquelles on trouve les enseignant-e-s, les personnels des secteurs sanitaires et sociaux…

différents modes de désignation du désordre? Dans notre étude, mais plus généralement dans l'ensemble de la vie quotidienne, différents cas de figure apparaissent.

• ***Le désordre qualifié par son auteur-e***

De nos différentes recherches, deux situations différentes ressortent.

Le désordre qualifié par son auteur-e peut exprimer une traduction de la limite, du seuil personnel de l'individu-e, au regard de lui-même ou elle-même. Et on entend: «*C'est trop en fouillis, il faut que je nettoie.*» «*C'est vraiment crado chez moi, j'en ai marre, je m'y retrouve plus.*» La personne ne supporte plus le dérangement, tout l'espace lui paraît pollué. En observant attentivement ce qui provoque le sentiment de désordre pour la personne, nous avons alors accès de manière projective à l'agencement idéal de l'espace domestique. Lorsqu'elle décrit les signes du sale, du non-rangé, elle dessine les lignes de l'espace dans lequel elle fonde son identité personnelle.

Mais cela peut aussi exprimer l'interaction entre le seuil personnel de pollution et la norme externe à la personne, véhiculée par les autres cohabitant-e-s. Quand l'individu nous explique: «*Il faut que je nettoie, elle ne supporte pas*» ou: «*Il va gueuler parce que c'est le bazar*», il intériorise la norme de l'autre; il se soumet au seuil de tolérance de l'autre ou des autres cohabitant-e-s.

Cette qualification nous donne alors à voir les relations qui fondent l'organisation domestique. Personne ne sera surpris d'apprendre que de telles attitudes ont été repérées dans des couples où la peur du conjoint rôdait, notamment lorsque le conjoint utilisait la violence pour imposer son point de vue et son contrôle[7].

---

7. Cette étude sur l'espace fut menée parallèlement aux travaux de Daniel Welzer-Lang sur la violence domestique. Sans le vouloir au départ, nous

- ***Le désordre désigné par les cohabitant-e-s***

Outre ces cas d'intériorisation ou de partage des normes de l'autre, le désordre est le plus souvent désigné par «l'autre» du couple ou un-e cohabitant-e.

Dans la grande majorité des couples ou des familles, le désordre est désigné par la personne qui contrôle tout ou une partie du rangement (en général la femme) au détriment de la personne qui n'effectue pas ou seulement en partie les travaux de rangement (en général l'homme). Cela est conforme à la division dite traditionnelle des espaces et des tâches. À l'homme, l'extérieur; à la femme, l'intérieur et la gestion de l'ordre et du désordre. Mais méfions-nous des généralisations abusives. Dans notre étude avec ces hommes qui changent, nous avons observé pour ceux et celles vivant en couple ou en groupe des cas non négligeables d'inversion: l'homme au foyer exprime son agacement face au désordre continuel répandu par une/des femme/s; il se plaint de ne pas être «*respecté*» dans son travail et d'être obligé de «*passer continuellement après elle*».

- ***Le désordre désigné par les personnes extérieures au couple ou à la famille***

Les exemples de désignation de désordre par des personnes extérieures, c'est-à-dire des personnes qui ne vivent pas leur quotidien dans l'espace considéré, sont nombreux. Dans notre besace à souvenirs, nous en avons des tas d'exemples. Que ce soit directement lorsque le chercheur

---

avons très vite fait des liens entre expression et contrôle du désordre, du propre et du rangé, stéréotypes de rôles sexués et présence de violence contre les femmes ou contre les enfants. À propos de l'interaction entre la violence et les formes de vie domestique, on pourra consulter son ouvrage paru chez le même éditeur *Arrête, tu me fais mal! La violence domestique, 60 questions, 59 réponses*, notamment les questions 26 à 45.

vit un moment chez le-s sujet-s ou indirectement lorsque les personnes concernées narrent une scène vécue. Voisines ou voisins, parentèle, amis ou amies, bref l'extérieur prend de multiples visages.

Des lieux où sont reçu-e-s les visiteurs ou les visiteuses aux lieux de l'intime où seul-e-s quelques proches sont introduit-e-s, les normes de désordre varient. Mais l'effet est le même. Il faut, dans l'idéal, nettoyer et ranger de manière à ne pas s'exposer à une critique. *L'extérieur identifie le désordre de l'espace domestique à la pollution des personnes qui dirigent le rangement ou qui vivent dans cet espace particulier.* Dans les reproches du désordre, il y a assimilation entre l'intérieur du logement et l'intérieur de la personne. La désignation de désordre a des connotations dégradantes pour les résidant-e-s. D'où le souci de faire apparaître un logement propre et rangé, en conformité avec l'image que l'on veut donner de soi.

Différents cas sont apparus, liés à l'ouverture sur l'extérieur de chaque espace domestique. Par exemple, dans les habitats à voisinage choisi, la norme de rangement est différente si l'on reçoit les voisin-e-s (ou lorsque les voisin-e-s s'invitent) ou si l'on reçoit des personnes extérieures au groupe. Plus généralement, moins les personnes invitées sont connues intimement, plus l'appartement doit être «rangé» et ne rien laisser voir de l'intimité de l'espace domestique.

IL Y A DÉSORDRE ET DÉSORDRE

Mais quelle que soit la forme de la désignation par les cohabitant-e-s, nous avons vu apparaître plusieurs types de désordre.

• ***Le désordre ponctuel***

Le désordre ponctuel est un désordre limité à une partie d'une pièce, voire à un objet ou à un groupe d'objets. On le reconnaît aux reproches parfois exprimés de laisser traîner des affaires, de se coucher en laissant choir pantalon, chemise, slip et chaussettes sans prendre la peine de les ranger. De même, lorsqu'on décide de déplacer des objets d'une pièce à l'autre, sans les remettre *«à leur place»*. Si ce type de reproche concerne un homme dans un couple particulier lié à un espace domestique donné, bien vite certaines interlocutrices généralisent ce type d'attitude à l'ensemble du genre masculin.

Dans notre enquête, les hommes valident eux-mêmes cette qualification de désordre pour leurs agissements. Autrement dit, l'un-e et l'autre s'accordent pour reconnaître la primauté de l'ordre féminin du rangé. De notre point de vue, l'acte de désordre peut être assimilé à de l'*insoumission* involontaire à l'ordre qui devrait régner dans cet univers. Nous parlerons alors de *désordre d'insoumission* et nous ferons l'hypothèse que ces actes de désordre sont des segments de révolte masculine contre l'ordre féminin.

Nous avons assisté à des scènes surprenantes, notamment des explications bruyantes où la compagne veut montrer l'incohérence entre une position masculine dite «proféministe» ou «antisexiste» et les agissements encore traditionnels de l'homme. Souvent, ce dernier ne sait que répondre. Pris en faute, il ne sait pas expliquer rationnellement ses attitudes: *«Je sais, c'est con, mais j'y peux rien, c'est plus fort que moi»*, nous disait l'un d'eux. Nous avons souvent comparé cette attitude à la réaction d'un enfant pris en faute face aux reproches maternels.

• *Le désordre circonscrit*

Ce type de désordre est limité à une pièce ou deux de l'espace domestique, le «coin», ou la «pièce» de l'homme. Là encore, dans la plupart des espaces visités où l'homme vivait en couple avec une femme, hommes et femmes seront d'accord pour reconnaître le désordre du lieu. On ouvre la pièce au chercheur en disant: «*Regarde le bordel... c'est mon coin.*» Pourtant, dans de nombreux appartements où nous avons vu ces exemples de désordre circonscrit, chacun-e est responsable de l'ordre des lieux qui sont sous son contrôle, tandis que les parties communes sont sous la norme féminine.

La désignation et la qualification conjointes viennent nous montrer que, même dans les cas d'autonomies concertées, en dehors des parties communes où la question est réglée d'avance, la norme féminine prévaut aussi dans les parties attribuées au conjoint: «*Là... j'ai appris à faire attention*», dit Denis. Car, à aucun moment, les hommes qui nous présentent les *désordres* de leurs lieux ne s'en sentent gênés pour vivre. Au pire, ils nous font savoir que ce désordre est leur marque, ce qui peut aussi s'entendre comme un ensemble de signes montrant leur appropriation.

• *Le désordre total*

Il est présenté ainsi par Antoine lorsque l'ensemble de son espace domestique est en «désordre». Le désordre envahit tout, le visiteur ou la visiteuse devra enlever les journaux d'une chaise pour s'asseoir, se laver une tasse pour boire un café... Les multiples marques d'appropriation de l'espace signifient la non-disponibilité du lieu à d'autres personnes que son occupant. Aux regards du réseau amical qualifiant l'espace de «*foutoir*», de «*bordel*» de «*merdier*», Antoine répond timidement:

«caverne d'Ali Baba», «grotte», «musée», pour rappeler qu'il s'agit d'un autre ordre, son ordre à lui. Comme le désordre ponctuel, ce type de désordre peut être compris comme une insoumission volontaire, mais cette fois-ci, consacré à l'espace domestique tout entier.

- ***Le désordre ordonné***

Nous avons vu aussi des espaces où ce qui pourrait être dans d'autres lieux désigné comme désordre est ici qualifié comme un *autre ordre*. Chacun-e respecte les normes du rangé de l'autre et reconnaît un fonctionnement sensé au rangement accompli par l'autre. Dans ce type d'espace domestique, la différence de conception de l'ordre et du désordre est clairement posée. Il n'y a plus à proprement parler de désordre, mais deux ordres qui, suivant les cas, s'affrontent ou se conjuguent.

Pour conclure cette typologie, disons que la désignation ou la non-désignation de désordre, tout comme la qualification ou la non-qualification, vont être des indicateurs pour repérer les normes dominantes — ou qui se veulent dominantes — dans un couple ou dans un groupe.

Le propre et le rangé: une affaire de genre?

ORDRE LISSE, ORDRE DYNAMIQUE

Nous venons de présenter des cas flagrants où l'homme et la femme sont en désaccord dans la caractérisation de ce qui est en ordre et en désordre. Très vite, nous nous sommes rendu compte que, outre l'appartenance sociale et la plus ou moins grande ouverture de l'unité familiale vers l'extérieur, les perceptions de l'ordre et du désordre nous donnaient à voir quelque chose qui référait aussi aux distinctions entre manières de faire des hommes et manières de faire des femmes.

En examinant attentivement ces catégories de désordre de manière transversale, nous ferons plusieurs remarques. Dans de nombreux cas, nous avons pu observer des espaces domestiques où l'un-e et l'autre nettoient et prennent en charge la suppression du désordre. Les débats sur le thème sont l'occasion d'étudier les régulations entre hommes et femmes.

Constatons d'abord que l'hypothèse de corrélation entre désordre et pollution ou souillure apparaît pertinente pour décrire le rejet, le dégoût, parfois la colère, et l'importance accordée à ces notions. Le désordre est pollution ou danger pour la personne qui le désigne ou le qualifie, mais pas automatiquement pour l'autre. La qualification de «désordre» ou d'«ordre» est liée à l'interaction entre la désignation (donc, la nomination) et le savoir-faire. Dans les débats quelquefois vifs auxquels nous avons assisté, il semble que transparaissent deux sortes différentes d'ordre, véhiculées d'un côté par les hommes et d'un autre par les femmes.

Nous avons vu ainsi apparaître ce que nous pourrions qualifier comme un *ordre de façade*. *«Rien»*, c'est-à-dire peu d'objets personnels des habitant-e-s ne *«traîne»* ou n'est pas *«à sa place»*. Tout est rangé derrière des placards ou des portes. Seuls quelques objets choisis sont montrés et jouent le rôle de médiateurs: fleurs, tableaux, souvenirs de voyage... Objets de distinction, ce sont autant de marques volontaires.

Pour la plupart des femmes, ranger, ordonner est assimilé à mettre en rang, à ne rien laisser dépasser d'un ordre indifférencié où toutes les choses d'une même classe d'objets doivent apparaître égales. On pense au rang d'oignons, à un ordre représenté par la bibliothèque où rien ne dépasse. L'ordre de façade est un ordre stable, régulier ou *lisse*.

À l'opposé de cet ordre plus ou moins lisse, les hommes font valoir que «*c'est rangé, parce que je sais où est chaque chose*». Ils montrent alors, pour certains, des amas hétéroclites de papiers, des tas d'habits ou de linge (quelquefois cachés dans l'armoire), des piles de plats de grandeur et de nature différentes... Ils expliquent le rangement car là aussi chaque objet est à sa place et respecte leurs limites internes de l'espace domestique. La brosse à cheveux dans le séjour, le fer à repasser continuellement déplié dans un coin de la salle à manger, les draps en boule indifférenciée dans le placard du salon, appartiennent par exemple à l'ordre de Dominique. Les frontières habituelles de l'espace domestique (les séparations entre salle de bains, chambre, salon) n'étant pas respectées, cet ordre va être rapidement qualifié de désordre par d'autres. Plus les visiteurs ou les visiteuses ont intégré les hiérarchies ordinaires et les frontières de non-pollution considérées comme normales dans notre culture actuelle, plus cet ordre particulier représente un accroc, voire un danger.

Nous parlerons d'ordre instable, irrégulier, ou *dynamique*[8].

8. Nous remercions ici Denise Piché et Carole Després de l'École d'architecture de l'Université Laval, à Québec, pour leurs critiques des premières formulations de cette hypothèse. En effet, dans les premières versions, nous parlions d'ordre *statique* opposé à l'ordre *dynamique* des hommes. Opposer *statique* à *dynamique* représentait, ni plus ni moins, une reprise de la vieille rengaine sexiste qui dessine les femmes passives face aux hommes actifs. Ce n'était, bien évidemment, pas là notre propos.
Il n'est pas sûr, d'ailleurs, que les nouveaux termes utilisés plaisent à tout le monde... Le mot *dynamique* est en effet valorisé dans nos sociétés, tandis que la *façade*, le *lisse* peut renvoyer au *superficiel*. Mais qu'on ne se méprenne pas: il ne s'agit pas de rendre péjorative une quelconque assimilation d'un

L'ORDRE, LE DÉSORDRE ET LES SEUILS

Dans la majorité des espaces domestiques, la norme du propre et du rangé est exposée par la femme qui dirige le nettoyage, mais nous avons vu aussi apparaître — pensons à Dominique, Marc, Fred, Denis — des espaces domestiques où cohabitent deux normes de propre et de rangé. Dans ces espaces domestiques, il est admis que chacun et chacune prend en charge le désordre et la remise en ordre de son espace particulier. Cet espace personnel est, suivant les cas, plus ou moins important. Il peut être limité à la chambre seule, mais peut aussi la dépasser pour s'étendre au bureau, au salon ou à une chambre d'amis. L'ordre particulier du propre et du rangé vient marquer le territoire personnel et indique une limite interne au système. Le propre et le rangé créent des ordres matériels et symboliques.

Les limites territoriales des espaces régis par ces ordres particuliers du propre et du rangé constituent les *seuils* internes aux espaces domestiques. Le respect du désordre de chacun-e indique le respect des territoires de l'autre. Dans certains cas, on frappe à la porte — même ouverte — du territoire de l'autre, on appelle et on demande s'il est permis d'entrer. Dans ces espaces, il y a *négociation* des normes du propre et du rangé dans les territoires réputés communs. Les femmes, quoique affichant des normes de désordre moins permissives que leurs amis, semblent moins imprégnées des normes

---

terme à un genre. Les adjectifs employés ici veulent rendre compte d'observations qui mettent en valeur des *symboliques* et non des *caractérisations* psychologiques ou individuelles. Dans nos sociétés à domination masculine, il n'est pas étonnant que les représentations symboliques valorisent le masculin au détriment du féminin.
Les lecteurs et lectrices pourront avoir une confirmation de cette approche *compréhensive* dans le reste de ce chapitre.

féminines héritées de leur mère. On peut faire des hypothèses de corrélation entre l'autonomie des femmes — des compagnes [épouses] ou des mères — et des normes plus permissives de désordre.

L'investissement social des femmes à l'extérieur de l'espace domestique souvent constaté et la cohabitation avec un certain désordre semblent faire perdre cette notion de danger, de pollution que représente un ordre instable ou dynamique.

Les hommes, eux, expliquent qu'ils ont «*appris*» de leurs «*amies-femmes*» comment organiser l'intérieur, l'utilisation de couleurs, de fleurs... Bref, dans ce type d'espace domestique, nous avons l'impression qu'il y a interpénétration relative des deux normes du propre et du rangé, pour arriver à un état acceptable par les deux du désordre personnel de chacun-e. Nous ne sommes plus dans l'ordre lisse, ni dans l'ordre dynamique, nous sommes dans deux ordres négociés, signifiés et admis.

Les observations réalisées dans d'autres espaces domestiques nous permettent de penser que cette analyse, construite à partir de couples pouvant paraître atypiques, peut être opératoire et utile pour comprendre la gestion de l'espace domestique dans la société contemporaine. Quels que soient les territoires masculins et féminins, que l'homme soit présent physiquement dans l'ensemble de l'espace domestique ou qu'il ait investi les annexes ou les périphériques de l'espace domestique (garage, atelier, bureau...), nous allons retrouver cette manière de marquer ses territoires par le recours au propre et au rangé. Nous y reviendrons, nous pouvons souvent voir un parallèle entre la cuisine appropriée par la femme, organisée par elle, et les normes de désordre de l'atelier ou du bureau du compagnon. Chacun-e peut limiter l'accès à l'autre sous prétexte qu'il ou elle va déranger ou créer le désordre.

Dans l'ensemble des espaces, quelles que soient les présences masculines ou féminines, les seuils de territoires sont donnés par les normes de désordre qui constituent des seuils matériels et symboliques à respecter.

Propre et rangé: le préventif et le curatif

METTRE DE L'ORDRE: LE NETTOYAGE

Nous pouvons considérer le nettoyage comme un rite séculier[9] de purification qui permet de remettre de l'ordre, d'extirper ce qui n'est pas à sa place, ce qui est sale, impur, en désordre. Le but du rite n'est pas de montrer un ordre différent, mais bel et bien de «reformuler une expérience passée[10]». Dans l'espace domestique, nous analyserons le rite de nettoyage ou de rangement comme une pratique symbolique permettant de définir et de contrôler sans cesse l'ordre symbolique qu'il met en place. Dans cette perspective, nous verrons apparaître différents types de rites:

—*les rites de renouvellement*: le nettoyage de printemps ou le déménagement;

—*les rites de confirmation* et de contrôle: le nettoyage ordinaire régulier, qui permet de redessiner continuellement les frontières du foyer, de replacer les objets, de séparer les différents lieux constitutifs de l'espace domestique.

Au-delà des explications hygiénistes ou magiques pour légitimer le rite (contre la maladie ou son irruption symbolisée par la souillure, pour purifier un espace), le rite exceptionnel (renouvellement) ou régulier (confir-

9. Pris dans le sens de «profane» ou d'«ordinaire».
10. Mary Douglas, *op. cit.*, p. 85.

mation) permet de préciser l'avant et l'après; il crée un lien entre passé et avenir. Il est un moment de la négociation du pur et de l'impur, du propre et du rangé dans l'espace domestique. Cette approche des représentations collectives qui fondent le rite nous permet d'en saisir les interrelations[11].

Nous avons profité de notre forme d'enquête particulière pour observer particulièrement ce qui provoque le nettoyage. Quelle que soit la forme du désordre que la personne souhaite supprimer, qu'il ait été désigné ou non, nous nous sommes penchés sur ce qui provoque la mise en action du nettoyage. Avec des variations, liées au milieu social d'appartenance ou à la pression de ce milieu, nous avons observé que les femmes ont des actions *préventives* du désordre là où les hommes ont des actions *curatives*. Expliquons-nous.

Nous avons questionné des femmes et des hommes en train de faire le nettoyage, de remettre de l'ordre. Nous les avons interrogé-e-s sur le pourquoi de leur action. Qu'est-ce qui les incite à nettoyer? Nous excluons ici le nettoyage de renouvellement ou le nettoyage dû à une cause exceptionnelle: par exemple, après une soirée de fête ou pour la visite d'un parent ou d'un collègue hiérarchiquement plus élevé. Nous nous sommes centrés sur le ménage ordinaire, le rite de confirmation et de contrôle le plus «banal».

Les femmes, dans leur grande majorité, invoquent soit un nettoyage régulier: «*Je le fais tous les samedi matin, ça permet que la maison ne soit jamais vraiment sale*»; soit un risque de pollution: «*Ça commençait à ne plus être propre, j'aime bien quand c'est* clean *ici.*» Elles nettoient avant que ce ne soit trop sale, avant que le désordre en-

11. Nous ne prétendons pas limiter les rapports sociaux aux rapports homme/femme, mais ceux-ci sont fondamentaux.

vahisse. Elles ont une action *préventive*. Elles expriment plus ou moins formellement une identification entre un espace domestique particulier et la personne qui nettoie: «*Ça fait quand même pas bien quand c'est pas propre.*» Elles montrent que l'action préventive est liée au désir de conformité au modèle social de la «bonne épouse» ou de la «bonne mère», combiné à la pression normative du milieu. Dans d'autres cas, elles font intervenir l'irruption des humeurs corporelles et ceci dans les deux sens du terme. Que l'humeur soit physique: «*Souvent, quand j'ai mes règles, il faut que je nettoie*», dit une femme de 30 ans; ou que l'humeur soit prise dans son sens figuré: «*J'étais pas contente, de mauvaise humeur quoi... de toute façon, je sais que je ne me supporterais pas si je nettoie pas, alors...*» En dehors du symbolisme corporel que nous verrons ci-après, l'association sang-pollution-mauvaise humeur a d'ailleurs déjà été étudiée par d'autres anthropologues[12]. Là encore, cette action de nettoyer est associée à une action préventive.

Notons que l'association humeur corporelle et dépollution-nettoyage a été observée dans des espaces domestiques où la femme semblait ne pas adopter de positions préventives pour le ménage régulier.

Les hommes évoquent aussi d'une manière ou d'une autre les humeurs, mais celles-ci sont seulement métaphoriques. Plusieurs hommes nous ont dit associer «mauvaise humeur» et nettoyage. «*Je ne me sens pas bien, alors je nettoie*», explique Denis. «*C'est toujours pareil, quand ça va, je m'en fous... quand j'ai pas la forme, je suis de mauvaise humeur, alors je nettoie*», dit Dominique. «*J'ai les boules, je nettoie*», dit encore Christophe.

---

12. Françoise Héritier, «Le sang du guerrier et le sang des femmes. Notes anthropologiques sur le rapport de sexe», *Cahiers du GRIF*, n° 29, «*L'Africaine, sexes et signes*», hiver 1984-1985, p. 7-22.

Pour les hommes, qu'ils vivent seuls ou non, le constat est unanime. Chaque fois, ceux qui cumulent prises de décisions de nettoyage et nettoyage ont pu nous montrer pourquoi ils dépolluaient: «*C'est sale, ça se voit...*» Et l'homme de désigner tel rouleau de poussière près d'un meuble, telle trace sur le plancher ou tel rangement particulier. C'est-à-dire qu'il peut montrer concrètement la trace tangible qui lui permet de qualifier le désordre. Le nettoyage s'effectue généralement après ce «repérage». L'homme nettoie quand c'est déjà sale: il a une action *curative*[13].

Selon son histoire personnelle, son appartenance sociale ou l'utilisation qu'il fait de son espace domestique (éventuellement comme lieu de travail et de réception), chacun a des seuils différents de tolérance au désordre. Mais la *trace* de désordre reste un invariant.

Préventive ou curative, la mise en ordre reprend une division sexuée des savoir-faire et des faire dans l'espace domestique.

Nous avons pour l'instant abordé le désordre comme une caractérisation générale de l'espace domestique. Nous avons évoqué le nettoyage sans tenir compte des aires particulières de l'espace domestique. Nous reprenons maintenant trois formes particulières de dépollution: la vaisselle, le linge et le nettoyage du corps.

13. Cette différence est aussi observable dans l'attitude des résidants lorsque nous avons annoncé que nous désirions photographier leur logement: le «*viens quand tu veux*» des hommes s'oppose franchement au «*tu me préviens de ta venue pour que je range un peu*» des femmes. Sur la relation de l'ethnologue-photographe aux résidants, voir Jean Paul Filiod, «Impressions d'un chercheur peu photographe», *Journal des anthropologues*, n° 53, Association française des anthropologues, automne 1993.

LA VAISSELLE

Dans les espaces domestiques où cohabitent norme masculine et norme féminine ou dans ceux entièrement contrôlés par des hommes, le nettoyage de la vaisselle obéit à de grandes orientations.

Les femmes nettoient la vaisselle au fur et à mesure de l'écoulement du temps ménager. Fréquemment sous des prétextes d'hygiène, la vaisselle est faite repas après repas. De nombreuses femmes nous ont expliqué qu'elles ne veulent pas être envahies par la vaisselle sale. Celle-ci est alors entrevue comme un des éléments composant le désordre général de l'espace domestique. Le lave-vaisselle est alors sollicité pour résoudre ce problème de désordre. Dans tous les cas observés, l'acquisition de cet appareil ménager est l'objet d'une pression féminine, même dans des cas d'inversion: ainsi Claude se consacre depuis six ans aux tâches culinaires et c'est Morgane, sa compagne, qui insiste régulièrement pour que cet achat se réalise. «*Mais c'est moi qui ai insisté... Six ans de négociation*», dira-t-elle. «*Elle obtient ce qu'elle veut*», ajoutera Claude.

Lorsqu'ils font la vaisselle, les hommes font valoir la souillure et ses effets (odeurs, mouches). Beaucoup expriment la pression de la norme féminine ou de la norme dite alors «*commune*»: «*J'étais plus bordélique avant, quand je vivais seul. Depuis, avec Suzanne, on fait attention tous les deux.*» Ils lavent eux aussi la vaisselle au fur et à mesure.

Mais une autre attitude sur la vaisselle a été observée, reprenant une attitude curative: l'homme empile la vaisselle dans l'évier et la lave «*quand j'ai le temps*», «*quand ça déborde*» ou «*quand il n'y a plus de vaisselle propre disponible*». Dans nos observations, le nettoyage de la vaisselle obéit alors aux règles générales déjà expliquées.

On se souvient du débat de Dominique avec sa fille sur le lave-vaisselle. Celle-ci, fatiguée de voir la vaisselle attendre le nettoyage de son père, a réussi à «*négocier*». L'achat du lave-vaisselle après des sollicitations répétées des femmes a été observé dans la plupart des unités domestiques. Chez les hommes étudiés qui vivent seuls, nous n'avons pas rencontré de lave-vaisselle. Chez ceux qui vivent en couple ou en groupe, la gestion du lave-vaisselle obéit à des logiques différentes: entre ceux-celles qui le font fonctionner à chaque repas ou qui attendent que la machine soit pleine, nous retrouvons la même logique que le lavage dans l'évier. La porte fermée de la machine permet cependant de maintenir une façade propre tout en économisant eau et énergie, ce qui se traduit alors par une mise en marche irrégulière de la machine.

Les hommes en couple expliquent aussi l'intérêt de conjuguer pratiques ménagères et savoir-faire techniques. Ils mentionnent souvent «*l'oubli*» par les femmes du nettoyage régulier du filtre. Selon eux, de manière très curative, leur compagne attend «*que ça déborde pour nettoyer les filtres*», alors que eux sont fiers d'affirmer, pour cette question, une pratique préventive.

LE LINGE[14]

Le lavage du linge s'effectue par l'utilisation d'une machine individuelle ou collective (nous avons observé ce dernier cas dans certains habitats collectifs à voisinage choisi). Nous avons voulu savoir à partir de quels faits une affaire est considérée sale et devait être nettoyée.

---

14. Nos observations sur le linge ne vont pas autant dans le détail que le fait le travail de Jean-Claude Kaufmann, dont nous vous conseillons chaleureusement la lecture.

Les hommes définissent généralement le propre et le sale *de visu* ou *à l'odeur*. Les observations sont concordantes. On change les draps *«parce qu'ils sentent»* ou *«à cause des taches»*. On sent un T-shirt ou un sweat-shirt[15] pour savoir s'il est encore propre. On lave tel élément du vêtement parce qu'il est souillé par la poussière ou tel produit particulier. Les sous-vêtements font aussi l'objet d'un lavage circonstancié. Leurs compagnes, sans considération particulière, nettoient relativement systématiquement le linge.

Quand la gestion du linge est assumée par tous les cohabitants ou toutes les cohabitantes, nous n'avons pas noté de problématisation particulière de ce domaine, excepté les *«erreurs»* de teinture... Certains hommes nous ont signalé des problèmes de teintures mal fixées et aux couleurs qui se transforment. Ils ont dû apprendre, souvent de la part de femmes, le respect des catégories de lavage. Dans certains couples, suite à des conflits successifs sur ce thème, chacun-e lave ses propres affaires. En revanche, dans d'autres couples où la femme a mission de s'occuper du linge, nous avons entendu des hommes s'étonner du lavage de certaines affaires: *«Pourquoi t'as mis mon jean au sale? il était encore propre...»* Nous retrouvons dans le traitement du linge le double standard préventif/curatif et nous assistons aussi à une place particulière laissée aux effets des humeurs corporelles. Odeurs de sueur, traces de sang, de sperme sont pour les hommes et les femmes des signes de pollution, donc de saleté.

15. *T-shirt* et *sweat-shirt* sont les termes «français» pour désigner respectivement le chandail et le coton ouaté.

LE NETTOYAGE DU CORPS

Terminons cette brève revue de détail par le corps.

Si la majorité des femmes justifient leur douche journalière, quelques hommes se douchent *«quand je suis sale, quand ça sent»*. On retrouve une attitude similaire au traitement du linge. Parmi ceux qui lavent leur corps systématiquement tous les jours, beaucoup d'hommes nous décrivent les luttes successives qu'ont dû mener leur compagne concernant leur hygiène corporelle. Ainsi, Lætitia tient *«à ce qu'il se lave tous les jours. T'as beaucoup d'hommes qui se passeraient fort bien de se laver. C'est un truc, je me suis battue, ça y est, ça marche!»*; *«Je crois que c'est les femmes qui poussent plus»*, rétorque Alain, son compagnon.

Il en va de même pour le rasage du visage. Mais cette pression relative est assez bien intégrée par les hommes. Ils disent alors avoir découvert le *«plaisir de prendre soin de leur corps»*, *«de faire attention à soi»*. L'évolution du traitement social du corps des hommes (l'apparition massive des parfums, des eaux de toilette) semble concomitante avec la découverte de ce corps et sa propre prise en charge.

PRÉVENTIF / CURATIF ET MODÈLES SEXUÉS

Ainsi, que cela concerne le désordre général de l'espace domestique ou telle aire particulière, le propre et le rangé structurent des ordres symboliques distinctifs: la femme apparaît préventive et l'homme curatif. Bien entendu, il s'agit ici de grandes tendances. À chaque cas son exception.

Nous n'avons pas pour l'instant évoqué ici d'espace domestique masculin où l'ordre est minutieux, par exemple lorsque l'homme vit seul. Nous y observons ainsi un rangement de façade. Nous n'en avons pas directement rencontré dans les espaces domestiques étudiés, mais nous avons visité de tels intérieurs dans la périphérie des réseaux étudiés. L'homme explique alors un malaise au regard de signes minimes du désordre et manifeste le souci d'un espace lisse. Il présente aussi une action préventive sur le désordre.

Dans le même ordre d'idées, à la lecture des articles que nous avons déjà publiés sur ce thème, ou après certaines conférences, certaines femmes sont heureuses et fières de nous dire que cette conceptualisation est fausse et, prenant leur cas particulier, nous expliquent qu'elles sont plus curatives que préventives[16].

De tels cas, qu'il faudrait étudier plus précisément, semblent montrer des inversions de position sociale de genre[17]. Et ainsi, dans d'autres segments du social, ces hommes manifestent une sensibilité exacerbée tandis que les femmes qu'ils côtoient vivent des ascensions sociales. Celles-ci font valoir qu'elles nettoient quand c'est sale. Ces cas semblent aussi corrélatifs à des mobilités sociales de sexe[18] où hommes et femmes ont vécu des ruptures de modèles sexués. Ces exceptions à la bipartition préventif/curatif montrent comment les ordres symboliques du propre et du rangé ne sont en rien des divisions liées aux *natures* masculine et féminine, mais bel et bien des produits de nos constructions sociales et culturelles. Elles ouvrent ainsi à des réflexions sur les processus identitaires qui se créent dans l'espace domestique.

16. L'une d'elles nous a même écrit: «En vous parcourant, je me suis crue un homme car je suis de type curatif et nullement préventif!»

17. On assiste à un brouillage des fonctions (des positions sociales) dites masculines et dites féminines.

18. C'est-à-dire une modification des itinéraires personnels ou professionnels.

Il reste que — même en intégrant ces cas d'inversion plus ou moins partielle — les catégories préventif/curatif paraissent pouvoir déborder les quelques espaces domestiques que nous avons visités.

DES SAVOIR-FAIRE CONTRADICTOIRES: LA NÉGOCIATION

Les catégories préventif/curatif nous permettent de comprendre que les ordres symboliques du propre et du rangé sont liés à des savoir-faire contradictoires. Le propre et le rangé sont pris en charge selon les modes de régulation des rapports sociaux hommes/femmes en œuvre dans l'espace domestique.

Quand l'homme entre dans l'espace domestique, veut y vivre en couple — ou en groupe —, et souhaite prendre en charge tout ou une partie des tâches domestiques[19] ou aider sa compagne, il y a négociation permanente sur le propre et le rangé. Dans de nombreux cas — héritage de nos sociétés patriarcales —, la norme est féminine. Ce sont l'ordre lisse et le rangement préventif qui priment, et l'homme s'y conforme. Quitte pour certains hommes à accentuer encore le contrôle du propre et du rangé, exigeant que «sa» femme, «son» épouse, la mère de «ses» enfants, soit une «ménagère parfaite», que rien ne traîne, ne soit en désordre[20].

---

19. Bien entendu, et nous le savons fort bien, certains hommes souhaitent ne rien faire dans l'espace domestique; et certaines femmes semblent s'en satisfaire. Mais nous remarquons que les nouvelles générations — notamment ceux et celles qui ont été élevés de manière mixte depuis le début de leur scolarité — trouvent «normal» de «partager» le travail domestique.

20. À l'armée, le garçon apprend des formes exacerbées de rangement comme le lit «au carré». On aurait tort de sous-estimer cette imposition du modèle ménager hérité de l'ordre militaire par le conjoint, qui vient relati-

L'action préventive de la femme est bien souvent expliquée comme une réponse à l'attente des voisin-e-s, des parents ou du mari. Parfois, l'éducation familiale ou sociale suffit à imposer par elle-même les modèles. Dans d'autres cas, dont certains ont été entrevus dans notre recherche, il y a *négociation* sur les formes du propre et du rangé et sur les seuils de désordre admissibles par l'un-e et l'autre. L'utilisation de territoires différenciés est alors un des modèles envisageables, avec pour fondement le respect de l'autonomie de chacun-e.

Le modèle à double autonomie, qui requiert la participation de chacun et que nous qualifions dans le chapitre final de «modèle à autonomies concertées», n'est qu'une phase de l'évolution des couples. Ici, pour les couples étudiés, c'est souvent d'ailleurs la phase terminale. Chaque stade préalable que nous détaillerons à la lumière des itinéraires de vie (fusion/indifférenciation, bicatégorisation ou autonomie) trouve une correspondance dans la gestion du propre et du rangé, dans les normes de désordre.

Au regard de ce que nous avons vu, on comprend pourquoi la gestion conjointe d'une même norme de désordre ou d'ordre est un modèle impossible. On aura beau compter le nombre de tâches réalisées par chacun-e, mettre en place des plannings de distribution du travail domestique, toutes formes aperçues dans notre recherche,

---

viser sérieusement le «pouvoir» des femmes (en réalité des épouses ou des mères) sur l'espace domestique.

On lira à ce propos l'édifiant article d'Anne-Marie Devreux, «Être du bon côté», dans Daniel Welzer-Lang, Jean Paul Filiod (dir.), *Des hommes et du masculin*, CREA/CEFUP, Lyon, Presses Universitaires de Lyon, 1992. La sociologue explique comment, au cours de ce rite de passage que constitue l'armée, l'essentiel du temps masculin est consacré à des formes de travail domestique alors qualifiées de «corvées» et utilisées pour punir la jeune recrue. On comprend d'autant mieux le désinvestissement ménager des hommes et les résistances sociales aux changements.

les symboliques du propre et du rangé sont contradictoires pour l'homme et la femme, sans qu'il ou elle n'en ait conscience. Au mieux, on arrive à un *modus vivendi* insatisfaisant pour l'un-e et l'autre puisqu'il y a soit renoncement, soit imposition d'une norme. On comprend alors que la chaussette qui traîne et qui fait désordre puisse être objet de discordre...

Le propre, le rangé et le désordre sont tout à la fois supports et objets visibles de la négociation des rapports entre sexes. Ils montrent les limites spatiales de la sexuation de l'espace domestique et les effets de la division sociale et sexuelle du travail.

CHAPITRE 9

Quand l'espace domestique parle Territoires, ouvertures et symbolisme corporel

Dans ce chapitre, nous voulons vous emmener plus loin encore dans l'intimité des hommes et des femmes. Nous vous invitons, en fait, à une exploration de territoires souvent ignorés par les hommes.

L'expérience de l'espace

L'ESPACE DOMESTIQUE: ENTRE HOMMES ET FEMMES

Nous traversons tous et toutes des espaces. Chaque instant de vie nous est offert dans un espace donné. Il y a des espaces que l'on traverse, il y a ceux où l'on reste, il y a ceux qui ne changent pas, il y a ceux qui se transforment. L'espace domestique est un espace parmi d'autres, mais c'est celui dans lequel évoluent les ménages[1].

---

1. Nous parlons volontairement de ménages, car le terme *famille* exclut les personnes vivant seules.

Certain-e-s connaîtront un ou deux logements, d'autres une multitude, et parfois pas toujours dans le même pays.

L'espace domestique constitue l'abri fondamental, dans lequel évoluent des hommes, des femmes, des enfants. C'est le lieu où les personnes se retrouvent et où se jouent des interactions ordinaires qui participent intensivement à la construction de l'identité.

Depuis de nombreuses années, les sciences humaines et sociales se sont préoccupées de la notion d'espace. Elles montrent que les usages et les significations de l'espace structurent des territoires et articulent l'intime, le privé, le collectif, le public, selon des critères variables d'une culture à l'autre[2]. Mais l'espace domestique est aussi le lieu où se structurent ce que les sociologues et les anthropologues appellent les rapports sociaux de sexes. Outre le fait que la différence des sexes est une donnée fondamentale des sociétés[3], une ap-

2. À ce propos, on pourra se référer aux ouvrages suivants: Edward T. Hall, *La dimension cachée*, Paris, Seuil, coll. «Points», 1970. Françoise Paul-Lévy et Marion Ségaud, *Anthropologie de l'espace*, Centre de création industrielle, Centre Georges Pompidou, coll. «Alors», 1983. Amos Rapoport, *Pour une anthropologie de la maison*, Paris, Dunod, coll. «Aspects de l'urbanisme», 1972. Jacques Pezeu-Massabuau, *La maison, espace social*, Paris, PUF, 1984.

3. Ce que nous rappellent les théoriciens. Ainsi, Marcel Mauss: «La division par sexes est une division fondamentale qui a grevé de son poids toutes les sociétés à un degré que nous ne soupçonnons pas. Notre sociologie sur ce point est très inférieure à ce qu'elle devrait être. [...] nous n'avons fait que la sociologie des hommes et non pas la sociologie des femmes, ou des deux sexes.» *Essais de sociologie*, Paris, Seuil, coll. «Points», 1968, p. 117. Puis, Georges Balandier, dans *Anthropo-logiques*, PUF, 1974, p. 35-36: «Dans les groupes humains, la première donnée de différence est celle que marque le sexe. Deux éléments se saisissent comme différents et inéluctablement liés pour cette raison: l'homme et la femme. Leur conjonction est biologiquement déterminée et nécessaire à la reproduction des hommes; elle fournit en quelque sorte la matière "première" à partir de laquelle — et sur le modèle de laquelle — les rapports sociaux peuvent se concevoir et se former.»

proche spatiale permet d'apprécier les fonctions assignées ou identifiées à chacun. En effet, selon le statut social, selon le sexe, selon le cycle de vie, il y aura un type d'assignation particulier. La maison et ses espaces recèlent un sens symbolique, où la division entre hommes et femmes joue un rôle central.

Notre société possède des règles. La révolution industrielle a laissé ses marques. Souvenons-nous qu'elle a produit des bouleversements dans la vie quotidienne: la sphère domestique et la sphère professionnelle, jusque-là confondues dans l'entreprise familiale ou la propriété agricole, se séparent. La répartition sexuée ne se fait pas attendre: les hommes travailleront dans les usines, tandis que les femmes seront les gardiennes de l'intérieur domestique. Mais qu'en est-il aujourd'hui?

Parmi les faits marquants de ces dernières décennies, les historien-ne-s retiendront sans nul doute l'influence du féminisme. Celui-ci s'est diffusé de manière particulièrement intense. Dans les années 1960-1970, les modèles de la société industrielle, qualifiés alors de «traditionnels» (c'est-à-dire, selon cette terminologie de sens commun: hérités et reproduits), irritent une large frange de la société et correspondent de moins en moins à la réalité. Les femmes travaillent plus qu'auparavant. Mieux, depuis 1982, nous savons, grâce aux grandes enquêtes des instituts nationaux de statistiques, que le nombre de couples où les deux conjoints ont un travail rémunéré est un peu plus élevé que ceux où c'est le cas du seul conjoint. Le modèle traditionnel est devenu en quelque sorte minoritaire.

Parallèlement, on voit les hommes s'occuper des enfants, faire parfois la vaisselle, étendre le linge, sans toutefois devenir de véritables «responsables» de foyer ou des «maîtres» de maison. Mais les dernières données sociales de l'INSEE nous renseignent sur ce faux équilibre entre hommes et femmes qui consisterait à dire que l'égalité des sexes est bien acquis. Considérant quatre types de temps (le physiologique, le professionnel, le domestique et le libre[4]), on observe entre 1975 et 1985 une augmentation du travail domestique chez les hommes et une stagnation chez les femmes. Toutefois, comme nous l'avons déjà mentionné, le temps de travail domestique reste plus élevé chez la femme que l'homme, même quand celle-ci a un travail professionnel[5].

On arrive ainsi à une situation dans laquelle le rapport intérieur-extérieur se modifie. Les temps post-industriels de l'espace domestique sont ceux de la tension entre intérieur et extérieur. Si plus de femmes travaillent, si même les hommes cautionnent positivement cette évolution, ce n'est pas pour autant que l'intérieur est négligé. Face à ces transformations sociales qui n'épargnent personne, les ménages s'organisent, négocient leurs temps et leurs espaces, organisent la gestion commune des enfants, interviennent sur l'espace domestique, aménagent, décorent, distinguent les espaces, génèrent des frontières.

Notre point de vue, comme nous l'avons déjà précisé, se fonde sur des comportements masculins et sur leur relation à l'espace domestique. Nous ne prétendons pas isoler ces comportements du reste de la vie domes-

---

4. Selon la classification de l'INSEE, le temps physiologique comprend «le sommeil, le repas, la toilette»; le temps professionnel «le travail professionnel, les études, la formation, les trajets»; le temps domestique «la cuisine, la vaisselle, le ménage, les courses, le jardinage, le bricolage, la couture, l'entretien du linge, les soins et éducation aux enfants, les soins aux adultes»; le temps libre «la télé, la conversation, le courrier, la lecture, les visites, la réception, la promenade».
Il est intéressant de noter que les soins et l'éducation portés aux enfants font partie du temps domestique. Dans *Données sociales 1990*, INSEE, janvier 1990.

5. *Ibid.*, p. 184 et p. 186.

tique: l'interaction avec les cohabitant-e-s (lorsqu'ils/elles existent) est prise en compte dans la gestion des espaces de la vie domestique. Aussi, d'autres éléments, tels l'idéologie et ses transformations, l'itinéraire singulier, nous permettront une analyse des représentations que les hommes ont de ces espaces. Mais ces interactions sont déterminées à la fois par les représentations du sujet (son lien à l'espace) et d'une certaine transformation de l'architecture intérieure.

OUVERTURE ET FONCTIONNALITÉ: LA LIAISON CUISINE-SÉJOUR

Les logements contemporains sont marqués par des signes de fonctionnalité et d'ouverture. La fonctionnalité trouve son avènement dans l'utilisation accrue d'équipements domestiques, dans les facilités de rangement que procurent des meubles «pratiques» et dans l'attribution de fonctions à chacune des pièces composant le logement. L'ouverture se traduit notamment dans la liaison de pièces comme la cuisine et le séjour, mais aussi, dans une certaine mesure, par le développement de types de logement «tout en un», comme le studio ou le loft.

Dans un ouvrage à présent célèbre, *Le système des objets*, Jean Baudrillard nous sensibilisait déjà, à la fin des années soixante, à certaines caractéristiques de l'habitant contemporain. Son environnement n'est pas simplement consommé, il est aussi maîtrisé, contrôlé, ordonné. Cette mutation du résidant fait de lui non plus un simple usager, mais ce qu'il appelle un «informateur actif de l'ambiance[6]». Le rangement, l'organisation spa-

6. Jean Baudrillard, *Le système des objets*, Paris, Gallimard, 1968.

tiale, la recherche de fonctionnalité marquent la seconde moitié de notre siècle; n'oublions pas que l'après-guerre a été marquée par l'avènement de l'électroménager.

C'est ainsi que l'espace domestique devient un ensemble de zones liées fonctionnellement. Les territoires domestiques sont reliés entre eux par des espaces qu'on peut qualifier d'«espaces de circulation». Roderick Lawrence, architecte et anthropologue, nous invite à une analyse des seuils: «Les relations entre les espaces construits peuvent être comprises en étudiant les seuils et les espaces de transition[7].» Plus précisément, l'auteur nous dit: «Toute relation entre deux espaces, entre deux lieux, procède de deux aspects indispensables et dépendants. Elle est à la fois séparation et liaison, ou, en d'autres termes, différenciation et transition, interruption et continuité, limite et seuil[8].»

Ainsi, l'accroissement de la circulation dans le logement, l'aspect léger et bon marché de meubles de rangement (étagères, support à vêtements sur roulettes...) rendent les logements plus transparents. Pensez à la manière dont nous choisissons nos logements: y a-t-il assez de lumière? assez de fenêtres? peut-on circuler facilement? Telles sont aujourd'hui les aspirations des résidant-e-s.

On peut voir ainsi des étagères sans fond installées dans les cuisines, sur lesquelles se trouvent des bocaux transparents contenant céréales ou féculents. D'ailleurs, dans aucun des cas observés dans notre enquête, nous ne trouverons de bocaux enfermés dans des placards. Il y a là une double transparence (l'étagère, puis le verre), ce qui accentue la visibilité des biens de consommation par

---

7. R. J. Lawrence, «L'espace domestique et la régulation de la vie quotidienne», *Recherches sociologiques*, vol. XVII, n° 1, 1986, p. 147-169.
8. *Ibid.*, p. 149.

les résidant-e-s ou les personnes visiteuses. L'ouverture des espaces s'accompagne ainsi d'une plus grande portée du regard: la glace, la vitre, l'absence de cloison ouvrent les angles, donnent l'impression d'être dans un logement plus grand en surface ou en volume. Toutefois, si cette tendance à l'ouverture est un constat de notre époque moderne, le mobilier qui cache résiste parfois à cette mise à nu du domestique. Les placards n'ont pas disparu[9].

Dans presque tous les logements que nous avons étudiés, la cuisine est liée à la salle de séjour par une circulation fluide. Ce n'est que chez Denis que les contraintes du déjà bâti excluent cette possibilité. Si parfois une porte sépare ces deux pièces, elle reste *«toujours ouverte»*, comme chez Claude et Morgane. Le passage du lieu de préparation du repas au lieu de consommation se fait dans une circulation facile: la cuisine et le séjour bien reliés forment le couple idéal de la convivialité. Seul-e-s ou en couple, et quelles que soient les propositions des architectes consultés, les résidant-e-s ont repensé cette libre circulation. Notamment, les hommes ont réfléchi à l'aménagement de la cuisine en y intégrant leur place et celle de leur corps.

Après aménagement, la cuisine sera jugée *«très fonctionnelle»* par Christophe. Ailleurs, lors d'un emménagement, Claude nous mentionnera que *«le gros du travail aura été d'aménager la cuisine»*, tandis que Denis rehausse l'évier pour ses propres besoins. Encore, lorsque Claudine et Gilbert font construire leur logement, l'architecte propose une cloison complète entre cuisine et séjour, laissant un passage sur un côté, permettant la liaison. Le couple interviendra pour que cette cloison ne soit présente que

9. Leur présence s'explique facilement, leur origine pouvant être diverse: entre l'achat neuf ou d'occasion, les dons (en général par un membre des réseaux familial ou amical), les cadeaux ou la récupération-fabrication.

jusqu'à mi-hauteur. Et lorsque Claudine proposera d'entreposer une table dans l'espace-cuisine, Gilbert s'y opposera, jugeant que celle-ci le dérangera lorsqu'il se consacrera aux travaux culinaires. Enfin, chez Fred et Jacqueline, la séparation de la cuisine et de la salle à manger prévue par l'architecte ne verra jamais le jour.

La cuisine et le bricolage: deux pôles qu'on cherche à transformer

L'HOMME À LA CUISINE: UNE PRÉSENCE REVENDIQUÉE

Cette place de l'homme dans la cuisine a été clairement observée. Toutefois, une ambiguïté persiste: le terme *cuisine* désigne à la fois un lieu de l'espace domestique et une pratique de la vie domestique. On peut convenir de l'intérêt tout à fait particulier de la cuisine en raison du «rôle central qu'elle tient dans la vie quotidienne de la plupart des gens, indépendamment de leur situation sociale et de leur rapport à la "culture cultivée" ou à l'industrie culturelle de masse[10]». Mais que ce soit un lieu ou une pratique, la cuisine est particulièrement sensible du point de vue de l'évolution des rapports hommes/femmes, cela pour deux raisons:

— d'une part, les femmes résistent plus ou moins à une position sociale qui les assignerait à la cuisine; les hommes, symétriquement, peuvent parfois revendiquer une place dans ce lieu où leur père

10. L. Giard, *Cuisiner*, dans Luce Giard et Pierre Mayol, *L'invention du quotidien. 2/ Habiter, cuisiner*, Paris, Union Générale d'Éditions, coll. «10/18», 1980, p. 150.

était absent. L'époque que nous traversons se trouve être celle où chacun et chacune doit assumer l'historicité de cette transformation, ce qui s'exprime parfois sous forme de tension du point de vue des individus, qu'ils partagent ou non un logement.

— d'autre part, la taille souvent réduite de la pièce limite parfois l'accès collectif aux pratiques culinaires.

La plupart des conjointes rencontrées dans notre enquête ont un travail professionnel. Leurs itinéraires sont empreints d'une revendication féministe, ou tout simplement féminine (la caractérisation dépendant du lien créé avec le mouvements des femmes après les années soixante-dix). Les conditions de vie domestique sont évoquées, réfléchies, que ce soit du point de vue de la gestion de la cuisine, du soin aux enfants, du nettoyage des lieux, etc. Les conjoints, mis en contact avec ces femmes, prennent en compte la revendication et, en rupture avec le modèle stéréotypé du père, sont soucieux de promouvoir une image domestique plus «positive» de l'homme. Dans certains cas, ils réclament la primauté sur l'intérieur.

On a pu ainsi observer des couples ayant intégré, au fil du temps et des expériences, cette redistribution des attributs domestiques. Lors d'une enquête, Gilbert nous dit combien il est important pour lui d'*«avoir de la place»* pour cuisiner. Sa conjointe *«a de la difficulté à faire le gâteau quand je fais de la vraie cuisine»*. Il insiste sur la différence entre *«FAIRE la cuisine»* et *«faire à bouffer»*. *«Réchauffer du congelé»* s'oppose à *«prendre le temps»* de faire la cuisine. L'usage des termes (la «vraie» cuisine, l'accentuation du «faire» en opposition au «bouffer») marque une distinction entre la cuisine comme répondant à un besoin physiologique et la cuisine comme travail ou art. Nous remarquons que l'évocation de la cuisine par un homme implique souvent un recours au discours exalté: «*C'est tout un art, la cuisine!*» dit Claude. Même lorsqu'il est relégué à l'extérieur de la cuisine, l'homme pourra prendre un certain plaisir à annoncer qu'il affectionne certaines préparations de plats: «*Il n'y a pas longtemps, on a fait une tarte aux champignons. C'est une collègue de travail qui m'a fait goûter ça. Alors immédiatement, ça m'a donné envie, ce week-end, je l'ai fait*», dit Alain. Parfois même, l'homme fabrique ses propres produits. C'est le cas de Fred, qui préfère faire lui-même de la confiture d'oranges «*car celle du commerce n'a pas de goût*». Il déclare également qu'il «*suit une souche de bacilles lactiques qui font des yaourts depuis une dizaine d'années*». Dans notre enquête, nous n'avons jamais entendu de conjointes tenir de tels discours. Probablement parce que, généralement, on s'accorde à dire que la tâche culinaire lui revient: elle n'a donc aucun besoin de le préciser. La sociologie féministe nous éclaire sur ce point, en faisant observer que les représentations mentales de notre société confondent *compétence des femmes* et *nature féminine*[11].

Chez d'autres ménages, lorsque cette nouvelle distribution homme/femme n'est pas tout à fait intégrée, il peut arriver à la femme d'agir radicalement pour rétablir l'équilibre. C'est le cas de Sophie et Didier. Lors de leur mise en ménage, aucun problème de répartition des tâches ne s'est posé. Sophie se rappelle seulement que ça avait failli basculer: «*Je me suis assez vite trouvée à la bouffe... j'ai un peu gueulé... Didier l'a bien pris, il a assumé.*» Chez les couples où la gestion culinaire est particulièrement organisée, «*on peut se disputer pour savoir qui*

11. Par exemple, la cuisine en tant qu'activité domestique est souvent le fait des femmes, et la cuisine en tant qu'activité professionnelle celui des hommes.

prépare la cuisine», notamment lorsqu'il s'agit d'une réception d'invité-e-s. Ne jamais faire le même plat ensemble devient une règle; on reconnaît à l'autre un savoir-faire différent: *«On fait la bouffe de manière différente. Je compose sur le tas, avec ce que j'ai... Marc, lui, prévoit les choses»*, remarque Céline.

On en arrive ainsi à une présence revendiquée de l'homme vis-à-vis de la cuisine. Mais elle prend différents degrés. Dans notre population, nous avons pu observer des hommes en couple (partageant le même espace domestique ou à logements séparés avec ou sans cuisine commune) qui prévoient, organisent et font la cuisine, tandis que d'autres investissent peu. Même si auparavant ils se sont essayés à des essais de distribution égalitariste. Un seul homme de cette enquête se consacre presque entièrement aux tâches domestiques (excepté le repassage), tandis que sa conjointe, très occupée par son travail professionnel, revendique franchement sa non-assignation à la maison. On pourra parler ici, bien que cela reste rare, de «couple inversé». Quoi qu'il en soit, dans cette revendication apparaît, y compris dans le discours des femmes, la conscience d'un changement social important, voire historique. Dans les entrevues, les personnes décrivent un «avant» et un «maintenant».

LA CHARGE MENTALE MASCULINE EXISTE-T-ELLE?

La présence des hommes dans la cuisine questionne leur prise en charge: est-elle effective ou ponctuelle? Le concept de «charge mentale» élaboré par la recherche féministe[12] nous a permis de proposer l'idée d'une charge

12. La charge mentale est un concept défini par Monique Haicault, une sociologue féministe française. L'intérêt du concept est d'énoncer que le plus

mentale masculine dans l'espace domestique. Cette charge consiste en une préoccupation menant à une «prise en charge» de certaines tâches. À travers un exemple tiré de nos données de terrain, nous pouvons observer que cette charge est relative et inhérente aux interactions familiales.

Lundi soir: Fred et Jacqueline mangent ensemble:
«Jacqueline: — *Tu fais quoi demain soir?*
Fred: — *Peut-être que j'irai au ciné...*
Jacqueline: — *Je vais faire cuire le chou-fleur, comme ça Stéphanie* (leur première fille) *pourra le faire réchauffer.*
Fred: — *Non... je le ferai demain matin.*»

Mardi matin: Fabien, leur fils, est malade. À 6 h 45, il sort de la salle de bains, il vient de prendre sa température. «*J'ai 38° 1.*» Il repose le thermomètre... (depuis la veille, son teint pâle et des frissons faisaient craindre un début de maladie).

«Le chercheur: — *Tu vas rester ici?*

Fabien: — *... Oui... je la reprendrai vers midi... Ce matin, ça va, j'ai dessin...* (il réfléchit) *allemand... Ça va, je ne suis pas bon en allemand... mais cet après-midi, j'ai histoire-géo, et on a commencé un chapitre très compliqué, j'ai pas*

---

important pour étudier le travail domestique n'est peut-être pas tant les différentes tâches effectuées que la responsabilité et la gestion mentale de ces différentes tâches inhérentes au travail domestique. Et de ce point de vue, il faut associer travail domestique et travail professionnel, puisque les temps au travail et à la maison sont en interdépendance, que les femmes choisissent souvent un travail en liaison avec le lieu des crèches pour mettre leurs enfants, que les horaires de travail sont calculés pour libérer du temps domestique... et que la préoccupation mentale du domestique ne quitte pas les femmes magiquement lorsqu'elles sont au travail (salarié) à l'extérieur du domicile. Pour Monique Haicault, deux principaux médiateurs permettent le fonctionnement de cette charge mentale: le corps et l'imaginaire.
Monique Haicault, «La gestion ordinaire de la vie en deux», *Sociologie du travail*, n° 3, 1984, p. 268-275.

envie de rater... Je vais le dire à maman...», et il descend. Jacqueline est debout, prépare le déjeuner, déjeune, va se préparer. Fred lui succède à table, puis elle réapparaît, prête à partir.

«Jacqueline: — (À Fred.) *T'oublies pas de dire à Stéphanie pour les choux-fleurs...»*

Fred déjeune.

«Fred: — (À Stéphanie.) *Stéphanie, à midi je ferai cuire du chou-fleur pour ce soir...»*

8 h 30: Fred, seul à la cuisine, prépare les choux-fleurs, béchamel comprise, les dispose sur un plat, le goûte et l'installe au réfrigérateur.

Le soir vers 18 h 00:

«Le chercheur: — *Faut-il faire quelque chose pour ce soir?*

Isabelle (leur deuxième fille): — *Pas de choux-fleurs pour moi, j'en ai mangé à midi.*

Stéphanie: — *Si, du chou-fleur et puis papa a dit qu'il rentrerait tôt aujourd'hui.»*

18 h 50: Jacqueline rentre, demande qu'on éteigne la télé, s'inquiète des devoirs.

«Jacqueline: — *Stéphanie, ton interro* [travail demandé par le professeur]?

Stéphanie: — *Je l'ai pas faite...»*

Jacqueline n'insiste pas et part faire de la sculpture.

19 h 00: Les enfants éteignent la télé et montent dans leurs chambres.

19 h 40: Retour de Fred. Il fait réchauffer les choux-fleurs. Les enfants mangent. Isabelle, ne voulant pas de choux-fleurs, mangera du riz. Les enfants vont se coucher.

À travers cette scène, on peut percevoir toute la complexité de la gestion domestique entre hommes et femmes. On a affaire à une double charge mentale: d'un côté, une femme, soucieuse des repas du lendemain;

d'un autre, un homme qui propose de se consacrer à la préparation du plat, et le prépare effectivement le matin. Mais on remarquera surtout que cet événement culinaire prend place dans un ensemble d'événements imbriqués les uns les autres dans les interactions familiales. Chacune de celles-ci est alors un moment possible pour rappeler tel ou tel événement futur concernant un ou plusieurs membres de la famille ou la famille tout entière.

On notera, enfin, que cette *double charge mentale* est inefficace pour rassembler les membres de la famille autour d'un plat commun, et que la perte d'énergie est sûrement plus élevée que celle qu'il aurait fallu si une seule personne s'en était chargée. Cette gestion double des pratiques domestiques se remarque dans d'autres unités où les deux représentants du couple travaillent à l'extérieur. La charge mentale masculine nous paraît donc intéressante à examiner, notamment dès lors que le couple est composé de deux personnes travaillant à l'extérieur ou d'un homme vivant seul, avec ou sans enfant.

LE RÉGIME ALIMENTAIRE: BIO-DIÉTÉTIQUE... ET VIANDES

Mais comment s'intéresser à la cuisine sans s'intéresser aux plats et à leurs ingrédients? Dans les itinéraires des sujets de cette recherche, il existe toujours une séquence de vie où l'alimentation est biodiététique[13].

---

13. Nous entendons par biodiététique un régime alimentaire relativement restrictif, comprenant tant les céréales que les fruits et légumes, les boissons non alcoolisées... Il s'agit de ce qu'on pourrait appeler un radicalisme diététique, dont nous parle notamment Sabine Chalvon-Demersay dans son étude sur les couples concubins du XIVe arrondissement parisien: «Les principes diététiques et les impératifs d'efficacité convergent. L'accent est mis sur la légèreté des plats et la concentration en vitamines. Du coup,

«On a suivi la mode... manger des céréales... le pilpil... les petits déjeuners, on se faisait des müesli...» Présenté comme une mode, il s'agit en fait d'un mouvement social auquel ont appartenu ces hommes, et leurs femmes, compagnes ou *«copines»*. Cette adhésion nécessite une certaine rigueur en temps: *«On prenait le temps de les préparer: les noisettes coupées en petits morceaux, grillées, trempées la veille...»*; mais aussi en argent, les produits biodiététiques étant réputés à la fois pour leur salubrité et leur coût.

En analysant un peu plus les itinéraires de vie, nous observons une régression de ce régime alimentaire. En effet, une telle pratique semble incompatible en temps avec des rythmes professionnels denses, et difficilement cumulable en argent avec l'équipement de la maison, la venue d'enfants. Dans notre enquête, la naissance d'un enfant est une de ces «grandes décisions[14]» qui engendrent un déclin relatif de la pratique biodiététique.

Il ne s'agit pas là de pratiques marginales. La manière dont notre société a modifié le rapport à la nourriture doit nous inciter à prendre en compte plus largement le rapport au régime diététique[15]. La «nouvelle cuisine» a fait son apparition dans la vie domestique. Les procédés de conservation des produits combinés à l'image idéale du corps affiné, allégés de leurs graisses

---

dans les menus, le cru l'emporte sur le cuit. Cette transformation des goûts a une traduction esthétique: les teintes vives des légumes naturels remplacent la brunâtre couleur des plats longuement mitonnés. Avec une conséquence instrumentale: le réfrigérateur l'emporte sur le four ou sur la cuisinière: "On pioche dans le réfrigérateur".» S. Chalvon-Demersay, *Concubin, concubine*, Paris, Seuil, 1983, p. 65.

14. F. de Singly et M. Claude, «L'organisation domestique: pouvoir et négociation», *Économie et statistique*, n° 187, avril 1986, p. 3-30.

15. Le terme *régime* est généralement associé à l'amaigrissement. Pour notre part, nous reprendrons ici la définition préconisée par le *Petit Robert*, à savoir celle d'«alimentation raisonnée».

et sucres, touchent à présent la majorité des individus. Roland Barthes faisait remarquer que «la diffusion de cette nouvelle valeur, la diététique, dans les masses semble avoir produit un phénomène nouveau dont il faudrait inscrire l'étude en tête de toute psychosociologie de l'alimentation: la nourriture dans les pays développés est désormais pensée, non par des spécialistes, mais par le public tout entier[16]».

Il semble intéressant à présent de voir ce qui reste de cette pratique et comment les hommes se la sont appropriée. D'une part, il y a ceux qui suivent un régime pour être «*bien*» dans leur corps. L'adhésion à une coopérative de produits biologiques peut servir de support à cet apprentissage alimentaire. Les valeurs associées au régime biodiététique sont celles de «*qualité*», de «*goût*» et aussi de «*non-pollution*». Du petit déjeuner aux repas de midi et du soir, les légumes, les céréales, les fruits et les laitages (y compris le fromage) sont de règle. Le mélange varié et inventif l'emporte sur le répétitif. Pour ceux qui ont pratiqué ou pratiquent la biodiététique rigoureusement et quotidiennement, le corps devient central. La conscience physique du corps appartient désormais aussi à l'homme. Ce n'est plus à l'épouse qu'on reproche d'avoir préparé un repas trop lourd, la responsabilité lui incombe aussi: «*Si je sens un déséquilibre dans mon corps, je peux être très draconien pour rétablir.*»

D'autre part, il y a ceux pour qui la diététique est calquée sur le régime alimentaire de leur compagne, notamment lorsque le premier enfant arrive. Considérant qu'il mange «*mal*», Paul s'était investi dans un «*groupe*

16. Roland Barthes, «Pour une psychosociologie de l'alimentation», *Annales*, n° 16, 1961, p. 977-986, cité dans Laura Cardia-Voneche et Benoît Bastard, «Principes diététiques et fonctionnement familial. Une analyse de la formation et de la diffusion des normes en matière d'alimentation», *Cahiers de sociologie et de démographie médicales*, vol. XXVIII, n° 2, avril-juin 1988, p. 135-154.

diététique» lié à un ensemble d'activités innovantes d'une association de médecins. «*C'est intéressant pour l'équilibre*», dit-il. Ailleurs, Céline raconte: «*Au début, Marc, il lui fallait une viande à chaque repas, des flageolets, des pâtes, du riz... jamais de salades, de crudités... J'ai commencé à faire attention quand j'étais enceinte de Cédric.*» L'homme accompagne alors le mouvement: «*On a plus fait gaffe à ce qu'on donnait à manger aux gamins, donc à nous aussi*», nous dit Christophe.

Cette conscience peut également être présente chez une femme sans enfant. Morgane dira comment elle fut scandalisée par une mère qui donna pendant trois jours, soit six repas, la même nourriture à son bébé: une soupe de riz avec des pommes de terre; «*un bébé tout gros, qui ne pouvait pas bouger*».

En fait, que cette prise en compte de la diététique soit un fait individuel ou influencé par leur compagne ou par la maternité de celle-ci, le résultat est le même: le corps masculin devient élément de centralité dans une recherche de bien-être plus global, dosant le professionnel, le conjugal, le relationnel, l'individuel et parfois le politique. Mais sans doute faut-il voir dans cette période biodiététique un réapprentissage de l'alimentation. Beaucoup d'hommes nous ont déclaré leurs résistances à une diététique «*intégriste*» et aux individus «*trop intolérants*» qui en vantent systématiquement les mérites. Peu de temps après la période diététique «radicale», l'homme retrouve les bons plats en sauce d'antan. Apparaît donc, en fin de compte, un modèle associant le biodiététique et la nourriture qualifiée de «*assez traditionnelle*», le maître mot de ce modèle gigogne étant «équilibre». L'intérêt est de manger «*sans trop d'excès*»: «*On va pas abandonner le demi-verre de beaujolais tous les trois jours pour boire de l'eau tout le temps.*» Une place importante est accordée aux «*bonnes bouffes*», composées de plats de viande en sauce, de gratins de légumes, de fromage, de pain et de vin[17].

On assiste alors à une diversification des produits de consommation: du bœuf en sauce au dernier plat exotique qu'on a appris d'une amie «du pays», de la salade niçoise au riz complet-poisson... l'«équilibre» alimentaire se conjugue au «bon goût».

Ainsi, cette mixité des pratiques alimentaires, conjuguée à l'ouverture de l'espace-cuisine fait du culinaire un domaine inépuisable de la vie domestique, où il fait bon piocher, innover, homme ou femme.

LES FEMMES VERS LES ESPACES PÉRIPHÉRIQUES

Les modèles de la société industrielle offraient à l'homme une place périphérique dans la vie domestique. Le garage, la cave, l'atelier, le bureau sont ses lieux. Avec les transformations déjà énoncées, on peut s'interroger sur le devenir de ces espaces périphériques. Outre le fait que ces espaces sont de moins en moins

---

17. On trouve une analyse intéressante des symboliques du pain et du vin dans un ouvrage à présent célèbre, *L'invention du quotidien*: «[Le pain] est moins une nourriture diététique de base qu'un "symbole culturel" de base. [...] Le pain suscite le respect le plus archaïque, proche du sacré; le jeter, le piétiner, relève du sacrilège; le spectacle du pain dans les poubelles suscite l'indignation». Dans L. Giard et P. Mayol, *op. cit.*, p. 109.
Quant au vin...: «Tout le monde a en tête l'image sociale de l'alcoolique du malheur, mari ivrogne battant sa femme, dont on exhibait le foie noir et recroquevillé ("foie normal", "foie d'alcoolique"). À cause de cela, de ce «travail» des représentations culturelles inculqué à l'école, on ne va pas au vin comme on va droit au pain; il y faut un détour, celui qui permet, précisément, de se défalquer du trop-boire pour s'autoriser du bien-boire. [...] [Le vin] est l'anti-tristesse symbolique, la face festive du repas, tandis que le pain en est la face laborieuse (et l'eau, son côté pénitentiel: "au pain et à l'eau!"). Le vin est la condition *sine qua non* de toute célébration. [...] Le vin est une frontière sociale parce qu'il indique où commence la "tristesse" sociale, c'est-à-dire l'inaptitude à la réjouissance.» *Ibid.*, p. 112-116.

présents (d'autant plus dans les logements urbains), on assiste à une modification des représentations masculines du bricolage. Notamment, on observe certaines résistances aux souhaits du père de transmettre son savoir-faire de bricoleur. S'il s'agit parfois de résistances d'ordre idéologique, elles sont aussi inhérentes au développement des loisirs, qui offrent au garçon de multiples occasions de s'évader du domicile parental.

Pour les hommes étudiés ici, le bricolage ne concerne pas forcément le gros ouvrage (mécanique, fabrication de mobilier...), mais aussi le petit bricolage d'intérieur. Plus encore, ils englobent dans le même registre la fabrication des meubles, la couture des boutons, la confection de coussins pour le salon, et parfois même, le reprisage des vêtements de la compagne. Dans le même ordre d'idées, on observe que l'espace consacré à cette activité se modifie. Parfois, l'espace-bricolage pourra être une chambre à coucher, un hall d'entrée ou encore un salon.

Mais ce qui reste intéressant, c'est que, si la cuisine devient un lieu d'investissement masculin, l'espace périphérique peut également devenir un lieu féminin. Céline, la compagne de Marc, est particulièrement active dans une coopérative de production de meubles. Elle confectionne, dans un atelier proche du domicile, des meubles qui sont en bonne place dans l'espace domestique. Une étagère basse en bois massif sépare notamment son lit de celui de son conjoint. Véronique, elle, a choisi d'installer un atelier de couture dans un logement à part. D'autres compagnes nous annoncèrent aussi avec une fierté non dissimulée les quelques fois où elles «*plongeaient la tête dans le moteur*» de la voiture.

Ces déplacements notoires nous font assister à un brouillage des assignations classiques hommes-femmes. Cependant, nos enquêtes montrent qu'il reste un outil technique dont l'homme semble avoir une maîtrise quasi totale: la chaîne hi-fi. À l'opposé, les femmes ont un rapport quasi exclusif avec les plantes d'intérieur.

LES RÉSIDUS: LA CHAÎNE HI-FI ET LA PLANTE VERTE

Marc écoute beaucoup de musique. Le matin, c'est «*son fauteuil, son casque, sa pipe, sa tasse de café*», dit Céline, sa compagne. Toutefois, celle-ci avait conçu une installation particulière lorsqu'elle vivait avec des ami-e-s dans une autre région: de chaque côté du matelas sur lequel elle s'étendait étaient dressés deux blocs de polystyrène, sur lesquels reposaient les enceintes. Ainsi gagnait-elle en qualité acoustique. Mais depuis qu'elle est en ménage, c'est le matériel de Marc (matériel jugé par elle «*plus performant*») qui est utilisé par le couple; le sien, Céline l'a donné à un ami: «*Avant, j'avais une chaîne, mais elle était tellement moins bien!...*»

Même si la compagne «*aime beaucoup la musique*», l'homme est généralement moteur de l'achat et principal utilisateur du matériel. Aussi, il peut arriver que l'homme écoute la musique tandis que sa conjointe se consacre à un «*gros ménage*»:

«Paul: — *Oui, je crois que je l'emmerde avec ma musique.*

Martine: — *C'est pas la musique qu'il entend qui m'énerve, ni qu'il apprécie de l'écouter fort [...]. Il n'y a que le dimanche matin qu'on est ensemble et le dimanche matin, il descend, il s'occupe des jumelles* (deux de leurs enfants), *il met la musique et c'est vrai que ça doit souvent me rappeler des choses... et au bout d'un moment, ça m'énerve. Chez moi, c'était le dimanche où mon père était là. Mes parents, ils aménageaient leur journée du dimanche et on était obligés de suivre leur emploi du temps. Mais la musique, ça me dérange pas en soi.»*

Gilbert, lui, lorsque le climat le permet, s'installe souvent sur la terrasse de la maison, assis dans son fauteuil, avec des écouteurs sur les oreilles. La chaîne hi-fi, située dans la salle de séjour, n'est pas très éloignée. Le fil du casque chevauche la fenêtre: l'homme est ainsi relié à son domicile, ce qui transforme la terrasse en espace extérieur privé.

L'homme semble ainsi s'approprier un espace sonore. On peut comprendre cette régularité, frappante au beau milieu de ce métissage sexué ambiant, comme une emprise sonore de l'espace domestique. Le rangement du matériel hi-fi et des objets de consommation attenants (cassettes, disques...) est souvent périphérique, lié aux cloisons. Les cassettes et les disques, microsillons ou compacts, sont rangés, parfois ordonnés scrupuleusement (selon l'alphabet ou le genre musical), décrivant alors une collection. La présence excentrée de ces appareils techniques et masculins, la collection comme marque personnalisée et l'emprise de l'espace sonore peuvent être analysées comme la compensation d'une absence de l'homme dans l'histoire contemporaine de l'espace domestique.

L'envers de cette face technique est l'aspect «naturel» que représente la plante verte. Dans aucun des ménages rencontrés, la plante verte n'est achetée, entreposée et entretenue par l'homme. Même lorsque l'homme vit seul, qu'il essaie d'agrémenter son logement, il abandonne très vite: *«L'entretien, c'est chiant»*, déclare Didier. Parfois l'homme *«adore tout ce qui est fait dans ce sens»*, mais il est *«réduit à zéro quand il s'agit d'en motiver la création»*. S'agit-il d'une aversion à la plante verte ou d'une donnée historique assignant celle-ci aux femmes de la même manière que la chaîne hi-fi est assignée à l'homme?

La plante verte au domicile, c'est l'extérieur qui pénètre l'intérieur. Elle «réintègre la nature: la diversité des essences et de ces plantes qui grimpent ou tombent, diaphanes ou vernissées, reconstitue une forêt en réduction, propre, sans inquiétude, sans parasite[18]». Introduire des plantes dans la maison, c'est recréer une ambiance naturelle, comme pour contrebalancer une possible tristesse de l'intérieur. N'oublions pas qu'elle renferme une symbolique: la plante, c'est la nature, la croissance, la fécondation. On dit d'une jolie fille que c'est «une belle plante», elle peut être «plantureuse[19]». Tandis que l'homme sera plutôt «une bête», ou une «armoire» s'il est vraiment très costaud. Mais aussi, la plante verte féminine exprime une pénétration d'un extérieur dans un intérieur, intérieur dont elle est la détentrice au regard de l'histoire.

À la conquête d'un territoire personnel

À PROPOS D'INTIMITÉ

Nous avons vu qu'une des volontés affichées par les hommes (et leurs compagnes, copines, épouses, conjointes, amies ou concubines) est de transformer les assignations à des espaces comme la cuisine et l'espace périphérique. Même si la chaîne hi-fi et la plante verte nous rappellent les symboliques de la différence, une autre

---

18. S. Chalvon-Demersay, *op. cit.*, p. 46.
19. Bien que l'étymologie du terme renvoie à l'«abondance», à «ce qui est plein», un autre sens signifie «qui produit des fruits abondants. v. Fécond, fertile, riche» et a probablement, selon le *Petit Robert 1*, pour origine le mot *plante*.

manière d'appréhender les changements des rapports hommes-femmes dans l'espace domestique est l'étude des territoires personnels.

Si, à différentes époques, les espaces habitables durent laisser une petite place à l'exercice de l'intimité personnelle, la notion d'«intimité» est récente. En remontant quelque peu le temps, on peut comprendre l'héritage de ce besoin d'intimité, de recours au territoire. Selon Monique Eleb, psychologue connue pour ses nombreux travaux sur l'histoire de l'architecture, «les historiens s'accordent à décrire la vie quotidienne à l'intérieur des habitations, jusqu'à la fin du XVIe siècle et une bonne partie du XVIIe siècle, comme étant sous le signe de la *promiscuité* et de la *confusion des genres*». Mais elle précise que l'expression *vie privée* signifiait davantage pour cette époque «vie avec les familiers, qui sont nombreux à partager le même espace[20]». À cette époque, le retrait personnel n'est guère prévu, même si certains auteurs nous informent de l'existence de l'alcôve, mais aussi de la ruelle, cet espace situé entre le mur et le lit et où l'on déposait des objets personnels et intimes[21].

Toujours selon Monique Eleb, la recherche du retrait a été initiée par «les gens de culture et d'argent» vers les XVIIIe et XIXe siècles. La garde-robe, lieu de toilette intime et de déjections, et le cabinet de lecture où l'on se retire pour se retrouver ou recevoir des amis seront les premières pièces où s'exprime l'intimité personnelle. Assez vite, des territoires sexués se distinguent: pour l'homme le cabinet de lecture (ou l'étude), pour la

---

20. M. Eleb-Vidal, «Dispositifs et mœurs: du privé à l'intime», *In extenso*, recherches à l'École d'architecture Paris-Villemin, n° 9, novembre 1985, actes du colloque «La maison. Espaces et intimités», p. 216. Les italiques sont du texte original.
21. Ph. Aries et G. Duby (dir.), *Histoire de la vie privée*, tome 3, Paris, Seuil, p. 223.

femme le boudoir. Au fil du temps, les lieux de retrait se précisent et se diffusent dans toutes les couches de la population. La notion d'intimité est cependant devenue plus délicate à définir. Plus exactement, elle s'exprime à plusieurs niveaux. La célèbre étude de Nicole Haumont sur l'habitat pavillonnaire le montre bien. Les entretiens réalisés auprès de résidents pavillonnaires permettent de distinguer trois niveaux d'intimité: l'intimité familiale, l'intimité conjugale, l'intimité personnelle[22]. Selon d'autres, l'intimité n'est pas traduisible dans un espace particulier, mais est plutôt liée à des moments précis[23].

Si nous revenons à notre espace domestique, nous remarquons que la production de l'architecture domestique d'aujourd'hui tient pleinement compte de cette composante «intimité»: «Réfléchir à un dispositif spatial qui permette à la fois la retraite, l'indépendance et la rencontre, la vie familiale et sociale, a été, depuis que la réflexion sur l'architecture domestique s'est développée, un but, qu'il soit explicité ou qu'il se lise sur les plans[24].»

Aujourd'hui, si ces lieux de retrait existent bel et bien, leur expression n'est pas toujours rigoureusement délimitée dans l'espace. D'un point de vue culturel, il est admis que les lieux intimes du logement occidental sont la chambre (personnelle ou conjugale), le cabinet de toilette, la salle de bains. Ces tendances sont présentes dans cette enquête, mais nous ne manquerons pas de les

22. N. Haumont, *Les pavillonnaires. Étude psychosociologique d'un mode d'habitat*, Paris, Institut de sociologie urbaine, Centre de recherche d'urbanisme, 1966.
23. C'est notamment le cas de Philippe Starck, designer, qui considère l'intimité comme fondamentalement immatérielle. Quant à Monique Eleb-Vidal, elle précise ses propos en définissant l'intimité comme une «création symbolique, une représentation imaginaire pour chacun». Dans «L'intime», *Autrement*, n° 81, juin 1986, p. 129 à 133.
24. M. Eleb-Vidal, A.-M. Chatelet et T. Mandoul, *Penser l'habité. Le logement en questions*, Paris, Mardaga, 1988.

nuancer, ou parfois d'en ajouter: nous pensons notamment au bureau, qui semble s'inscrire dans une continuité historique avec le cabinet de lecture ou le boudoir.

LA CHAMBRE À COUCHER

Dans son *Ethnologie de la chambre à coucher,* Pascal Dibie, après de nombreuses évocations des chambres à coucher de tous les temps et de tous les coins de la planète, nous ramène à la place qu'elle prend dans notre société. Les chambres, nous dit-il, sont des «nids aménagés au cœur de nos repères, ce sont les pièces où nous faisons des séjours intérieurs constants et prolongés[25]». L'auteur ne manque pas d'ajouter: «Ironie du sort, salles de bains, cabinets d'aisances et chauffage équipent aujourd'hui environ 60 % de nos intérieurs, mais l'espace de nos chambres s'est rétréci à 3,70 m^2 en moyenne en 1985, presque 3 fois moins qu'il y a 20 ans.» Cette réduction en ferait-elle un lieu encore plus intime? Quoi qu'il en soit, lorsqu'on nous fait visiter un logement, la chambre à coucher est un lieu où l'on ne s'arrête pas longtemps. Dans la série de photographies que nous avons réalisées auprès des unités domestiques de notre recherche, cette pièce n'est pas toujours accessible, contrairement à toutes les autres pièces du logement (y compris les W.-C.). On passe vite, on peut parfois s'excuser du désordre, c'est un lieu à la limite du présentable. D'autres fois, on laisse le chercheur la visiter en lui faisant largement remarquer qu'il s'agit d'une «faveur», un événement exceptionnel.

25. Pascal Dibie, *Ethnologie de la chambre à coucher*, Paris, Grasset, 1987, p. 185.

Une équipe de psychologues italiens a montré que cette pièce était une «propriété exclusive, revendiquée même par les enfants les plus petits», un «espace exclusivement nocturne» lorsqu'il s'agit d'une chambre conjugale. Mais lorsque la famille est monoparentale, la chambre à coucher se transforme. Elle devient dans certains cas le «lieu d'élection de la relation familiale», et plus souvent encore un lieu ouvert à d'autres activités: lire, écrire, écouter de la musique[26].

Nous remarquons la même multiplicité d'usages (polyfonctionnalité) pour la chambre — quand ce n'est pas de l'espace domestique entier — chez des hommes vivant seuls. Le miniatelier de bricolage côtoie le lit, qui peut lui-même devenir un espace de réception. L'homme fait corps avec son environnement domestique, les seuils ne sont plus aussi apparents, excepté pour les espaces de réception. La chambre à coucher se transforme en chambre à vivre.

Pour ce qui concerne les chambres conjugales, si le lieu reste de l'ordre du privé, il nous faut mentionner quelques aspects relatifs. Tout d'abord, le «lit à soi[27]» a fait des adeptes. C'est le cas dans un des ménages rencontrés. Un meuble, fabriqué par la conjointe, sépare les deux lits situés dans la même pièce. Tous deux parallèles et face aux fenêtres, ils ont chacun dans leur prolongement des objets significatifs de cette distinction d'espace. Pour Céline, une guitare et une plante verte de taille moyenne. Pour Marc, un téléviseur et un magnétoscope, dont les télécommandes sont déposées sur la couche, tout près de la pipe et du paquet de tabac.

---

26. V. Giuliani, G. Rullo et C. Bacaro, «Structures familiales et modèles territoriaux», dans Nicole Haumont et Marion Segaud, *Famille, modes de vie et habitat*, Paris, L'Harmattan, 1988, p. 262-274.
27. E. Le Garrec, *Un lit à soi*, Paris, Seuil, 1979.

Il arrive aussi fréquemment que certains sujets ne supportent pas de lire au lit lorsque l'autre est présent-e, qu'il/elle lise aussi ou qu'elle/il dorme. Le retrait peut donc être vivement souhaité parfois par un des conjoints. De même, on ressentira mal les visites des amis du conjoint dans cette pièce hybride que peut être la chambre à coucher, lorsqu'elle sert aussi de bureau à l'homme, comme chez Christophe et Monique.

LE BUREAU

Dans son étude sur le mode de vie des concubins et concubines, Sabine Chalvon-Demersay remarque certaines transformations quant au travail. «Le travail rentre dans la maison. Par deux portes. D'une part, l'économie domestique change de statut, les tâches ménagères étant de plus en plus reconnues comme un travail; d'autre part, on travaille beaucoup chez soi: une planche posée sur deux tréteaux, des bibliothèques, des murs couverts de livres, un tabouret haut, une lampe d'architecte, des tables surchargées de dossiers sont des éléments du décor[28].»

Les métiers du secteur tertiaire, où les femmes sont majoritaires, donnent l'occasion d'importer le travail professionnel au domicile. La féminisation du travail professionnel étant un phénomène récent, les femmes prolongent le lieu de travail au domicile.

Dans la tension entre intérieur/extérieur déjà évoquée comme centrale des rapports sociaux de sexe, le bureau — traditionnellement, pièce masculine[29] — est un lieu de plus en plus personnalisé. Lors de nos entrevues, nous avons pu remarquer que le/la conjoint-e

28. S. Chalvon-Demersay, *op. cit.*, p. 45.
29. V. Giuliani *et al.*, *op. cit.*, p. 269.

ironise souvent quand il/elle parle du bureau de l'autre. On plaisante en décrivant l'amas de papiers, la pile de documents ou d'objets divers qui obstruent l'entrée de ce bureau. Nous avons pu toutefois observer différents cas de figure. Les bureaux ne sont pas gérés de la même manière d'un couple à l'autre, et dans l'histoire d'un même couple, il a pu y avoir plusieurs phases. Nous présentons ici ces différents types.

- ***Les bureaux séparés***

Certains conjoints, lorsqu'ils ont trouvé un logement suffisamment grand, décident de s'attribuer une pièce chacun.

Au début de leur exercice professionnel, Christophe et Monique, instituteur et institutrice, se trouvent dans la même école, partagent la même cour et certaines classes d'élèves. Ils installeront un bureau commun dans leur premier logement. Aujourd'hui, dans leur duplex[30], le bureau de Christophe est au niveau supérieur du logement, celui de Monique au niveau inférieur. Cette séparation correspond à un *«désir d'individualisation de l'espace»*, bien que Monique *«aimait bien quand on travaillait à deux»*. La particularité du bureau de Christophe est qu'il se trouve dans la chambre conjugale. La pièce est ainsi divisée en deux zones: le lit d'un côté et le bureau de l'autre. Entre ces deux espaces se trouve un meuble contenant des objets qui appartiennent à Christophe pour la plupart. Le bureau de Monique, quant à lui, se situe dans une pièce adjacente au salon. Il se sépare de celui-ci par une étagère ne laissant qu'un étroit passage. Sur le bord de l'étagère peuvent se trouver les vête-

30. La définition française du duplex est celle d'un logement à deux niveaux. Au Québec, il s'agit d'un bâtiment composé de deux logements superposés.

ments de Monique accrochés à un cintre. Le passage peut parfois être obstrué par quelques documents. L'organisation des deux bureaux est assez similaire, rappelant alors l'existence passée du bureau unique.

Chez Gilbert et Claudine, la situation est actuellement la même, mais le bureau commun n'a jamais existé. Il a été possible de créer deux bureaux séparés dès la construction d'un étage dans le logement en installant les chambres d'enfants à cet étage. Les bureaux se situent au rez-de-chaussée, à la place où étaient ces mêmes chambres.

Dans le bureau de Claudine, on trouve un piano et quelques dessins d'enfant en décoration murale. Dans cette pièce, on découvre également du linge domestique (nappes, serviettes de table...) dans un des placards de l'armoire. À sa proximité, des objets personnels de Claudine. Par ailleurs, une série de dossiers, courriers administratifs et livres occupent le reste de la petite pièce. Quand elle rentre de son lieu de travail, elle dit: «*Les enfants ont goûté, je pose mon cartable à un endroit où personne ne va mettre des coups de pied dedans, derrière une porte ou dans mon bureau.*» Le bureau sert alors ici de lieu de protection d'un outil personnel, ce qui permet à Claudine d'affirmer l'importance de sa vie professionnelle.

Le bureau de Gilbert, d'une taille similaire, comporte une étagère qui couvre toute une cloison. On y trouve des livres, quelques vidéocassettes et à droite, un bureau (le meuble) en bois massif particulièrement œuvré. Au-dessus de celui-ci s'étale une planisphère: «*Comme j'ai beaucoup voyagé, Pierre* (leur fils) *me sollicite, alors je lui montre.*»

• ***Le bureau qui disparaît***

Nous avons vu que lorsqu'il y a un bureau commun, il peut se scinder en deux bureaux personnels.

Mais il arrive aussi qu'il devienne à usage d'un seul des deux conjoints. Le style «tréteaux-planche» convient très bien pour ce genre de situation: la taille des planches disponibles sur le marché peut être effectuée à la demande. Le bureau *«où on devait travailler tous les deux»*, chacun-e ayant sa partie, devient un enjeu territorial important. C'est le cas d'un épisode de la vie d'Éric et Marianne, dont nous avons déjà rendu compte. Le bureau commun devient un seul, celui de l'homme, et se trouve relégué dans un coin du salon. Nous pourrions supposer que cela résulte de la taille réduite du logement. Il n'en est rien: la famille a déménagé dans un logement plus grand et la forme du bureau unique persiste. Dans ce nouveau logement, il ne prend pas place dans une pièce à part entière, mais est toujours situé dans le coin d'une pièce, au rez-de-chaussée.

Nous pouvons confirmer ici des travaux réalisés dans d'autres aires géographiques. Parlant du bureau, les auteurs Giuliani, Rullo et Bacaro nous disent: «Souvent, c'est la première pièce que l'on sacrifie, soit dans la réalité (au moment par exemple où l'on juge que les enfants qui avaient une chambre en commun ont désormais le droit d'avoir une chambre individuelle), soit dans l'hypothèse d'une réduction du nombre de pièces. [...] Il n'est donc pas surprenant que les plus grands conflits territoriaux se déclenchent au sujet de cette pièce, en particulier chez les couples avec enfants[31].»

- ***Le bureau du travailleur indépendant***

Parfois, lorsque ce bureau est à usage personnel exclusif, il arrive qu'il fasse l'objet de protections symboliques. Par exemple, Claude effectue une bonne partie

31. V. Giuliani *et al.*, *op. cit.*, p. 268-269.

du travail à son domicile, principalement dans son bureau. Bien qu'il considère cela comme du temps professionnel, il déclare qu'il aimerait bien y accueillir de temps en temps des gens. Quelquefois, il arrive que des voisin-e-s de la communauté où il réside passent à proximité de cette pièce; mais, dit-il, *«ils ont peur de déranger»* et, de fait, évitent de lui rendre visite. Lui, pourtant, serait *«ravi»*. La porte n'est pourtant pas fermée. Toutefois, Claude agrémente son travail de réflexion et de concentration en écoutant de la musique classique sous un casque à écouteurs. Toute l'ambiguïté du seuil du territoire est inscrite dans ses propos: *«Je m'enferme dans mon bureau, je laisse la porte ouverte.»* Ainsi, il parvient à faire de ce bureau un lieu de retrait et d'intimité. On comprend ainsi pourquoi les voisin-e-s hésitent à le rencontrer dans cette pièce.

• ***Le bureau: un lieu d'isolement***

Mais le bureau est principalement un lieu d'isolement. Cette pièce sert lorsque l'un des membres au moins a une activité professionnelle qui nécessite un travail supplémentaire à domicile. C'est généralement le cas des professionnels de l'enseignement et du travail social, des responsables d'associations, et plus généralement des professions dites «intellectuelles diverses». Il n'est pas pour autant réservé uniquement à ce travail. En effet, il est aussi le lieu d'autres activités. Un piano peut s'y trouver, une confidence à un enfant peut s'y produire. C'est également le lieu de production du courrier amical ou intime. C'est à Claudine que nous laissons le soin d'exprimer l'essence de ce retrait: *«On n'a jamais eu de bureau commun. Le bureau, c'est le lieu où on se retire... ça s'appelle un bureau, mais en fait, c'est un espace personnel. On souhaite pas la transparence.»*

Ainsi, il semble que la distinction nette des territoires se rencontre avec le bureau davantage qu'avec aucune autre pièce de l'espace domestique. C'est le lieu symboliquement fort de l'état et de l'évolution des rapports conjugaux.

LES MARQUES PERSONNELLES DU DÉCOR

Jusqu'à présent, nous avons parlé du territoire personnel comme d'une pièce où l'intimité peut s'exprimer. Mais nous devons dépasser cette analyse peut-être trop architecturale. Par exemple, et nous nous en sommes largement expliqués, le recours au désordre et à la saleté permet de marquer des territoires personnels. La décoration est une autre façon de faire.

Même si la décoration intérieure est parfois l'objet d'une concertation sur l'affiche ou l'image encadrée qu'on mettra sur tel ou tel mur de telle pièce, elle reste souvent un souci féminin. De l'affiche à la photographie évocatrice, en passant par l'importance de telle couleur de rideau pour une fenêtre de cuisine, on observe fréquemment une attention particulière des femmes pour le domaine. Ou alors, l'homme explique que *«c'est grâce aux femmes, et notamment à Sylvie, que j'ai pu apprendre les goûts et les couleurs»*. On remarque aussi que la pose de documents — écrits ou iconographiques — est initiée par l'homme. Ces documents écrits peuvent être des poèmes, des textes de remise en cause des rôles masculins et des attitudes qui y sont liées, un courrier personnel, une idée spontanée qu'on écrit au crayon délébile sur un réfrigérateur ou sur un tableau prévu à cet effet. Nous avons été amenés à observer ces pratiques plus fréquemment chez des hommes vivant seuls que chez des hommes vivant en couple.

Comme nous avions déjà pu l'observer en évoquant la prédominance masculine sur la musique et la chaîne hi-fi, ce que nous analysions comme l'emprise de l'espace sonore, nous pouvons voir ces marques comme une compensation à la place assignée historiquement à l'homme dans l'espace domestique. Visuellement accessibles par les visiteurs et les visiteuses, ces marques écrites découvrent l'hôte et certains traits de sa personnalité. Cette présence fréquente des marques personnelles vient ainsi renforcer le souci de l'homme de revendiquer sa sensibilité, phénomène que nous avons déjà analysé dans d'autres domaines domestiques.

Propre et rangé, espaces et circulations

LES W.-C.: LA DERNIÈRE PIÈCE DU PUZZLE

Après avoir traité du propre et du rangé, de la transformation des espaces qui portent historiquement des assignations masculines et féminines, et enfin du territoire personnel et de ses différentes expressions, essayons d'aller plus loin. Comment lire, derrière les gestes l'organisation domestique des pièces et des circulations, les représentations symboliques qui structurent, légitiment et organisent ces pratiques? Et, pour ce faire, comment ne pas parler des W.-C.? Curieusement, cette pièce est remarquablement absente des ethnographies sur l'espace domestique[32]. Cela peut être un signe évi-

32. Mentionnons toutefois l'excellent ouvrage de Sebbar, Doan, Pénot et Pujebet, *Des femmes dans la maison. Anatomie de la vie domestique*, Paris, Nathan, 1980. Cet ouvrage traite du quotidien de 10 femmes, «contemporaines de Mai 68 et du mouvement de libération des femmes, sensibles aux

dent de pudeur, qui touche aussi les chercheur-e-s. Mais si nous voulons être rigoureux, nous devons nous intéresser à toutes les pièces et à l'ensemble des témoignages sur les pièces de la maison. Or, de nombreux propos montrent l'importance des W.-C. dans l'organisation domestique des couples, mais aussi un rapport plus symbolique de l'homme avec les W.-C.

Outre leur fonction hygiénique, les W.-C. peuvent être aussi un lieu de retrait, un endroit où personne ne vient déranger; beaucoup de témoignages l'attestent. D'abord un premier constat: ce lieu dans la forme individuelle que nous lui connaissons est historiquement récent. Roger-Henri Guerrand a montré l'évolution historique des «lieux» par l'avènement de l'hygiène aux XIXe et XXe siècles. Petit à petit, on cherche le moyen de juguler les conséquences néfastes des déjections diverses. Maladies, odeurs... la voie publique empeste. Ce n'est que récemment que les W.-C. individuels ont une existence plus largement répandue: seulement 35 % des ménages français en possédaient en 1968 contre 85 % en 1986.

Dans nos enquêtes, nombreux sont les hommes qui déclarent rester longtemps aux W.-C. C'est généralement avec un livre ou un programme-horaire de télévision qu'ils s'y rendent. Que les hommes y passent du temps — et souvent plus de temps que leurs conjointes — demande une analyse particulière. Moment régulier et ritualisé (par exemple, Christophe déclare y passer un quart d'heure à chaque début de journée) ou moment occasionnel, le passage aux W.-C. n'est pas seulement ce

effets de ces deux courants d'idées». Parmi les nombreuses informations sur les pratiques et représentations qu'ont ces femmes de leurs espaces domestiques, on notera l'évocation des «cabinets» (p. 86-91).

moment anodin que l'on peut réduire à une réponse à un besoin physiologique[33].

LE SYMBOLISME CORPOREL

Pour comprendre un peu mieux ce rapport particulier, écoutons encore Mary Douglas:

> Le symbolisme corporel fait partie du fond commun des symboles — symboles qui bouleversent profondément parce qu'ils relèvent de l'expérience individuelle. Mais si les rites puisent leurs symboles dans ce fonds commun, ils les sélectionnent aussi. Certains symboles se développent à tel endroit, d'autres ailleurs. De par leur nature même, les analyses psychologiques ne peuvent expliquer ce qui, dans une culture à l'autre, diffère.
>
> Par ailleurs, toutes les marges sont dangereuses. En les tirant dans tel ou tel sens, on modifie la forme de l'expérience fondamentale. Toute structure d'idées est vulnérable à ses confins. Il est logique que les orifices du corps symbolisent les points les plus vulnérables. La matière issue de ces orifices est de toute évidence marginale. Crachat, sang, lait, urine, excréments, larmes dépassent les

33. Roger-Henri Guerrand narre cette anecdote tragique:
«Deux retraités, voisins de palier, se partagent l'usage de la même commodité. Manque de chance: leurs tractus digestifs respectifs sont accordés comme deux stradivarius. Dès la fin du bulletin des informations de vingt heures, chaque organisme éprouve le besoin de s'exonérer. Le premier arrivé se barricade dans la place. L'un avec son journal, l'autre avec sa radio. Les invitations à se dépêcher, les injures, les coups de pied font la joie de l'assiégé. Les murs et la porte de l'isoloir se couvrent de graffiti où chacun vilipende la mentalité et le côlon de l'autre. Un jour, n'y tenant plus, à tous égards, l'un de ces paisibles veufs prend son fusil, enfonce la porte et tue son rival à bout portant.» Dans R.-H. Guerrand, *Les lieux. Histoire des commodités,* Paris, La Découverte, 1985, p. 177.

> limites du corps du fait même de leur sécrétion. De même les déchets corporels comme la peau, les ongles, les cheveux coupés et la sueur. L'erreur serait de considérer les confins du corps comme différents des autres marges. Il n'y a pas de raison de supposer que l'expérience corporelle et émotionnelle de l'individu l'emporte sur son expérience culturelle et sociale. C'est cet indice qui nous permet de comprendre pourquoi les différents rites célébrés dans le monde mettent en valeur différentes parties du corps. Dans certaines sociétés, la pollution menstruelle est considérée comme un danger mortel; ailleurs, pas du tout. Dans d'autres sociétés, la pollution de la mort est un sujet de préoccupation quotidienne; ailleurs, il n'en est rien. Ici, les excréments sont dangereux; là, ils sont matière à plaisanterie. En Inde, les aliments cuits et la salive sont aisément pollués, mais les Boschiman entreposent les graines de melon dans leur bouche avant de les griller et de les manger[34].

Si pour les psychologues, le symbolisme parle de l'intérieur, c'est-à-dire qu'ils/elles ramènent toujours à l'expérience que le moi fait de son corps, pour les sociologues, qui cherchent à savoir ce que le corps peut nous apprendre sur les rapports entre le moi et la société, ce symbolisme est ouvert. Dans cette optique, nous accorderons une attention particulière aux limites corporelles et en particulier aux orifices corporels dans leur significations sociales:

«Le système [social] entier peut être représenté par un corps qui fonctionne grâce à la division du travail», disait Douglas[35]. Et d'illustrer son hypothèse à travers

34. Mary Douglas, *op. cit.*, p. 136-137.
35. *Ibid.*, p. 139.

l'exemple des castes indiennes, où la hiérarchie reprend la division entre ceux-celles qui pensent (la tête) et ceux-celles (les castes inférieures) qui s'occupent des déchets, qui nettoient la souillure: «La pollution symbolise la descente dans la structure des castes, par le contact avec les excréments, le sang, les cadavres», dit-elle.

À la suite de l'auteur, nous formulerons l'hypothèse que le rapport individuel aux orifices corporels vient souligner les frontières internes ou externes du système organisé par les rapports sociaux en œuvre dans l'espace domestique. Et nous essaierons de l'illustrer à partir des espaces que nous avons étudiés.

L'AXE CUISINE/W.-C.

Un élément de repérage de ces rapports aux orifices corporels est l'axe cuisine/W.-C. Dans notre enquête ou lors des recherches précédentes, nous avons vu cet axe utilisé comme un axe-refuge dans un certain nombre de couples.

La femme utilise la cuisine comme un espace de refuge; refuge contre le regard, l'intrusion ou le contact physique avec son mari. Elle invoque alors des prétextes d'hygiène: «*La cuisine ouverte, à l'américaine comme ils disent, ça pue*»; d'esthétisme: «*Comme je ne fais pas toujours ma vaisselle après le repas, ça fait pas bien, alors je préfère fermer la porte et aller avec nos invités au salon.*» Nous avons entendu plusieurs fois cette phrase lancée, suivant les cas à l'attention du mari ou des enfants: «*Laisse-moi faire...*», «*Sors de là... tu vas tout déranger*», «*Tu ne sais pas où sont les choses*» ou «*De toute façon, faut toujours que je passe derrière lui...*»

Dans ce type d'espaces domestiques, consciemment ou non, l'ordre de l'agencement de la cuisine (outils ménagers, produits, couverts...) ne semble obéir à aucune logique rationnelle (par exemple deux cuisines appartenant à des femmes de catégories sociales semblables, dans des lieux proches, peuvent être très différentes). Il ne semble pas exister de places culturellement déterminées pour chaque outil ou pour chaque agencement. Au fil du hasard des occasions d'achats mobiliers, des déménagements successifs, les cuisines se structurent et se transforment.

Le seul point commun de ces organisations spécifiques de la cuisine semble être que seule son auteure peut en retrouver le sens et fonctionner aisément dans l'univers de la cuisine. Ce qui n'est d'ailleurs pas remis en cause par leurs compagnons ou maris. Pour avoir entendu lors d'autres enquêtes[36] des femmes expliquer que *«au moins à la cuisine, quand il est devant la télé, j'ai la paix»*, nous ferons l'hypothèse que l'ordonnancement spécifique du propre et du rangé dans la cuisine, la gestion du risque de pollution par la présence ou l'introduction des autres membres de l'espace domestique, permettent l'établissement des frontières internes à la famille et, en cela, structurent *l'espace refuge* des femmes dans ce type d'espaces domestiques.

Dans les familles où la compagne se réfugie dans la cuisine, l'homme s'isole aux W.-C., accompagné de lectures diverses (journaux, livres). Il explique alors que: *«Là-bas, au moins, je suis tranquille», «Dans notre organisation, il est convenu qu'elle ne m'emmerde pas* [sic] *quand je suis aux chiottes», «Comme ça pue, elle me fout la paix.»* La référence est clairement la pollution: pollution des produits du corps, pollution des orifices corporels, ici l'anus.

36. D. Welzer-Lang, *Le viol au masculin*, Paris, L'Harmattan, 1988; *Les hommes violents*, Paris, Lierre et Coudrier, 1991; *Arrête, tu me fais mal... la violence domestique 50 questions, 49 réponses...*, Montréal, VLB éditeur/Le Jour, 1992.

Dans certains espaces domestiques, l'homme — le père — n'est pas le seul à trouver refuge aux W.-C. Certains enfants, voire l'épouse, amènent aussi des lectures diverses dans ce lieu, faisant ainsi de cette pratique-refuge une habitude familiale. Les témoignages et nos observations concordent: en général, le père passe plus de temps dans le lieu, comparé aux autres membres de l'espace domestique; mais surtout la mère, le père ou les enfants, sous des prétextes divers (travaux à faire pour la famille, besoins physiologiques de disposer du lieu) somment les occupant-e-s de *«se dépêcher»*, *«de libérer»* la place... Tout se passe comme si seul le père pouvait légitimement utiliser aux W.-C. tout l'espace et tout le temps qu'il désire.

On reprendra le parallèle de Mary Douglas sur les castes de l'Inde: la division sexuée dans l'espace domestique trouve une inscription corporelle. Les espaces-refuges utilisent la bouche (les repas) et l'anus pour s'inscrire spatialement. La hiérarchie, présente dans l'espace domestique, la prépondérance fournie dans l'agencement et le contrôle de l'agencement, utilisent symboliquement nos divisions entre faire/bouche — tâche noble — et expurger/anus — tâche moins noble (ignoble?) et dégradante — dont l'échelle de valeurs est celle de la pollution.

FERMETURE/OUVERTURE DE LA CUISINE ET DES W.-C.: CIRCULATION DES CORPS ET AGENCEMENT

Ce type d'organisation à double espace-refuge est particulièrement présent dans le couple fortement bicatégorisé où l'homme est absent ou exclu de l'espace domestique. Dans notre recherche, nous avons vu évoluer ces espaces par l'*ouverture* et la *circulation* des corps.

Disons-le tout de suite, certains hommes, quelle que soit leur forme de mode de vie (couple ou seul), vont maintenir cette pratique d'enfermement et de refuge dans les W.-C. tout au long de leur vie. Appris dans l'enfance, ce modèle de sexuation de l'espace domestique reste prégnant, même lorsqu'ils contrôlent l'entièreté de l'espace domestique: «*Même quand je suis seul, je m'enferme dans les chiottes avec un journal*», dit Jullien (homme célibataire, 28 ans). Pour d'autres, nous assistons à l'ouverture de ces espaces de refuge.

Dans le modèle à autonomies concertées, où l'initiative est encouragée et respectée, les différents modes d'accès de l'homme ou de l'enfant à la cuisine sont acquis, et pour imaginer, préparer et servir les repas, la cuisine s'ouvre. La porte, lorsqu'elle existe, va être ouverte ou plus fréquemment déposée. Parallèlement à cette ouverture, l'organisation interne de la cuisine, la disposition des outils ménagers et des produits, est plus ou moins exposée à la vue des hôtes de la maison. Nous verrons aussi l'utilisation de bocaux de verre, d'étagères ouvertes.

Ainsi, chaque habitant-e de l'espace domestique va à tour de rôle pouvoir s'approprier la cuisine et ses éléments. Cette disposition est concomitante avec le fait que l'ensemble des habitant-e-s nettoient la vaisselle et que la femme perd sa spécificité culinaire ou ménagère. Lorsque la topographie domestique le permet, une étagère où sont déposés bocaux, produits... matérialise la frontière entre cuisine et salle à manger.

Dans les couples à faible bicatégorisation, à l'opposé de l'espace-refuge, les corps (celui des adultes ou des enfants), les odeurs, les plats circulent aisément du lieu de préparation au lieu de consommation. Cette observation a été faite dans des milieux sociaux très différents. À ce moment-là, seule la différence en équipement ou en mobilier, voire l'utilisation de personnel[37], marque la différence de l'appartenance sociale.

Les W.-C. s'ouvrent aussi et excepté les cas déjà signalés, nous pouvons observer, avec des gradations diverses, l'ouverture permanente de la porte ou son absence. Et pour des W.-C. construits dans la salle de bains, nous assistons à l'utilisation conjointe des W.-C. pendant qu'une autre personne (homme, femme, enfant) se lave.

Mais les W.-C. s'ouvrent symboliquement d'autres façons. Lorsque l'homme continue une conversation avec un habitant-e de la maison ou le/la visiteur-euse pendant qu'il urine ou va à la selle. Ou alors, par l'iconographie exposée sur les murs des W.-C. L'affichage de documents personnels (poèmes, citations, photos) ou d'images (cartes, affiches...) est fréquent. Même la porte fermée ou entrouverte, l'autre, les autres sont présent-e-s, d'une certaine façon.

Dans certains lieux comme chez Antoine, les W.-C. sont posés dans l'immense espace qui sert d'appartement, sans cloison d'aucune sorte.

Tout au long de notre étude, l'axe W.-C./cuisine nous a servi d'indicateur pour mesurer l'interpénétration des territoires masculins et féminins dans l'espace domestique, et nous permet de comprendre quels rapports sociaux s'exercent entre hommes et femmes dans tel espace particulier.

Mary Douglas nous dit que lorsque les rites, les coutumes ou les croyances traduisent une anxiété à l'égard des orifices corporels, la contrepartie sociologique de cette anxiété est le souci de défendre l'unité politique et culturelle d'un groupe menacé. Et l'auteure de citer les

37. Des hommes de ménage sont parfois expressément recherchés, mais souvent en vain.

croyances des Juifs sur les sécrétions corporelles (sang, pus, sperme) et de les relier aux craintes vécues à l'endroit des limites de leur corps politique. De même, l'exemple de l'Inde et les appréhensions des castes supérieures au regard de la défécation et des larmes. Faisant fi d'un quelconque érotisme oral ou anal, les multiples exemples cités par Douglas montrent que la question de la pollution par des orifices corporels renvoie à une symbolique qui repose sur les représentations du corps dont le but essentiel est d'ordonner une hiérarchie sociale. La peur de l'intrusion du monde étranger dans le corps politique et dans la hiérarchie sociale interne entretient les peurs sur les orifices corporels. Ceux-ci deviennent des frontières externes et internes au système social.

Si nous reprenons l'axe cuisine/W.-C., le choix des aliments, leur cuisson, les croyances hygiénistes sur la pollution alimentaire vont être des indicateurs de pratiques sociales qui se conjuguent à l'ouverture ou la fermeture du lieu de préparation. Et nous en trouverons trace dans le formalisme ou pas de l'invitation, l'utilisation abondante du cru ou au contraire la dépollution par la cuisson, l'ouverture automatique, facile ou réservée de la table commune… Nous observons une gradation de pratiques possibles ayant trait à la bouche et au danger de pollution par contact direct ou indirect avec l'extérieur.

Remarquons toutefois qu'en ce qui concerne les W.-C., informations et analyses issues de l'anthropologie sont moins prolixes. On peut, et Mary Douglas en donne maints exemples, parler des humeurs ou des matières qui s'évacuent dans les W.-C. mais il existe très peu d'écrits concernant la protection de l'orifice anal et son rapport à la sodomie par exemple[38]. Réminiscence du

38. Souvenons-nous que certains États américains ont criminalisé la sodomie, même pratiquée de manière volontaire entre conjoints.

désir de protéger les rites vécus dans les maisons des hommes à l'abri du regard des femmes? On peut le penser. Godelier explique comment mythes et rites masculins chez les Baruya doivent être dissimulés aux femmes, pour préserver la domination, sous peine de punition capitale[39].

Nous pourrions dès lors questionner le sens symbolique exprimé par cette surprotection des orifices corporels en particulier dans les couples fortement bicatégorisés. Que cache leur intimité pour qu'il faille tant la protéger? Est-ce une peur de la déstabilisation ou un désir de cacher des pratiques sociales que sous-tendent bicatégorisation et domination?

Dans nos schèmes de valeurs culturelles, l'assimilation symbolique de l'homme à la saleté et au désordre dévalorise l'homme dans l'espace domestique. Elle l'invite à rechercher ailleurs des gratifications: dans les annexes de l'espace domestique, là où son savoir-faire professionnel est utile (atelier, garage) ou dans l'espace public où l'homme et le masculin sont valorisés.

Quant à la valorisation de la femme par la cuisine, il s'agit d'une gratification, non pour la femme, mais pour la mère nourricière. Paradoxalement, plus l'appropriation de la cuisine ou de la nourriture va se faire, plus l'ingestion d'aliments va être gratifiante, plus son corps se distinguera des idéaux érotiques masculins. Dans un système où la valorisation des femmes est dans le regard de l'autre (pour sa beauté ou pour l'aide «désintéressée» qu'elle doit apporter à mari, enfants ou descendants[40]), la perte du corps mythique de «femme

39. M. Godelier, *La production des grands hommes*, Paris, Fayard, 1982.

40. Colette Guillaumin, «Pratiques de pouvoir et idée de nature. 1. l'appropriation des femmes; 2. le discours de la nature», *Questions féministes*, n°s 2 et 3, février et mai 1978, p. 3-30, p. 5-30.

de papier glacé», de «femmes anorexiques de catalogue», la pousse à privilégier encore davantage l'autre mode de gratification: l'aide, l'assistance, autrement dit, les fonctions maternelles.

Ainsi les frontières internes des rapports sociaux de sexe que montre cette pratique spatiale du refuge dans l'axe cuisine/W.-C. incitent à un double effet: elles tendent à légitimer symboliquement l'absence de l'homme de l'espace domestique et à prioritariser les rôles maternels de la femme.

CHAPITRE 10

Les hommes aujourd'hui… Entre culpabilité et autonomie

Si le mot *conclusion* ne figure pas en tête de ce chapitre final, c'est que ce terme implique en lui-même une fermeture. Or, nous n'aurons pas cette prétention, tant cette recherche traduit une «histoire en train de se faire». Nous ne nous hasarderons pas, non plus, à *résumer*, tant cet acte paraît parfois réducteur et trop globalisant[1]. C'est donc pour un temps, et parce que la rédaction d'un ouvrage l'exige, que nous présentons ici de «terminer» notre exploration. Au-delà des descriptions singulières et des analyses que nous avons proposées dans les chapitres précédents, nous proposons des réflexions sur l'identité masculine et ses transformations. Que dire des changements masculins et qu'apportent-ils pour une réflexion plus large sur les rapports sociaux de sexe et ses évolutions en cette fin de XXe siècle dont on ne cesse de

1. Nous allons ici dans le sens de Joffre Dumazedier, qui déclare: «Comment conclure sans trop céder à ces imprudences qui guettent souvent les généralisations de la fin de nos études sociologiques?» *Révolution culturelle du temps libre. 1968-1988*, Paris, Méridiens Klincksieck, coll. «Sociétés», 1988, dernier chapitre.

dépeindre les «crises», les «troubles» et autres «bouleversements[2]».

Les hommes que nous avons entrevus dans cette étude, notamment quand on les compare à leurs pères, ont changé. Ces changements se manifestent dans une transformation des rapports hommes/femmes, une renégociation des relations avec ses proches, des confrontations aux modèles sexués et aux positions de père, de mère, de conjoint (ou mari), d'amant...

Nous pouvons maintenant, hors l'histoire individuelle de chacun, essayer de comprendre les régularités observées chez ces hommes et chez d'autres. L'étude des nouveaux comportements dans l'espace domestique nous permet d'appréhender les modalités selon lesquelles se négocient les rapports entre sexes.

Dans ce chapitre, nous analyserons d'abord cette question en termes de modèles d'union, c'est-à-dire la manière dont chaque mode d'habiter correspond à une forme particulière d'union avec une ou des femmes. Nous examinerons ensuite la dynamique de ces modèles. Enfin, nous essaierons d'intégrer ces modifications dans le processus identitaire des hommes. Qu'en est-il de l'identité masculine à travers les remises en cause des rapports de sexe? Comment les différents modèles d'union et l'éventail des possibles structurent-ils cette identité?

2. Voir entre autres: Collectif, *La certitude d'être mâle. Une réflexion hétérosexuelle sur la condition masculine*, Montréal, Jean Basile éditeur, 1980; A. Maugue, *L'identité masculine en crise*, Paris, Rivages, 1987; M. Dorais, *L'homme désemparé*, Montréal, VLB éditeur, 1988.

Les modèles d'union avec les femmes: l'arrangement

HABITER SEUL: NOUVELLE MANIÈRE D'HABITER OU RITE DE RUPTURE?

Nous n'oublions pas quelle fut la surprise des sociologues lorsque les chiffres du logement parisien nous ont appris qu'un logement sur deux était occupé par une personne seule[3]. Notre surprise n'en fut pas moins grande d'apprendre qu'un des effets de l'évolution des rapports hommes/femmes était l'apparition d'un nouveau type de ménage: les hommes seuls.

Dominique, Jean-Philippe, Antoine, Didier vivent aujourd'hui seuls. Sans doute, cette manière d'habiter traduit-elle des situations très différentes. Habiter seul en étant inséré dans un habitat à voisinage choisi, habiter seul dans une union à double résidence ou habiter seul sans union stabilisée présentent des caractéristiques fort différentes. Pour les hommes étudiés, c'est souvent un «*moyen d'affirmer son autonomie*» et «*ne pas être obligé de négocier sans cesse avec une autre*». Mais ce n'est pas

3. Cela n'est qu'un versant d'une imposante réalité de la plupart des sociétés industrialisées: la forte représentation des ménages composés d'une seule personne. En France, ces ménages représentent un quart de la population globale (données INSEE, 1982). Aux États-Unis, on atteint les 24 % en 1986, tandis qu'au Québec, on passe de 8 % en 1961 à 21,7 % en 1986. (Source: Richard Morin, *Les jeunes ménages et le logement au Canada,* Plan Canada, 30 (1): 23-32.)
Il faut toutefois noter que ces ménages sont en partie composés de personnes âgées, cela étant dû à l'augmentation de l'espérance de vie. Mais il reste que «la croissance du nombre de personnes seules est aussi très liée au nouveau mode de vie des jeunes». Voir, C. Bonvalet, «Évolution des structures familiales et conséquences sur l'habitat en France», dans N. Haumont, M. Segaud (dir.), *Familles, modes de vie et habitat,* Paris, L'Harmattan, coll. «Habitat et sociétés», p. 33.

systématique: certains n'apprécient pas toujours ce mode d'habiter et préféreraient être installés avec leurs conjointes, ce qu'elles ne désirent pas toujours.

Quoi qu'il en soit, habiter seul est différent du «célibat» ou du «non-mariage[4]». Cette forme de vie résidentielle, sans qu'elle soit présentée comme irrémédiable, augmente les capacités de choix concernant l'ensemble de son mode de vie, que ces choix concernent le travail salarié, la création, la sexualité ou l'éducation des enfants. Que les femmes soient présentes — dans le discours ou physiquement — cela relativise aussitôt l'analyse des rapports hommes/femmes. Il s'agit d'assumer son quotidien. Nous avons vu que le mode de vie trouve une inscription spatiale prégnante, notamment dans le propre et le rangé.

Si, au moment de l'enquête, près du quart des hommes étudiés habitaient seuls, les autres, dans leurs itinéraires de remise en cause des relations hommes/ femmes, peuvent aussi citer des périodes plus ou moins longues où ils ont occupé un espace domestique seuls. Que ce soit après une rupture amoureuse, une expérience collective ou plus simplement pour répondre à un malaise. Notre recherche décrit peu cet enchevêtrement de situations, où l'homme, à un moment donné, choisit d'investir complètement et exclusivement un espace. Nous pouvons toutefois nous interroger sur ce que cela traduit. S'agit-il d'une simple appropriation du territoire? Ou d'une difficulté de cogérer les espaces et les temps de la vie domestique avec des femmes? Ou, plus encore, un besoin de se réapproprier et de redéfinir les gestes de la quotidienneté en dehors du regard et de la présence de femmes? Nous pouvons essayer d'y voir plus clair.

---

4. Yvonne Knibiehler, *Le célibat, approche historique*, dans *La famille, l'état des savoirs*, Paris, La Découverte, 1991, p. 75-82.

Selon les constructions sociales sexuées, l'homme passe de la mère à l'épouse ou de la mère aux compagnes. Les témoignages sont ici explicites: l'homme doit être «pris en charge» par une femme. L'évolution des rapports sociaux de sexe, la problématique du «partage des tâches», inciteront l'homme à investir l'intérieur, à «faire comme» les femmes. Cela explique en partie la difficulté d'assumer le passage d'un modèle masculin dominant (celui que représente notamment le père) à la construction d'un autre possible.

Mais il reste un paradoxe. Comment, à partir de structures collectives (ou «collectivistes») comme les groupes d'hommes et les habitats collectifs à voisinage choisi, peut émerger un «habiter seul»? N'y a-t-il pas là quelque chose à approfondir dans la logique des itinéraires? Pour répondre à cette question, nous émettrons l'hypothèse du *rite de rupture*. Cette volonté d'habiter seul peut être effectivement comprise comme la trace d'un rituel de réinitiation masculine où l'homme s'approprie des manières d'habiter socialement exogènes (extérieures) à son groupe de sexe?

Aux États-Unis, chaque année, *Changing Man,* une organisation qui fédère différents groupes d'hommes antisexistes, organise des rassemblements «entre hommes». Les «*mengathering*», comme on les appelle, créent de toutes pièces des rituels collectifs d'initiation. Après avoir débattu des heures et des heures de la paternité, de la violence, des «rôles» et «fonctions» des hommes, les participants sont invités à participer à un rituel collectif de *rebirth*[5], danse collective qui marque le nouveau départ dans la vie d'hommes voulant vivre différemment notamment leurs

---

5. «Renaissance» en anglais. Il ne faut pas lire dans l'utilisation de ce terme une quelconque volonté d'angliciser la langue, mais d'employer un terme souvent usité en France pour décrire des phénomènes comparables.

rapports aux femmes et aux hommes. Toujours aux États-Unis, Robert Bly, à une autre échelle et dans une autre perspective, propose des stages aux cadres moyens et supérieurs qui veulent retrouver les racines profondes de leurs masculinités[6]. Son organisme compte des milliers d'adhérents[7]. Critiquant, comme Élisabeth Badinter, les hommes durs et les hommes mous, il accompagne, à sa manière, les transformations des hommes[8]. De même, en France, les thérapies qui traitent du masculin et du féminin se multiplient. Nous pourrions émettre l'hypothèse que se jouent aujourd'hui, sous nos yeux, des pratiques collectives où les hommes se réinitient, sous des formes diverses, aux nouveaux rapports hommes/femmes et hommes/hommes. Habiter seul peut, d'une certaine manière, accompagner ce mouvement.

Mais, outre cette réinitiation, habiter seul est une manière formelle et simplifiée de vivre le modèle masculin où sont séparées les différentes fonctions conjugales. Il peut y avoir la femme avec qui on a des enfants

6. Robert Bly, *L'homme sauvage et l'enfant*, Paris, Seuil, 1992.

7. *Le Nouvel Observateur*, n° 1452, septembre 1992.

8. Les notions d'hommes durs et d'hommes mous sont ambiguës. On comprend aisément ce que sont les hommes durs: machos, violents, contrôlants et dominateurs, bref des survivants de l'épopée patriarcale. Quant aux hommes mous? Sont-ce ceux qui, comme l'écrit Badinter, font la vaisselle? «L'homme mou, dit parfois l'homme-torchon, est celui qui renonce de son propre gré aux privilèges masculins, abdique le pouvoir, la prééminence du mâle que lui confère traditionnellement l'ordre patriarcal. Il domine en lui cette tendance à l'agressivité, abdique l'ambition et la carrière dans la mesure où celles-ci l'empêcheraient de se consacrer à sa femme et ses enfants. Il est favorable à l'égalité des sexes dans tous les domaines. Le couple qui se compose d'une féministe et d'un homme mou partage les tâches domestiques... et organise une démocratie au millimètre près tant la répartition des tâches doit être juste. [...] c'est souvent la conjointe féministe qui impose à son partenaire ce nouveau comportement qui lui est profondément étranger. L'homme se sent atteint dans sa masculinité, son identité chancelle et le plus souvent le couple est dissout.» Voir Élisabeth Badinter, *XY De l'identité masculine*, Paris, Odile Jacob, 1992, p. 194-196.

(mère), celle avec qui on partage du temps et des projets interpersonnels (épouse) et celles avec qui on partage la sexualité et les sorties (copine, amante, amie).

Hors la stabilisation que représente le mariage[9] ou la «presque stabilisation» de l'union libre[10], habiter seul permet de vivre l'autonomie masculine en laissant sur le seuil de l'espace domestique la difficile négociation avec une ou des femmes. La période d'isolement volontaire permet une réassurance dans les débats intergenres. Loin des connotations péjoratives de «vieux garçon» ou de «célibataire endurci», au-delà de l'attente d'une conjugalité «normale», habiter seul peut représenter une forme de revendication de l'autonomie.

HABITER SEUL OU EN COUPLE... AU MILIEU DES AUTRES

Qu'on ne se méprenne pas: habiter seul, cela s'apprend. Le qualificatif *seul,* on l'associe trop souvent au substantif *solitude.* Il faut évidemment relativiser ce point de vue misérabiliste: habiter seul, c'est aussi traverser des groupes sociaux et exploiter les diverses expériences vécues pour assumer une vie de «solitaire». Tous les hommes concernés par cette recherche ont plus ou moins été liés à des mouvements de vie collectifs ou communautaires. Cette période se situe souvent peu après le départ du domicile parental, et avant une mise en couple ou un «habiter seul». Que ce soit dans des «communautés néo-rurales[11]», des habitats groupés

9. Peter L. Berger, «Le mariage et la construction de la réalité», *Dialogue,* n° 102, 4e trimestre 1988, p. 6-23.
10. André Béjin, *Le nouveau tempérament sexuel,* Éditions KIME, 1990.
11. Cette expression était de mise à une certaine époque et a servi à de nombreuses analyses sociologiques. Voir notamment Bernard Lacroix, *L'utopie communautaire,* Paris, PUF, coll. «Le sociologue», 1979.

autogérés ou sous des formes moins transparentes dans les centres urbains, chacun peut reconstituer par le récit de vie, parfois avec ironie, parfois avec passion, l'expérimentation de cette vie collective.

Certains témoignages ou certaines études approfondies de ces groupes[12] montrent combien, au bout de quatre ou cinq ans, la proximité devient promiscuité. Le modèle du «vivre autrement» sécrété depuis l'après-guerre apparaît dans les années 1960-1970 comme une forme d'idéologie autonome et unique partagée par tous. Un regard un peu plus profond permet de comprendre que cette idéologie est présente à des degrés divers selon les individus et les périodes.

Nous reprendrons à notre compte les analyses de Marcel Bolle de Bal, psychosociologue belge qui analyse cette forme de retrait comme un «atelier initiatique». La fonction de «création d'un nouveau monde», généralement attribuée à ces expériences initialement utopistes, est ainsi très nettement une fonction secondaire. En fait, il s'agit de réapprendre la vie collective en s'approchant le plus possible des idéologies qui la sous-tendent: les enfants sont ceux de tout le monde, chacun-e a le droit de regard sur telle attitude ou tel comportement de

12. Outre l'ouvrage de Lacroix, on notera les références suivantes:
Michel Besson et Bernard Vidal, *Journal d'une communauté*, Vivre, Stock/2, 1976.
Marcel Bolle de Bal, *La tentation communautaire. Les paradoxes de la reliance et de la contre-culture*, Bruxelles, Institut de Sociologie Psychosociologie, Éditions de l'Université de Bruxelles, 1985.
Hélène Chauchat, *La voie communautaire*, Paris, Publications de la Sorbonne, 1980.
Jean Paul Filiod, *Le règne de l'enfance*, Mémoire de maîtrise de sociologie et d'ethnologie, Université Lumière, Lyon 2, 1988; *De l'histoire sociale à la vie domestique. Essai d'ethnologie contemporaine* (notamment le chapitre intitulé *Proximité et distance*), DEA de sociologie et sciences sociales, Université Lumière, Lyon 2, 1990.

l'autre, le partage est érigé en principe fondamental, l'individu devient égal à tout autre, homme ou femme.

Mais très vite, au-delà de ces idéaux annoncés et revendiqués, les tensions se manifestent et tout devient question de frontières. Le public, le collectif, le privé, l'intime ont des significations différentes pour beaucoup, et même si certain-e-s partagent les mêmes, il suffit alors d'un rien pour que le groupe se déconstruise lui-même en unités domestiques indépendantes gérant quelques zones collectives.

Bien qu'au départ, à l'installation en groupe, dans une effusion d'échanges, conjugalité, parentalité et rôles sexuels hérités des générations précédentes soient proclamés dépassés par certain-e-s, l'expérience commune brouille assez souvent ces beaux principes. L'usure due aux remises en cause souvent incessantes des pratiques masculines et féminines, la montée des individualismes, les habitudes... tout ou presque concourt à s'adapter aux normes traditionnelles.

Nous conservons dans nos esprits une image parfois caricaturale de ces initiatives communautaires: cheveux longs et sales, élevage de chèvres, partage égalitaire des tâches et sexualité groupale. Tout dans ces images laisse à penser communément que la famille nucléaire n'y a pas de place. Pourtant, même si les principes initiaux s'érigent contre l'institution famille, la réalité évolue bien autrement.

Très vite, la fidélité conjugale — que l'on peut qualifier de monogamique — et l'autorité parentale pour certain-e-s, le souhait d'une relation privilégiée pour d'autres, s'expriment de nouveau à l'intérieur même de ces communautés. Quoique certaines personnes ne suivent pas cette règle, une bonne partie des membres de ces familles électives redonnent à la vie conjugale, voire à la fidélité conjugale, et à la parentalité une place prédominante. Il s'agira, pour beaucoup d'entre eux, suite à l'échec de la communauté en matière d'égalitarisme, de reproduire un modèle du même type au sein du couple.

L'UN-E EST L'AUTRE: AU DÉPART ÉTAIT LA FUSION…

Pour la plupart des hommes étudiés, la mise en couple échappe à la ritualisation sociale. On ne se marie pas ou peu, ou on s'est marié à la sauvette pour régulariser une situation déjà ancienne. L'installation conjugale est progressive. Mais c'est une fois le couple installé que se vit la fusion. C'est ce que certains sociologues ont appelé le modèle «égalitariste»: l'un-e est l'autre et réciproquement. Dans l'idéal, les différenciations sexuelles doivent être gommées et combattues.

Dans la sphère domestique, on «partage» les tâches, ou plus exactement — tant cette métaphore paraît dépassée — on compte les tâches. Les couples ont mis en place plusieurs dispositifs qui tiennent tant du calendrier que de la comptabilité analytique: chacun-e ne doit pas en faire plus que l'autre et chacun-e doit en faire autant que l'autre. On retrouve dans cette formulation la difficulté à gérer conjointement les «double standards asymétriques[13]» en œuvre dans le propre et le rangé, le

---

13. Cette expression signifie que, quelles que soient les prises de positions idéologiques, les affirmations ou proclamations, les constructions sociales du masculin et du féminin organisent des représentations et des pratiques différentes. Celles-ci organisent et légitiment les différences entre hommes et femmes. Outre les exemples donnés ici, on peut en avoir d'autres illustrations sur la violence masculine: ce qui est défini comme violence et contrôle par les hommes ne l'est pas forcément par les femmes. Voir D. Welzer-Lang, *Arrête, tu me fais mal! La violence domestique, 60 questions, 59 réponses…, op. cit.*

fait que ce qui est sale pour l'un ne l'est pas encore pour l'autre. Vaisselle, lessive, préparation des repas, courses, nettoyage des sols, des vitres... tout est passé au crible de l'égalitarisme. Le fonctionnement à la dette est permanent. Dans cette étrange arithmétique conjugale, le plus petit dénominateur commun correspond dans les faits aux normes féminines du propre et du rangé: l'homme doit alors apprendre et se conformer aux normes de sa (ses) compagne(s).

Dans ce modèle conjugal de fusion, tous les espaces du logement sont communs ou bien chacun-e revendique et affiche son territoire, mais sans qu'il soit possible d'en interdire l'accès à l'autre. Hors de question de s'isoler sans l'accord commun. Cuisine, atelier, W.-C., salle de bains sont en libre accès à tous moments à l'ensemble des cohabitant-e-s de l'espace domestique. Dans beaucoup de couples, le bureau était commun, les femmes étaient autant préoccupées que leurs compagnons par les problèmes de mécanique, de menuiserie ou de maçonnerie.

Dans l'éducation des enfants, de la préparation des repas aux réunions de parents d'élèves en passant par les devoirs et leçons à faire apprendre, sans oublier les nuits agitées des enfants en bas âge, chacun-e participe pour moitié. On supprime les références sexuées du papa-maman pour ne plus laisser apparaître que les prénoms[14]. Dans le choix des jouets ou des sorties, on veille à ne pas sexuer à outrance l'éducation des filles et des garçons.

Avant même cette éducation, la décision d'avoir un enfant est commune, sa venue est préparée. On assiste à

14. Cette pratique permet aussi l'adaptation aux nouveaux modèles conjugaux, ou l'ami-e de la mère ou l'ami-e du père ne trouve pas d'appellation générique.

une centralité de l'enfant à naître. Si la pilule pour hommes, expérimentée par certains hommes étudiés ici, est un moyen on ne peut plus symbolique d'affirmer la place du père (et de l'homme) dans la procréation, la maternité de la femme est décidée en commun: on se déplace ensemble pour enlever le stérilet, on prévoit éventuellement les dates de procréation, les hommes participent aux séances de préparation à l'accouchement et sont présents au moment de la naissance. De même, ils mettent en œuvre une série de moyens pour affirmer leur place de coréférent central après la naissance: pour langer le petit ou la petite, s'en occuper, l'emmener en vacances... Certains iront même jusqu'à souhaiter explicitement que l'enfant à naître soit une fille: *«pour éviter de se confronter au machisme des hommes»*, disent-ils alors[15].

Quant à la sexualité, on assiste au modèle du «tout dire[16]». On doit tout dire ou plutôt, comme le disait Foucault, «tout avouer[17]». «Il faudrait idéalement aujourd'hui, entre partenaires, ne rien se cacher, tout dire, révéler ses infidélités, dévoiler ses fantasmes, confesser jusqu'à ses masturbations. Lourde charge que celle d'être à la fois, pour la personne dont on partage la vie, l'amant, le conjoint, l'ami, le père ou la mère, le frère ou la sœur, l'enfant, le confident, le confesseur[18].» Non que les «autres» désirs ne soient pas identifiés ou reconnus, mais la gestion conjugale commune de la sexualité laisse peu de place à l'initiative individuelle. Au mieux, certains couples expérimentent alors le «triolisme» —

15. Daniel Welzer-Lang, *Le masculinisme en naissance*, DHEPS, Université Lyon 2, 1986.
16. André Béjin, «Le mariage extra-conjugal d'aujourd'hui», *Communications*, Paris, Seuil, coll. «Points», 1984, nº 35, p. 198-224 (1re édition 1982).
17. Michel Foucault, *La volonté de savoir*, Paris, Gallimard, 1976.
18. André Béjin, *Le nouveau tempérament sexuel*, *op. cit.*

l'amour à trois — ou le communisme sexuel: quitte à vivre d'autres rapports, vivons-les ensemble.

Le modèle androgyne, où sont gommées et effacées les différenciations sexuelles, clame très fort ses revendications égalitaires et antisexistes. Souvent, l'esthétique, le geste et les savoir-faire de ces hommes épousent leur mimétisme du féminin: vêtements amples, parfois confectionnés par eux-mêmes, maquillage pour certains, féminisation des propos ou des attitudes pour d'autres. Modèle de l'unique, associé à une phase revendicative de l'évolution des rapports sociaux de sexe, il a une forte symbolique féminine. Si l'on s'arrête quelque peu sur la vie des hommes, il leur a fallu tout à la fois:

— abdiquer les privilèges associés à leur genre dans la gestion de l'espace domestique, c'est-à-dire apprendre comme leur compagne à laver, éduquer, ranger, préparer à manger... et ce, dans les formes qu'elles mettaient en avant. Les savoir-faire masculins rejoignent ce qui est appris par des femmes et toute velléité de différence est stigmatisée comme un abandon des principes antisexistes.

— soumettre leur carrière professionnelle aux contraintes inhérentes aux couples à doubles stratégies professionnalisantes: justifier les absences pour les maladies du petit, rentrer tôt le soir quand leurs collègues disposent d'amplitudes horaires plus larges ou éviter les formations trop impliquantes.

— abandonner leurs quêtes de relations extraconjugales ou les soumettre aux critiques, jalousies et incursions de l'autre.

Ainsi, ce modèle implique une double charge mentale dans la préoccupation du quotidien. Apparemment androgynes, les couples vivent alors un modèle qui se révèle assez vite impossible à vivre. Ce constat de l'impossible fusion — partout et sur tout — laisse alors la place à un autre modèle: celui des couples à autonomies concertées.

LE MODÈLE À AUTONOMIES CONCERTÉES: L'UN-E ET L'AUTRE

Le passage d'un modèle à l'autre n'est ni linéaire ni automatique. Durant cette période troublée et volontariste de fusion indifférenciée, beaucoup de couples vont se séparer. Certains utilisent un habitat plus ou moins collectif pour essayer d'étendre leurs principes égalitaristes à une tribu. Nombre de crises ont ponctué ces initiatives, crises qui ont abouti à la dislocation des couples et à l'ouverture vers des périodes où l'homme vit seul, dans un autre couple ou en groupe. Dans d'autres cas, hommes et femmes quittent la fusion pour — origine de classes sociales oblige — reprendre les voies du lignage. On se rappelle de la période précédente comme d'un rite de passage entre l'adolescence et la vie adulte, après laquelle l'homme reprend une carrière ascendante, quitte à changer de ville pour un lieu où la réputation n'est pas un obstacle à l'exercice du pouvoir.

D'une manière générale, le premier modèle fut associé à un militantisme politique, du moins à une contestation sociale, un «engagement» dans les mouvements sociaux plus ou moins liés à l'extrême gauche ou au féminisme[19]. Le second modèle se réclame d'un humanisme proféministe ou promasculiniste[20], voire d'une

19. Ces observations sont liées à l'histoire politique et sociale de la France entre 1970 et 1981. Dans cette période, les hommes décrits ici avaient pour la plupart entre 20 et 30 ans et vivaient leur premières mises en couple.
20. Le terme *masculinisme* est compliqué. Héritier de la grande mode des «-ismes»: marxisme, anarchisme, catholicisme... son étymologie est parallèle

écologie humaine et sociale, mais apparaît moins organiquement lié à une composante politique précise.

Chez les couples étudiés (et cette remarque est également valable pour certains groupes), on assiste alors à la coapparition d'un seuil de confiance et du constat de la fusion impossible. La méfiance généralisée sur les pratiques masculines qui présidaient auparavant à la vie conjugale, voire l'illusion de la perfection des symboliques féminines, laisse peu à peu la place à une individuation des pratiques où réapparaissent, à des degrés divers on l'a vu, des positions traditionnelles du masculin et du féminin. Dans le même temps, on assiste à différentes mobilités géographiques: l'attirance pour la «campagne» décroît, on va (re)vivre en ville et on quitte généralement le précaire et son emblématique de pureté pour *s'installer*. L'achat de mobilier neuf en atteste.

Dans l'espace domestique, les territoires de l'un-e et de l'autre sont séparés et distingués tandis que des bornes délimitent les parties communes. Chacun-e a alors le droit de disposer à sa guise, après contrat réciproque, de son territoire. Les bureaux se séparent. Le propre et le rangé font alors seuils symboliques. On quitte les comptes d'apothicaires sur le travail domestique pour essayer d'harmoniser les contraintes. Les quelques points résiduels de conflit (le mélange du linge, l'incapacité à réparer la voiture...) sont acceptés comme des différences *individuelles* et non plus comme des différences *de genre*.

D'une certaine manière, on passe de l'androgynisation à l'asexuation de l'espace domestique. Il ne s'agit

---

à «féminisme». Utilisé en France dès 1979, par les hommes d'ARDECOM en analogie à «féminisme» pour décrire leur volonté de remettre en cause le sexisme et les positions traditionnelles du masculin, ce terme est considéré aux États-Unis comme caractérisant au contraire les mouvements réactionnaires qui s'opposent à l'émancipation des femmes. Nous accepterons ici la définition européenne.

pas d'un retour aux valeurs patriarcales vécues par les parents, mais d'une pause dans la remise en cause incessante des positions de sexe et des fonctions masculines et féminines. Il est admis que les cohabitant-e-s sont différent-e-s, que ces différences réfèrent parfois de la différence sociale des sexes, mais plus globalement, on affirme que *l'un-e n'est pas l'autre*. Nous l'avons montré, ce modèle va de la double charge mentale chez les un-e-s à la redifférenciation chez les autres où la femme peut parfois redevenir femme au foyer. Autrement dit, sous le contrôle et la dépendance du conjoint. Il est encore «normal» que l'un-e et l'autre participent et s'occupent du travail domestique, mais chacun-e le fait en fonction de ses possibilités. Dans certains milieux, l'achat d'appareils électroménagers (lave-vaisselle, sécheuse...) ou l'appel au personnel de service (la femme ou l'homme de ménage) supplée aux difficultés. Mais dans la majorité des cas, la stabilisation conjugale correspond à une gestion commune des trajectoires professionnelles. L'un-e après l'autre vont, par la reprise d'études ou d'une formation professionnelle, accéder à des postes mieux positionnés dans les hiérarchies sociales. Les ressources communes sont mobilisées autour de l'aboutissement des projets individuels.

Pour la sexualité, quoique certain-e-s aient chacun-e leur lit (voire leur chambre), la règle est la complicité et l'évitement. On accepte en général la jalousie virtuelle comme une potentialité, et on «s'arrange». Les désirs de relations extraconjugales sont bien souvent reconnus, et chacun-e les gère individuellement en essayant de ne mettre ni le couple en danger ni l'autre en souffrance. Lorsque c'est le cas, l'amant-e se rencontre à l'extérieur ou pendant l'absence de l'autre. Bien plus, on considère souvent comme normale l'érosion du désir du à l'érotisme de l'habitude et le besoin «naturel» d'activer fantasmatiquement ses désirs ailleurs. On sépare désir sexuel et vie conjugale: le désir acquiert ainsi une place autonome. On voit aussi apparaître des contrats de «non-sida»: chacun-e se préserve à l'extérieur. À la reconnaissance et l'acceptation déjà anciennes de la polygamie[21] masculine par le couple, plus ou moins bien vécue antérieurement, s'ajoute maintenant celles de la polygamie féminine. La fidélité n'est plus envers le ou la partenaire, mais envers la structure conjugale; elle n'est plus centrée sur le corps, mais sur la vie commune.

La différenciation trouve non seulement des inscriptions spatiales ou professionnelles mais, plus globalement, chacun-e développe un jardin secret, un espace temporel et personnel qui lui est propre. La confiance est l'élément commun, le ciment qui permet au couple de fonctionner. Le contrat préalable est la règle. L'autonomie peut être plus ou moins importante, elle est toujours concertée. Compromis entre les visions égalitaristes sur le domestique, le besoin d'articuler professionnel et familial, la reconnaissance de la nature inévitable du désir sexuel et le fait de vivre ensemble par une volonté commune, le modèle est à autonomies concertées, à géométrie variable et à frontières mouvantes.

Hors les contraintes conjugales ou familiales, l'individu, homme, femme ou enfant, devient le centre du système. Le «moi-je» est érigé en principe et modelé pour satisfaire les aspirations de tous et toutes. Le couple développe une notion claire de son interdépendance et de la perméabilité des désirs de chacun-e. On voit apparaître un couple du double: double autonomie, double

21. Le mot *polygamie* renvoie en général à des unions multiples et simultanées *légitimes*. À notre connaissance, il n'existe pas de terme pour caractériser le fait d'avoir plusieurs partenaires, sans qu'il y ait nécessairement union légitime. À défaut, nous nous satisferons du terme *polygamie*.

désir, double trajectoire professionnelle, double prise en charge du travail domestique, double charge mentale.

À y regarder de plus près, à l'opposé d'un modèle du *tout-en-un*, vécu généralement par les femmes, où le même homme doit être tout à la fois mari attentif, bon père et amant émérite, le modèle à autonomies concertées est sous-jacent à une symbolique masculine, notamment par la séparation des fonctions conjugales, parentales et professionnelles qu'il véhicule. On peut ainsi être tout à la fois: femme performante professionnellement, épouse qui construit des projets conjugaux avec son conjoint, mère inquiète de l'éducation des enfants, et amante par ailleurs; on peut être aussi: homme qui réussit sa carrière, époux qui prend en charge pour partie le travail domestique, «nouveau père», et avoir des relations sexuelles plus ou moins stables avec d'autres femmes. La distinction des fonctions familiales propres aux stéréotypes masculins permet une optimisation du système.

Mais là où le modèle à autonomies concertées montre sa véritable symbolique masculine, c'est plus encore dans l'adaptabilité, dans la notion de performance. Avec la conscience des difficultés liées à la vie moderne, la réussite du couple, envers et contre tout, devient un défi, un pari sur l'avenir. La séparation, en cas de non-réussite, devient alors un avatar de la modernité que l'on essaie de gérer au mieux.

Ainsi, ce modèle est principalement caractérisé par le fait que l'individu, quel que soit son sexe social, est reconnu comme une personne. La contractualisation et l'adaptabilité sont des valeurs de nos sociétés actuelles, mais l'émergence de l'individu dans le domestique correspond aussi à une forme de transformation des rapports sociaux de sexe qui tend à faire perdre à la variable sexe social son caractère discriminatoire. Le modèle à autonomies concertées accompagne de manière pragmatique la révolution provoquée par le féminisme et les mouvements antisexistes. Et ce, pour les femmes et pour les hommes.

Derrière les modes d'habiter: les rapports hommes-femmes en changement

DES MODÈLES PRÉCAIRES

On a beaucoup parlé après les années 1980 des «nouveaux» pères, des «nouveaux» maris ou des hommes qui, à l'instar des femmes, «prenaient leurs responsabilités» en utilisant une pilule anticonceptionnelle. Outre l'effet médiatique, isoler quelques comportements de leur contexte social a pu laisser croire aux changements définitifs et radicaux de quelques hommes. Par suite, dans une logique évolutionniste, on a pu dire: «Deux décennies ont suffi pour mettre un terme au système des représentations permettant aux hommes d'exercer sur les femmes un pouvoir mille fois millénaire: le patriarcat[22].» Notre enquête montre que la réalité est bien plus complexe que cela.

De la singularité des itinéraires de vie des hommes, nous avons essayé d'extraire une analyse d'une manière de vivre les rapports hommes-femmes dans la société contemporaine. Témoins d'une époque de transformations sociales importantes de ce point de vue, ils donnent à voir des «modèles en construction». La formule peut paraître surprenante: l'idée de modèle renvoie malheureusement l'image d'un cadre fixé à tout jamais. Le

22. Élisabeth Badinter, *L'un est l'autre*, Paris, Odile Jacob, 1986, p. 11.

modèle est une «représentation simplifiée d'un processus, d'un système[23]» défini à un moment donné dans l'histoire sociale. Il n'en est pas pour autant figé. De plus, nous vivons une époque de mobilités comme jamais l'histoire de nos sociétés n'en a encore connu[24]. Ce que nous avons décrit jusqu'à présent ne restitue peut-être pas tout à fait la précarité de ces modèles. Les itinéraires de vie nous montrent une séquentialité importante, où ce qui est alors perçu comme un *modèle* n'est en fait qu'un épisode de vie.

Dans le groupe d'hommes de Lyon, Armand B. a été père au foyer, Antoine S. a refusé le travail salarié pendant de nombreuses années, Dominique V. est père célibataire, Pierre C. (un autre membre du groupe d'hommes de Lyon) fut «nourrice agréé», et ces hommes ont pris la «pilule» pendant près de six années. Dans l'autre groupe d'hommes étudiés, quatre hommes ont été tour à tour «*permanents*» dans une «communauté néo-rurale»: chacun, pendant une année, prenait en charge la quasi-totalité des tâches domestiques et des gardes d'enfants pour l'ensemble de la communauté, tandis que tous les autres membres (hommes et femmes) travaillaient à l'extérieur.

L'étude sur un court terme a ses limites. Plusieurs années plus tard, chez les uns, les expérimentations contraceptives ont cessé et les compagnes de ces hommes continuent, après une pause pour certaines, à assumer seules la contraception. Pierre, après deux années à pouponner à domicile, après s'être rendu compte que son statut le coupait d'une vie sociale, a repris une carrière

---

23. Le *Petit Robert 1*.

24. Nous entendons «mobilité» dans un sens multiple, et non seulement géographique. En effet, elle peut être sociale, professionnelle, économique, politique, ou encore conjugale, maritale, amoureuse et sexuelle.

professionnelle ascendante (il dirige aujourd'hui une agence de spectacles-événements à vocation sociale). Antoine est devenu travailleur social auprès de femmes en difficulté. Aussi, Paul fut récemment homme de ménage après avoir été tour à tour prêtre, chauffeur de car et photographe. Éric, après bien des incertitudes, suit maintenant régulièrement des formations promotionnelles dans son entreprise, tandis que Marianne n'a pu exploiter sa formation initiale de technicienne agricole et élève leurs deux enfants. Quant à Marc, un grave accident l'immobilise un an à domicile: il fut enseignant, libraire, puis maraîcher, et ne sait pas à présent à quel métier il va se consacrer.

Chaque épisode biographique reste marqué par le passé, par les désirs de vivre autrement les rapports aux hommes et aux femmes. Mais les formes atypiques d'adaptation se transforment en fonction des évolutions de la société. De même, les idéaux de jeunesse ne sont jamais complètement recouverts, mais en quelque sorte, on passe de l'exigence de perfection à la conscience de l'imperfection. La vie est alors perçue comme une suite de possibles, chacun-e étant l'occasion de relations conjugales, parentales et sexuelles différentes et en interrelation. En fait, dans les couples étudiés, on trouve une palette de situations qui vont de la domination masculine douce à la coaffirmation des autonomies masculines et féminines. Dans certains cas, l'autonomie territoriale de l'homme est rendue possible par le territoire moindre de la compagne. On voit réapparaître les signes de rapports plus traditionnels. Dans d'autres cas, les prises d'autonomies sont conjointes et interactives.

Il reste que le modèle à autonomies concertées apparaît pour beaucoup de couples (qu'ils soient en résidence commune ou séparée, avec ou sans enfants, mariés ou non) comme le modèle optimal. Mais nous resterons prudents. Ce modèle n'a pas de référent historique comparable pour les couples qui le vivent. C'est donc fatalement un modèle qui s'expérimente, s'improvise, dans lequel on analyse les effets en même temps qu'on les vit, sans réellement savoir si cela est *«LE modèle qu'on attendait»*. Nous pourrons penser ici à d'autres transformations sociologiques fondamentales, comme l'arrivée massive des familles monoparentales et des familles dites «recomposées». «En l'absence de règles instituées et légitimes, nous disent Martin et Le Gall, ces familles sont en quelque sorte contraintes de "bricoler" tant bien que mal des modes de régulation adaptés à leur situation complexe[25].» On comprend alors qu'un «modèle en construction» peut être vécu comme précaire, du fait de l'incertitude de sa *durabilité*.

De la même manière, on ne sait jamais si le cadre conjugal ou social que laissent à voir ces hommes est un *état* ou une *étape*. S'agit-il de déplacements successifs dus à une crise postadolescente jamais close ou d'un éternel temporaire qui s'adapte aux transformations sociales? Quoique le modèle de la famille nucléaire reste un modèle dominant, même mâtiné de multiples remises en cause, on assiste ici à une tension entre deux idéaux: la stabilité et le changement continu.

QU'EST-CE QUI FAIT CHANGER LES HOMMES?

Quoique limitée, la population enquêtée offre — notamment si on y intègre les réseaux d'appartenance — une large palette des modes d'insoumission aux normes masculines:

25. *L'instabilité conjugale et la recomposition familiale*, Claude Martin et Didier Le Gall, dans François de Singly (dir.), *La famille, l'état des savoirs*, Paris, Éditions La Découverte, 1991.

— refus individuels ou collectifs de faire l'armée: pour des motifs politiques, mais aussi *«par peur de la violence», «pour ne pas être tondu comme les autres», «pour ne pas perdre mon temps»;*
— désir de se distancier d'une église par trop complice des riches et de l'impérialisme; et volonté de vivre au grand jour sa sexualité[26];
— critique contre la médecine des riches, où *«on répare et on ne soigne pas».*

Sans que cette liste soit exhaustive, on trouve dans les motivations à *«vivre autrement»* un imbroglio hétérodoxe où s'articulent des motifs idéologiques et personnels. Des positions éthiques d'hommes influencés par d'autres visions de l'église et des oppositions aux institutions totalisantes[27] (armée, école, prison...) se mêlent aux désirs de vivre autrement sa sexualité ou ses relations avec les femmes.

Beaucoup d'hommes énoncent une opposition ponctuelle à un corps social masculin comme point de clivage avec l'identité masculine. Ensuite, tout se passe comme si la construction sociale du masculin offrait une telle prégnance que la remise en cause volontaire ou non (idéologique ou personnelle) d'un terme de cette identité tendait à répondre sur les autres. On l'a vu, les ruptures s'effectuent de manière cyclique et séquentielle. Pour la majorité de ces hommes, les influences du féminisme sont omniprésentes. Lorsque nous disons cela, nous pensons au *féminisme militant*, mais aussi au *féminisme diffus*. Il ne fait aucun doute qu'un élément commun de l'ensemble des itinéraires masculins étudiés

---

26. Sur cette question, voir Jean-Paul Filiod, «Mon père... Papa... De la dissidence ecclésiale à la vie ordinaire», dans *Des hommes au masculin*, Lyon, CREA, CEFUP, Presses Universitaires de Lyon, p. 47-70.
27. E. Goffman, *Asiles*, Paris, Éditions de Minuit, 1968.

— la rencontre avec une ou des féministes — est un des facteurs explicatifs principaux de l'origine des changements. C'est ainsi qu'apparaissent de nombreuses formes de *culpabilité* d'être un homme (la forme la plus radicale rencontrée ici étant le refus du pénis).

Mais lorsqu'on s'attarde sur les trajectoires individuelles, la culpabilité n'explique plus tout. Le refus de l'armée, d'une forme d'exercice du pouvoir, la volonté de rompre les solitudes masculines, l'insoumission masculine aux normes de constructions sexuées, les contestations des modèles des rapports entre hommes ne peuvent se réduire à la seule influence féministe, qu'elle soit militante ou diffuse. D'autres questions se posent. Notamment, pour beaucoup d'hommes, vivre d'autres relations avec les femmes a toujours été parallèle — voire postérieur — au désir de vivre d'autres rapports avec les hommes, sans qu'il s'agisse pour autant d'homosexualité[28]. Même si certains ont vécu de telles expériences, nous pensons qu'il s'agit plus généralement de ce que nous appellerons l'*homosocialité:* il s'agit effectivement de transformer le modèle masculin dominant en vivant des rapports entre hommes qui soient faits de simplicité, de tendresse, de douceur et de confidence, quitte à «*montrer ses faiblesses*».

D'autres éléments de biographies apparaissent intéressants à souligner. Certains de ces hommes peuvent citer et dépeindre des figures féminines remarquables dans la parentèle proche. Leur mère, leur grand-mère ou leur tante sont décrites comme des «*femmes fortes*», des

28. D'autres recherches en cours tendent à montrer que les mouvements gais et féministes sont concomitants dans l'évolution de l'identité masculine. Un livre collectif sur l'homophobie, *La peur de l'autre en soi,* dirigé par D. Welzer-Lang, P. Dutey et M. Dorais, est en préparation dans la même collection. Il montre notamment l'influence du modèle gai dans les remises en cause masculines.

«femmes créatrices», des *«femmes qui existaient à part entière»* ou encore des *«femmes de caractère»*. Tout semble suggérer que la préexistence dans leur entourage familial de femmes plus ou moins autonomes, du moins de femmes qui revendiquaient leur autonomie, soit — et on comprend aisément pourquoi — un facteur facilitateur pour que des oppositions plus ou moins ponctuelles aux modèles identitaires masculins s'expriment légitimement.

Par la suite, et nous en avons déjà donné des exemples, *l'accession au plaisir* pérennise l'évolution individuelle. Entre la culpabilité et l'accession au plaisir de se vivre différent, de découvrir des paroles masculines structurées autour du «je» et de l'autonomie, se dessinent les différentes biographies des hommes étudiés. Le corps — corps de l'homme ou corps social masculin — tient ici une place centrale. Accepter la prison comme alternative à l'armée, prendre la pilule pour homme, défroquer ou jouer avec son corps, ses apparences et sa parure, les changements masculins trouvent des inscriptions corporelles quelquefois apparentes, parfois radicales.

Au-delà de ces trajectoires, la position sociale occupée par ces hommes aujourd'hui peut nous permettre de formuler une hypothèse. En effet, la plupart ont à présent accédé aux métiers de la presse, de l'enseignement (tant primaire que secondaire ou supérieur), du travail social, de la médecine ou des arts. Globalement, il s'agit de corps valorisés socialement car liés à *l'élaboration des savoirs*. N'avons-nous pas assisté, à travers ces mouvements modernistes ou utopistes, qu'ils aient été urbains ou ruraux, à des phénomènes symboliques permettant collectivement aux hommes de dépasser ou d'accompagner les remises en cause féministes? Ou alors, ne sont-ils pas, hormis l'atypisme et la parole légitime due à leur position sociale, la partie immergée de l'iceberg, qui cache des réactions masculines aux remises en cause féministes? Nous laisserons cette hypothèse en suspens, en suggérant que d'autres travaux de recherche seront nécessaires pour l'enrichir.

LES RAPPORTS HOMMES-FEMMES EN CHANGEMENT

Si cette recherche est centrée sur les hommes, il n'en reste pas moins que la compréhension des rapports sociaux de sexe reste sa problématique centrale. Un constat s'impose: les relations hommes/femmes se transforment et, dans cette évolution, le masculin se repositionne. Quand les femmes changent, accèdent au travail professionnel, s'inscrivent massivement dans les études supérieures, les hommes, en interaction, modifient leurs positions sociales. De nombreux travaux féministes avaient déjà démontré — et notre enquête le confirme pour les hommes — que les pratiques sexuées dans l'espace domestique sont en interdépendance avec l'ensemble des rapports en œuvre dans les autres espaces sociaux[29]. Pour comprendre l'évolution des comportements masculins et féminins dans l'espace domestique, il faut regarder l'évolution globale du rapport homme/ femme dans la société civile.

Les sociologues de la famille tentent aujourd'hui de caractériser les types de familles existant dans la société contemporaine: «familles bastion», «compagnonnage» et «association» pour certain-e-s[30], fonctionnement à la

---

29. Marie-Agnès Barrère-Maurisson, *La division familiale du travail, la vie en double,* Paris, PUF, 1992.

30. J. Kellerhals, J. Coenen-Hüther et M. Modak, «Justice conjugale: de quelques manières de définir le juste dans les couples», *Dialogue,* n° 102, p. 92-101.

dette ou au don et à la dette pour d'autres[31]. Les questions sur la famille et le couple sont suffisamment cruciales pour que nous soyons sensibles à toutes les recherches qui sont produites depuis maintenant plus de 20 ans sur la question. Mais les recherches actuelles semblent sous-estimer un des effets de la propagation diffuse des remises en cause de l'identité masculine, qui peut se lire dans la volonté de certains hommes de vivre seuls dans l'espace domestique («une maison à soi» peut-on dire, pour paraphraser Virginia Woolf).

Dans ces espaces domestiques, même si la période où l'homme habite seul est souvent limitée dans le temps, l'homme assume l'entièreté de son quotidien. Habiter seul peut être compris comme une des alternatives de l'évolution des rapports sociaux de sexe, une forme (temporaire ou précaire?) de l'évolution du masculin.

Quant aux couples ou aux différentes formes groupales de cohabitation, ce qui semble caractériser l'évolution des rapports entre hommes et femmes, ce n'est pas tant un fonctionnement particulier (au don, à la dette ou tel type de contrat précis) que la variabilité entre ces différentes formes. Quelle que soit la fréquence des changements de structures, les unités domestiques étudiées montrent que la famille actuelle est une *unité sexuée précaire*. Même si le mythe du «prince charmant à vie» n'a pas disparu (qui oserait le prétendre?), pas plus que celui de la fille du roi qu'on épouse pour plus tard diriger le royaume — et même si dans certains couples, la violence masculine est encore présente — les femmes et les hommes tendent à vivre le modèle conjugal comme un

31. F. Bloch, M. Buisson et J.-C. Mermet, «Activités féminines et obligations familiales», *Dialogue*, n° 110, p. 75-90.
Jean-Claude Kaufmann, *La trame conjugale, Analyse du couple par son linge*, Paris, Nathan, 1992.

ensemble d'interactions en perpétuelle évolution: le couple n'est plus éternel, ni dans sa composition, ni dans sa forme, ni dans son fonctionnement.

De plus, le pragmatisme individuel ou les autonomies concertées semblent seconder la lutte pour l'égalitarisme: on veut tout et tout de suite, mais on accepte les contraintes inhérentes au fait de vivre ensemble. Ce modèle est particulièrement adapté aux réalités sociales globales actuelles, où les autonomies masculines et féminines sont socialement valorisées. Les analyses sur les symboliques masculines et féminines du propre et du rangé nous montrent aussi que, sans en comprendre toujours la raison, on intègre la différence de constructions sociales entre hommes et femmes dans le fonctionnement conjugal. Il en va de même dans d'autres domaines, notamment celui du désir de conquêtes sexuelles et celui des inquiétudes vis-à-vis des enfants.

Mais qu'en sera-t-il dans 20 ans? Qui peut le dire? L'évolution des pratiques masculines et féminines est interdépendante des remises en causes globales des survivances de la domination masculine; des remises en cause des rapports sociaux de sexe dans l'ensemble de la société. Pour ne prendre ici que quelques exemples saillants, comment oublier que les salaires féminins sont maintenus inférieurs aux salaires masculins? Que le droit à disposer de son corps, notamment par l'avortement, est sans cesse attaqué de toute part? Et que les couples présentés dans cette étude ne sont pas exempts de restes de division hiérarchisée entre hommes et femmes?

Pour reprendre une des hypothèses qui a présidé à la conduite de notre recherche, on passe parallèlement aux transformations sociétales des rapports sociaux de sexe à l'avènement de formes conjugales où la collaboration-partenariat remplace l'autocratie des pères et où le couple lui-même n'est qu'un moment dans l'itinéraire singulier d'une personne et ce, quel que soit son sexe social.

Bien évidemment, le point de vue du sociologue de la famille diffère de celui des enquêtes. Nous avons été frappés dans notre recherche par la volonté positiviste, non de gommer les différences inhérentes à la survivance du patriarcat et du viriarcat[32], mais de les contourner ou du moins d'essayer de le faire[33].

Tout se passe comme si l'évolution des rapports sociaux de sexe devait prendre la question de la survivance de l'inégalité de droit par l'autre bout. *«On a été aussi loin que possible»*, disent certains, comme si l'état actuel de leur couple était un compromis acceptable et vivable au regard de leurs origines familiales passées. Plutôt que d'obtenir d'autres arrangements dans leur couple, le travail consiste à présent à stabiliser les acquis antérieurs et à développer l'espace social où d'autres acquis pourront être obtenus plus tard. Nous sommes dans une période de transition et les personnes interrogées en ont développé une conscience aiguë.

32. Le viriarcat se définit pour Nicole-Claude Mathieu comme le pouvoir des hommes, qu'ils soient pères ou non, que les sociétés soient patrilinéaires, patrilocales ou non. L'utilisation de ce concept permet de décrire plus finement les avancées récentes en cours dans les rapports sociaux de sexe. Séparer ainsi l'obtention de l'égalité de droits des mères (autorité parentale) et les divisions sexuelles du travail (salaires féminins inférieurs, travail domestique invisible et non reconnu...) Voir N.-C., Mathieu, *Quand céder n'est pas consentir. Des déterminants matériels et psychiques de la conscience dominée des femmes, et de quelques-unes de leurs interprétations en ethnologie*, dans *L'Arraisonnement des Femmes. Essais en anthropologie des sexes*, Paris, EHESS, 1985, p. 169-245.

33. Rappelons-le, cette recherche a été menée parallèlement à une autre sur les violences domestiques, et nous avons été surpris, pour relativiser notre optimisme précédent, de la proximité dans certains couples de la survivance de cette forme de contrôle corporel et social.

LE SENS DES RECHERCHES: ENTRE HOMMES ET FEMMES

Les analyses que nous avons produites ici peuvent surprendre. Le choix du sujet aussi. Combien de sourires, mi-ironiques, mi-sympathisants, remarquons-nous lorsque nous diffusons autour de nous les premiers résultats de cette recherche... Il n'est pas inintéressant de dire que les réactions sont sensiblement les mêmes que l'on soit autour d'une table entre ami-e-s ou à l'université ou dans les milieux de la recherche. Évidemment, lorsque nous développons de tels thèmes, il est difficile d'éviter les projections individuelles. Théoriser sur les hommes et les femmes revient pour l'interlocuteur ou l'interlocutrice à se positionner par rapport aux modèles proposés. Évoquer le propre et le rangé ou le «coin à soi» renvoie chacun-e à son expérience individuelle de la vie domestique. Même si nous comprenons le sens de telles réactions[34], notre intérêt dépasse évidemment les simples effets d'annonce. L'aspect sociologique nous paraît fondamental.

Jusqu'à présent, l'étude de la famille a souvent consisté à étudier les discours féminins. Nous pourrions multiplier les critiques sur les études précédentes qui, pour l'instant, n'ont pris en compte que les représentations et les pratiques féminines. Décrypter l'organisation du pouvoir dans le couple en n'interrogeant que les femmes, étudier le travail domestique réalisé par les hommes par le discours de leur conjointe, catégoriser le don et la dette en n'interrogeant que les femmes consti-

34. Il serait malhonnête de dire que nous n'acceptons pas ces effets, puisque nous n'ignorons pas nous-mêmes que nous sommes des hommes et que les sujets d'une enquête sont toujours des miroirs possibles de notre propre identité (sur cette question, voir nos développements dans l'annexe méthodologique).

tuent des biais majeurs. Nous nuancerons là nos critiques, car nous restons conscients du fait que nous sommes aussi le produit de cette période, et que sans ces présupposés théoriques, nous n'aurions pu réaliser cette recherche sur les hommes. Mais les propositions de Daune-Richard et Devreux[35] de travailler sur les deux termes des rapports sociaux de sexe ont été largement négligées dans les recherches. De plus en plus, on voit toutefois se multiplier les recherches qui intègrent le masculin et le féminin: notamment, Kaufmann et De Singly à propos du linge[36], Langevin dans l'étude des représentations des frères et sœurs[37] et Devreux sur l'armée.

Notre recherche, quant à elle, n'est qu'un essai restreint dans ses généralisations. Mary Douglas dit que «la sociologie dans un verre d'eau a un grand avantage: on peut y discerner sereinement ce qui, dans un champ d'observation plus étendu, serait confus». Mais, ajoute-t-elle, «les verres d'eau ont un inconvénient: on ne peut y observer les vraies tempêtes et les vraies convulsions[38].»

Connaître les hommes et le rapport homme-s/femme-s, et cela en termes micro ou macro-sociologiques, passe inéluctablement par la multiplication des études sur le masculin. Ces études du masculin et du féminin

---

35. Anne-Marie Daune-Richard et Anne-Marie Devreux, *La reproduction des rapports sociaux de sexe. À propos des rapports sociaux de sexe: parcours épistémologiques*, Rapport pour l'ATP CNRS, tome 3, 1986 (Réédition 1990).
A.-M. Devreux, «De la condition féminine aux rapports sociaux de sexe», *BIEF*, n° 16, mai 1985.
36. J.-C. Kaufmann, F. De Singly, *Laver, ranger le linge: contradictions et ajustements dans le couple*, ERMES, Université Rennes 2, Rapport pour le Plan Construction et Architecture, ministère de l'Équipement, du Logement, des Transports et de la Mer, novembre 1990.
37. Annette Langevin, *Les effets du salariat féminin sur la socialisation des jeunes. Approche comparative frères/sœurs*, Rapport de recherche, CNRS-CNAF, 1989.
38. M. Douglas, *op. cit.*, p. 127.

devront aussi intégrer le long terme et relativiser les photos qu'offre une enquête ponctuelle à une époque donnée, si heuristique soit-elle.

Ainsi pourra-t-on construire une compréhension des rapports sociaux de sexe et de ses transformations qui intègrent tous les termes de cette réalité mouvante en perpétuelles évolutions.

Postlude

Il n'est pas de recherche qui laisse indifférent-e. Toute description, voire toute évocation du propre, du rangé, de l'espace, des relations entre hommes et femmes, renvoie chacun-e à sa propre vie quotidienne et à son intimité. À la gestion de ses relations à l'autre. Quel que soit l'autre. Après la révolution féministe, l'insoumission masculine aux modèles traditionnels, il nous faut (ré)apprendre à vivre ensemble.

L'étude que nous vous avons présentée a été réalisée de 1988 à 1991. Mais nous n'avons pas pour autant arrêté de nous questionner. Depuis ce temps, dès que cela nous a été possible, nous avons cherché à vérifier nos analyses. Parfois les réalités nous les confirment, parfois elles les nuancent ou leur donnent une coloration inattendue. Alors, nous réfléchissons encore, nous cherchons *encore.*

Quant aux personnes qui apparaissent dans l'ouvrage, elles ne sont déjà plus les mêmes. Ou plutôt, elles ont quelques bagages en plus; quelques fragments de leur réalité ont changé, d'autres n'ont plus cours… de nouveaux s'intègrent, ajoutant aux histoires de vie que nous avons retracées ici. On peut en donner ici quelques exemples.

Antoine a eu un enfant avec Jocelyne; récemment, lui et elle ont pris la décision d'acheter un appartement. Éric et Marianne, depuis l'enquête, ont déménagé deux fois; tous deux viennent d'accueillir leur troisième fille, Johanne. Paul,

Martine et leurs quatre enfants ont quitté la communauté des Cévennes pour vivre en Bretagne. Gilbert et Claudine l'ont également quittée, mais ont acheté une maison dans la ville moyenne la plus proche. Christophe et Monique viennent aussi d'acheter un appartement[1]*. Dominique vit maintenant en couple avec Dominique, sa nouvelle amie, une femme plus jeune de 10 ans. Quant à Fred et Jacqueline, Denis et Véronique... ils/elles continuent à vivre dans les mêmes lieux, avec quelques rides en plus.*

Peut-être faudra-t-il écrire la suite... Mais voilà, l'observation du mode de vie est un travail à long terme. Et les informations circulent toujours entre personnes enquêtées et chercheurs. La vie continue.

Elle continue aussi pour les chercheurs. Et dans ce postlude, ces dernières pages griffonnées avant de donner le manuscrit à l'éditeur, nous ne résisterons pas à l'envie de vous parler un peu de nous. D'abord de cette complicité qui a uni deux hommes, ici deux chercheurs, pendant cinq ans de travail en commun. Cet entrelacement de vivre-avec *et de* vivre-chez*. Ces allers-retours entre terrains d'études, université et domiciles.*

Nous aussi, comme chaque lecteur et lectrice de ce livre, nous avons découvert les méridiens du domestique, cette carte du tendre si particulière, qui intègre la baignoire sale, la chaussette qui traîne ou les désordres de chacun-e. Bref, ces «broutilles» du quotidien. Et nous en avons été transformés.

Avant de clore cet ouvrage, qu'il nous soit aussi permis d'émettre un vœu. Nous l'avons dit en introduction: nous sommes résolument du côté des femmes et des hommes qui expérimentent des modes de vie antisexistes. Nous avons essayé, modestement, avec nos moyens limités, d'en décrire certains

1. Faut-il voir dans ces accessions à la propriété la stabilisation matérielle du modèle de couple à autonomies concertées? Nous laissons la réponse en suspens...

méandres. Les frontières domestiques sont complexes et mouvantes, n'en déplaisent aux idéologues de tous poils. Notre dernier souhait: que ces recherches sur le quotidien se développent, et que les études sur les hommes se multiplient. Nous aussi, les hommes, avons des mondes à découvrir.

Amateurs et amatrices de méthodologie, ceci est pour vous...

Méthodes-au-logis

Comment avons-nous réalisé notre enquête? Comment avons-nous exploré le quotidien des hommes interrogés? Nous avons choisi d'exposer les questions de méthode dans cette annexe afin d'alléger l'ouvrage. Sa lecture ne nous en paraît pas pour autant inutile et nous serions ravis d'apprendre que vous l'avez parcourue, y compris de recevoir des critiques et des observations[1].

Cet exposé est nécessaire pour deux raisons:

— il nous paraît indispensable que les résultats de travaux de recherche soient situés dans leur contexte;

— l'approche particulière de l'espace domestique que nous avons adoptée pourra poser des questions d'ordre méthodologique.

Nous exposons donc ici quelques-unes de nos réflexions sur la méthode. *Vivre avec, vivre chez,* tels en sont les mots clés.

---

1. Il est possible d'écrire aux auteurs aux adresses suivantes:
   — VLB éditeur, 1000, rue Amherst, bureau 102, Montréal, Québec, H2L 3K5
   — Interforum, Immeuble Orsud, 3-5, avenue Gallieni, 94251 Gentilly Cedex (France).

À propos de subjectivité

L'ETHNOLOGIE, UNE DÉMARCHE PARTICULIÈRE

Même si le «retour au foyer» de l'ethnologie depuis ces 20 ou 30 dernières années consacre parfois la confusion des deux disciplines cousines que sont la sociologie et l'ethnologie, nous distinguons la démarche ethnologique comme une méthode inductive de terrain. «Inductive», car elle prend en compte la présence du chercheur comme influant sur la situation d'enquête et donc sur les résultats obtenus et les analyses qui en découlent. «De terrain», car elle ne s'appuie pas sur un long préalable d'élaboration d'hypothèses comme cela peut être le fait de la sociologie. Comme l'a bien dit Pierre Bourdieu, l'ethnologue fonde son travail d'enquête sur le contact direct avec les personnes tandis qu'il arrive plus souvent au sociologue de travailler par l'intermédiaire d'enquêteurs ou d'enquêtrices[2]. On pourrait ajouter que l'ethnologie privilégie la découverte des réalités quotidiennes fragmentées; au risque de surprendre le chercheur dans ses certitudes.

À ce propos, nous pouvons vous faire une confidence. Lorsque nous avons recherché des financements pour cette étude, le projet original était conçu pour deux années. Dans les faits, la recherche en a duré quatre. *Vivre-avec* et *vivre-chez* les personnes enquêtées nous a conduits à emprunter des chemins de traverse, à nous perdre quelquefois dans les détails des itinéraires de vie et des relations affectives. La connaissance de l'intime est souvent à ce prix.

La particularité de l'ethnologie tient probablement au fait qu'elle prétend à l'appellation de «science» et qu'à la fois elle se démarque des sciences dites «dures» pour sa prise en compte du subjectif (les sciences humaines devenant alors communément des sciences «molles»). Ainsi, elle semble articuler, opposer ou conjuguer le savant et l'ordinaire, le théorique et le sensible, le bureau et le terrain, le logico-déductif et l'inductif, pour utiliser les termes adéquats.

---

2. P. Bourdieu, *Questions de sociologie*, Paris, Éditions de Minuit, 1983, p. 30.

UN TRAVAIL À LONG TERME

Il est reconnu que les africanistes et autres ethnologues de l'«ailleurs» ont inscrit leur travail d'investigation dans une longue durée et que celle-ci était nécessaire à l'élaboration de leur recherche. Apprentissage profond de la langue, familiarité progressive avec les autochtones, justifications minimales auprès de ces mêmes autochtones, acquisition de confiance sur des actes et des attitudes qui ne laissent transparaître aucune malhonnêteté... tels peuvent être les arguments forts des recherches à long terme.

Ce long terme est-il transposable dans le cas où le chercheur étudie un segment de sa propre société? Nous le pensons. Mais, comme sur les terrains de l'ailleurs, avoir la prétention de décrire les circonvolutions de la vie des gens présente plusieurs difficultés.

D'abord l'accès. Qui parmi les lecteurs et les lectrices inviterait un chercheur à passer une ou deux semaines chez lui/elle accompagné de son cahier de notes et de son appareil photographique? Qui aimerait avoir une plante verte comme observateur, pour reprendre une expression utilisée par Dominique, un des sujets?

Outre ces questions liées aux interactions entre chercheur et terrain, une autre question de pose. Comment dépasser la simple photographie, l'instantané d'une situation? Nous devons considérer celle-ci comme une phase de l'itinéraire de vie. Prenons un exemple. Au moment de l'enquête, Armand B. est père au foyer. Il paterne et se consacre à la plupart des activités domestiques. Un vrai *nouvel homme* si l'on en croit les magazines féminins. Cette situation a duré deux années. Quelle valeur aurait notre recherche si nous n'avions pas intégré cette information? Et on pourrait aussi parler de Pierre C., ancien nourrice agréé[3] pendant trois ans, devenu organisateur de spectacles-événements de grande ampleur. Autrement dit, le travail à long terme est non seulement souhaitable, mais nécessaire. Éclaircissons certains points de cette démarche.

---

3. Les nourrices agréées sont des personnes, en très grande majorité des femmes, qui reçoivent l'autorisation administrative de garder des enfants contre salaire.

LE CHERCHEUR ET LE SUJET: DES INTERACTIONS ORDINAIRES

Nous l'avons fait remarquer dans notre introduction, le chercheur est avant tout un individu. Ainsi, il est mobile. Même chercheur dans l'ici et maintenant, ethnologue du quotidien, il n'en est pas moins citoyen, résident d'une ville, d'un quartier, d'une rue, d'un îlot ou d'une autre zone géographique.

Lorsqu'il s'installe dans une ville, le chercheur-citoyen met en œuvre des stratégies. Il commence à connaître d'autres citoyens, d'autres citoyennes, il s'inscrit petit à petit dans un espace social. Il pourra éventuellement s'ouvrir sur les activités qu'offrent la ville, le quartier; il pourra aussi en initier. Les trajets auxquels il se livre dans la ville ressemblent à ceux des autres, il croise dans la rue des gens qu'il connaît; tantôt il interpelle quelqu'un de l'autre côté d'un trottoir, tantôt on lui fait un signe de la main ou on le salue. Tour à tour citoyen, chercheur, membre de groupes divers, individu, responsable d'association ou client du petit commerce, le chercheur n'est pas un observateur lointain, mais ne devient pas pour autant un «observateur participant[4]».

Il ne doit pas oublier qu'il est chercheur et qu'il va être sujet à une série d'identifications, à de multiples perceptions de l'extérieur. Cette diversité de statuts endossés et de rôles joués le définit un tant soit peu dans le tissu social local. Alors, que faire de ces interactions multiples sollicitant constamment la relation du sujet au chercheur?

> Quand on s'engage dans des relations plus «approfondies», les obligations propres au simple fait de se connaître demeurent, mais elles ne définissent plus la relation par elles seules. D'autres liens, nés de ce noyau initial et de l'interaction, vont apparaître. L'obligation d'échanger des saluts à chaque rencontre occasionnelle s'étend: les deux interlocuteurs peuvent même être tenus d'interrompre momentanément leur activité en cours, pour que se manifeste une rencontre au plein sens du terme,

4. L'expression *observation participante* donne souvent l'impression au chercheur en sciences humaines d'acquérir, par le simple fait d'avoir pénétré une fois au moins les lieux de l'action, une certaine légitimité scientifique. On oublie trop souvent qu'une réelle observation participante se nourrit d'une implication telle qu'elle remet en question la pensée propre du chercheur, qu'elle interroge son identité ou ses identités potentielles.

consacrée au seul besoin d'exprimer le plaisir que cette occasion de contact a apporté. Au cours de cette pause conviviale, chaque participant est tenu de montrer qu'il a gardé fraîchement en mémoire non seulement le nom de son interlocuteur mais aussi des éléments de sa biographie. Il sera bienvenu de s'enquérir des proches de l'autre, de ses récents voyages, des maladies s'il y en a eu, des changements de carrière ou de toutes autres matières témoignant de l'intérêt que le questionneur porte au monde personnel de celui qu'il salue. Réciproquement, cet interlocuteur aura l'obligation de tenir à jour des informations analogues sur tout événement touchant de près son questionneur[5].

Cette vie sociale obligée — et non exempte d'un certain plaisir: celui d'exister et d'être reconnu — confère au chercheur une place particulière vis-à-vis de son terrain d'enquête. Alors, «l'investigation ethnologique, avec la distance qu'elle implique, se développe dans la non-séparation d'avec la communication ordinaire[6]».

LA SUBJECTIVITÉ COMME RICHESSE

En général, on attend du fait scientifique quelque chose qui ressemble à de l'absolu. Définition, catégorisation, vérité, résultat, conclusion, objectivité... l'étude scientifique, tout comme le reportage télévisuel, la parole d'un «spécialiste de», le message d'un «expert en», sont attendus comme autant de prophéties par une pensée ordinaire parfois en manque de repères.

Ainsi, afin d'atteindre une *objectivité* — analogue de la *vérité* philosophique ou religieuse —, il faudrait éliminer tout risque d'erreur, ce qu'on appelle dans le jargon scientifique les *biais*. L'information serait *faussée*, la recherche serait *biaisée*. Or, on sait, comme l'a montré Devereux[7], que le biais fait partie intégrante de la recherche et que la réflexion scientifique doit se porter sur l'ex-

---

5. Erving Goffman, «L'ordre de l'interaction», *Sociétés*, n° 14, mai-juin 1987, p. 8-16.
6. Gérard Althabe, «Ethnologie du contemporain et enquête de terrain», *Terrain*, n° 14, mars 1990, p. 126.
7. Georges Devereux est un chercheur qui s'est défini comme ethnologue et psychanalyste. Il fut l'élève de Marcel Mauss. G. Devereux, *De l'angoisse à la méthode dans les sciences du comportement*, Flammarion, coll. «Nouvelle bibliothèque scientifique», 1967.

ploitation de ces biais qui s'exposent comme fatalité au chercheur, *quelle que soit sa discipline.*

Cette subjectivité est présente dans une technique très utilisée en ethnologie: le récit de vie. C'est à une sorte d'histoire non officielle que le récit de vie nous convie. Comment des personnes que l'histoire collective ne mentionnera jamais ont-elles vécu un contexte social donné? Adopter la technique des récits de vie, c'est accepter d'emblée un principe de reconnaissance de la mémoire de l'autre, et aussi la certitude de récolter des informations uniques et révélatrices d'une époque. Nous nous accordons ici avec Françoise Navez-Bouchanine, qui, évoquant cette technique, dit: «Elle exige une capacité d'écoute (concentration et attention) et de relance tant pour évaluer ce qui est anecdotique — ou au contraire fondamental — de certains éléments avancés par les enquêtés, et pour évaluer la validité de certaines données[8].»

Nul doute que le succès connu par cette technique de cueillette de données[9] témoigne de la nécessité de considérer la subjectivité, mais encore plus l'intersubjectivité (la rencontre de deux subjectivités) comme une source fondamentale pour la compréhension des faits sociaux.

On constate aujourd'hui que certaines techniques, tels le questionnaire ou les statistiques, ne sont pas en mesure de cerner ou de reproduire toute la complexité des problématiques psychosociales. De fait, les sciences sociales se tournent de plus en plus vers le qualitatif[10], orientant les recherches sur la manière de penser des sujets plutôt que de se projeter dans leur esprit à partir de catégories préconçues. À cela répond le récit de vie, dont plusieurs auteur-e-s ont

---

8. F. Navez-Bouchanine, *Enquête, mode d'emploi. Techniques d'enquête et collectes de données dans les études socio-économiques*, Casablanca, Éditions Al Khattabi, 1989.

9. Nous reconnaîtrons à nos ami-e-s québécois-e-s le sens de la formule. Alors que le vocabulaire français retient plus volontiers le terme *collecte*, nous considérons que le terme *cueillette* est plus approprié à notre démarche. Et puis, laissons-nous aller à un peu de poésie: la cueillette nous rappelle le fruit, la collecte, elle, d'une certaine manière, sous-entend la collection.

10. C'est-à-dire l'étude minutieuse du contenu, des formes, du sens... éléments pas toujours mesurables en termes quantitatifs.

mis en exergue l'aspect fondamental dans la compréhension des phénomènes humains et sociaux[11].

Cette technique produit un matériau qui nourrit «l'étude du système de significations et de valeurs propres au récitant *en tant qu'être social*[12]». Comme l'a montré Franco Ferrarotti, le récit de vie est «une *appropriation* du social, une *médiatisation*, que le récitant retraduit en projetant ce récit dans la dimension de sa subjectivité[13]». Dans notre recherche, le récit de vie a pour fonction d'amener à la compréhension d'une transformation et à la manière dont elle s'exprime aujourd'hui. Mais on ne peut pourtant réduire notre méthode à la simple (ou complexe...) utilisation du récit de vie.

Les relations contractuelles

LES SUJETS, ACTEURS DE L'ENQUÊTE

Identifier les hommes susceptibles de participer à notre enquête était une chose, négocier les termes précis de la collaboration en fut une autre.

Après la sélection d'une population potentielle, des stratégies d'accès se mettent en œuvre: appels téléphoniques, visites, courriers... Différentes techniques permettent de réactiver les liens interpersonnels, de valoriser les travaux de recherche précédents, d'expliquer notre démarche, les questions que nous nous posons, et

11. Sur les récits de vie:
S. Clapier-Valdon, J. Poirier et P. Raybaut, *Les récits de vie: théorie et pratique*, Paris, PUF, coll. «Le sociologue», 1983.
Franco Ferrarotti, *Histoire et histoires de vie*, Paris, Méridiens, 1983.
Howard Becker, «Biographie et mosaïque scientifique», *Actes de la recherche en sciences sociales*, vol. XX, n° 62-63.
Ch. Lalive d'Épinay, «Récit de vie et projet de connaissance scientifique», *Recherches sociologiques*, vol. XVI, n° 2, 1985.
Daniel, Bertaux, «Fonctions diverses des récits de vie dans le processus de recherche», dans D. Desmarsais et P. Grell, *Les récits de vie. Théorie, méthode et trajectoires types*, Montréal, Éditions Saint-Martin, 1986.
Revue *Sociétés, Histoires de vie, récits de vie*, n° 18, mai 1988.
12. Ch. Lalive d'Épinay, *op. cit.*
13. Franco Ferrarotti, *op. cit.*, p. 50-51.

enfin d'ouvrir des débats. D'une manière générale, l'accueil est chaleureux, mais les questions fusent: *Pourquoi moi? Pourquoi nous? Quel est l'intérêt de cette étude? En quoi participera-t-elle à une connaissance nouvelle?* Il n'est pas question pour les personnes contactées d'adhérer aux propos des chercheurs sans examen critique de leurs hypothèses, de la logique sociale de leurs travaux. Entre les repas communs, l'étude du projet de recherche, les débats sur notre problématique, voire parfois les échanges de publications, nous assistons au développement d'un réseau d'informateurs et d'informatrices.

Dans les ménages qui acceptent de collaborer, la recherche prend corps et s'enrichit de l'ensemble des critiques positives ou négatives. Le *vivre-avec* s'initie dans cet échange interactif. En ces occasions, rires ou sarcasmes couvrent souvent la terminologie universitaire du chercheur. *Terrain, usagers, stratégies…* semblent parfois des vocables tellement inadéquats pour qualifier le style des relations chercheurs-réseaux qu'ils en deviennent objets de plaisanteries.

Les réseaux sont mobilisés pour aider à une élaboration collective de la recherche. D'un côté, l'ensemble des éléments annoncés de la recherche (réponse à un appel d'offre, projets…) sont discutés et comparés aux expériences et aux pratiques des unités domestiques choisies; de l'autre, on reconnaît le droit au chercheur de dégager, avec son langage particulier des concepts et théories à partir de ces débats. Cette première étape est à double sens. Pour les sujets, elle permet une appropriation des questions théoriques et des implications pratiques posées par les chercheurs et, d'une certaine manière, elle valorise leur mode de vie. Pour les chercheurs, elle fournit l'occasion d'une première confrontation et d'une réécriture du projet. Par exemple, la question de la sexuation des manières de faire le nettoyage et les différentes symboliques sur le propre et le rangé ont été d'abord avancées par des hommes et des femmes de nos terrains d'enquête. Enfin, si la connaissance sociologique est diversement partagée, l'apport d'autres disciplines (médecine, psychologie, philosophie, musicologie…) fut en partie le fait des personnes concernées.

LES LIMITES DE LA COLLABORATION

Même chaleureux et volontaires, les premiers contacts ne se soldent pas toujours par la participation des hommes contactés.

Certaines personnes nous opposeront un refus. Elles envisagent notre présence prolongée comme une *intrusion* indésirable. Dans d'autres cas, leurs proches (compagne, enfants...) ne souhaitent pas notre présence. Plusieurs motifs sont alors évoqués: le manque de temps, le refus de servir de cobaye... Cela paraît bien compréhensible et il convient de respecter ces choix. Cependant, nous n'abandonnerons pas l'idée que ce travail est le fruit d'une collaboration, d'un partenariat. Ce partenariat, conséquence d'une série de contrats entre le chercheur et le sujet, est une source riche de compréhension des phénomènes et une donnée récente des méthodes en sciences sociales et humaines. Il ne s'agit pas uniquement d'un simple principe déontologique, c'est aussi la construction d'une véritable voie méthodologique.

Cette période, pendant laquelle nous proposons la participation des ménages à notre future recherche, est longue. Elle a duré près d'une année pour certaines d'entre elles. Mais cette phase est aussi l'occasion de fixer les termes du contrat.

On l'aura compris, notre méthode suppose l'adhésion réciproque à plusieurs principes, notamment le respect mutuel et la confidentialité. Nous sommes toujours songeurs face aux pilleurs de secrets, aux profanateurs du privé qui se réclament de l'ethnologie ou de la sociologie. L'intérêt du chercheur et l'intérêt de la recherche est la connaissance et non le sensationnel.

Suivant la forme particulière de nos observations et la capacité de séjourner ou non de manière prolongée dans les unités domestiques, le contrat a revêtu des formes diverses.

Dans le cas du vivre-avec, il faut trouver les créneaux pour placer les entrevues. Dans le tourbillon de nos activités respectives (parmi les sujets étudiés, la plupart travaillaient à l'extérieur du foyer), il faut s'accommoder des rythmes des un-e-s et des autres. Comme dans les cas de rendez-vous professionnels, de réunions d'associations ou de simples planifications des activités quotidiennes, la rencontre prend ici une forme organisée. Dans cette recherche du créneau horaire, d'autres activités se dévoilent: «*À 16 h, moi, je ne peux pas, j'ai rendez-vous chez le médecin... C'est compliqué, je sais pas à quelle heure j'en sortirai...*»; ou bien encore: «*Le soir je peux, mais il faut que j'endorme les enfants avant, alors ça nous mène vers 20 h 30, ça te va?*»

Dans le cas du séjour prolongé, il s'est agi de déterminer les dates du séjour, les conditions du partage des frais ou non, la localisation du lit du chercheur... débats qui, dans une deuxième étape, viennent confirmer l'entente sur la participation à la recherche. Le contrat fixe les places des un-e-s et des autres, les obligations réciproques. Ici par exemple, au vu de l'étude, les questions se sont souvent posées ainsi: «*Puisque tu veux étudier les pratiques domestiques, que vas-tu faire? Participes-tu à la préparation des repas? À la vaisselle? Que devons-nous changer?*» La question des biais, bien avant d'être discutée dans les séminaires de recherche, est d'emblée abordée concrètement avec les unités domestiques. On s'accorde globalement sur le fait que le chercheur a un statut d'invité; autant que faire se peut, on ne change rien de la vie ordinaire. Et c'est presque en s'excusant que le chercheur sortira la bouteille de vin apportée pour accompagner le premier repas.

Mais dans tous les cas, ce que nous pourrons dire au sujet de ce que nous aurons vu et vécu est négocié. Dès le départ, nous avons convenu que les chercheurs écriraient des «comptes rendus de terrain», que nous appelions monographies, et qu'elles seraient lues, relues et corrigées par les personnes concernées. Ici, le contrat précisait expressément que chaque unité domestique pourrait, avant publication, modifier la monographie écrite lors de notre passage. Cette clause de confidentialité a, dans les faits, été peu invoquée. En revanche, lors de débats animés, ou lorsqu'un conflit surgissait au cours de notre présence, des regards inquiets invitaient implicitement le chercheur à garder le secret sur ces moments-là. Le chercheur peut alors les intégrer dans son analyse générale de manière anonyme ou en décontextualisant la situation.

Dès les contacts préliminaires, nous avions de toute manière annoncé que nous modifierions les dates, les lieux, voire que nous inventerions des personnages imaginaires. Bref, notre volonté de brouiller les pistes était manifeste.

Vivre-chez: est-ce bien raisonnable?...

La méthode, même écrite au singulier, se décline au pluriel. À chaque chercheur et à chaque segment de terrain une forme particulière de dispositif de la méthode. Ainsi, le *vivre-avec* et le *vivre-chez* sont adaptés l'un et l'autre aux différentes unités domestiques étudiées.

LE VIVRE-AVEC OU LES DONNÉES SENSIBLES DE L'ENTRETIEN[14]: JE PARLE, TU PARLES, NOUS DÉGUSTONS...

Le vivre-avec a consisté à multiplier les rencontres, les entrevues. À travers celles-ci, des liens se tissent, des nœuds de timidité et de gêne réciproques se dénouent, les langues se délient, mais surtout l'intime s'ouvre au regard du chercheur. La technique de l'entretien a déjà été largement abordée dans les manuels de sciences sociales. Il n'est pourtant pas inutile d'y revenir et de la commenter. D'autant plus que ces entretiens sont comparables à des tranches de vie partagées.

Précisons d'abord que les entrevues ont été largement facilitées par un accueil chaleureux de la part des sujets. La plupart du temps, le chercheur fut invité au repas — généralement le soir. Les rencontres se composent schématiquement de trois phases: l'apéritif, le repas, puis l'entretien. Dans les deux premières phases se joue une scène de conversation. Dans la troisième une scène d'entretien. Pourtant, les personnes sont les mêmes, et les temps dans lesquels ces phases se passent sont immédiatement consécutifs. La métamorphose est-elle possible? Le sujet conversant peut-il se muer, en scientifique pour l'un, en enquêté pour l'autre?

La présentation de soi est de règle: du «*Comment ça va?*», on enchaîne sur les impressions ou justifications de la réponse donnée. Chacun sait que l'autre est là pour une soirée complète; il ne suffira donc pas de répondre brièvement comme on peut le faire lors d'une simple rencontre dans un espace public. Dans cette phase d'accueil, l'hôte propose l'éventail des boissons que renferme son bar. Le chercheur réagit en écoutant la liste exposée dont il connaît la plupart des éléments. La boisson sélectionnée, il lui arrivera de sourire, par plaisir, voire, selon son humeur du moment, de faire scintiller sa pupille. Cette expression est ressentie par l'accueillant qui parle alors de la boisson en question: son origine, la personne qui lui a transmis (un ami, un parent), les effets éventuels. On ne

14. Le terme *entretien* est généralement utilisé en France pour caractériser cette technique d'enquête. Au Québec, on emploie plus volontiers le terme *entrevue*. Pour notre part, nous utilisons indifféremment les deux. Cependant, nous n'utiliserons pas le terme *interview* (qui vient lui-même du français «entrevue»...) car c'est un terme essentiellement journalistique.

peut boire sans indifférence. Le palais réagit, l'esprit traduit la sensation et transmet à l'autre le plaisir que procure le goût. L'apéritif peut aussi être pris pendant que l'hôte prépare à manger. Les détails de la préparation sont offerts, la vision des ingrédients bruts ou transformés par une cuisson aiguise l'appétit. Le chercheur est sensible aux couleurs, aux odeurs, aux goûts.

Le repas constitue la deuxième phase. Bien que l'objet de la visite ou du séjour soit l'enquête, les repas ne sont pas sacrifiés pour autant. Les mets sont bons, le corps apprécie, le vin est gouleyant...

La dernière phase est fondamentale car c'est ici que l'entretien proprement dit est produit. Comme nous l'avons déjà dit, les temps sont immédiatement consécutifs. La scène de face-à-face se produit généralement dans le salon, accompagnée d'un breuvage (les femmes offrent la tisane, les hommes l'eau-de-vie). Le partage des mêmes produits de consommation durant le repas est le lien minimal qui unit les protagonistes (si le repas n'a pas été partagé, ce pourra être le breuvage). Plus encore, le salon reste le lieu des confidences et la petite lumière qui l'éclaire en est un autre support. Nous sommes généralement assis dans un fauteuil ou sur un canapé. Et nous nous regardons en face. En fait, tout converge vers un accroissement de l'intimité: la communion des goûts, le face-à-face, le salon, la lumière, les sièges.

L'entretien se nourrit de la conversation qui l'a précédée. Les échanges rééquilibrent le rapport enquêteur-enquêté, les concepts du chercheur se mêlent alors aux énoncés du sujet.

Nous pouvons penser que ces entretiens formels et ces conversations informelles, l'une renvoyant sans cesse à l'autre, ont produit des relations de connivence entre le chercheur et ses sujets. La connivence est le produit de cette «relation-Nous» dont nous parle Alfred Schütz[15]. Le chercheur peut ainsi devenir membre du

---

15. «Ma participation simultanée au déroulement de la communication de l'autre instaure par conséquent une nouvelle dimension du temps. *Nous* partageons lui et moi, aussi longtemps que dure le processus, un présent qui *nous* est commun et qui nous permet de dire: "*Nous* faisons ensemble l'expérience de cette occurrence." Par la relation "Nous" ainsi instaurée, nous vivons tous deux — lui s'adressant à moi et moi l'écoutant — dans notre présent mutuel, orientés vers la pensée à accomplir dans et par le processus de la communication. *Nous vieillissons ensemble.*» Dans Alfred Schütz, *Le chercheur et le quotidien*, Paris, Méridiens Klincksieck, coll. «Sociétés», 1987, p. 117. Les mentions en italiques sont du texte original.

réseau, ami de certain-e-s ou, vis-à-vis d'autres, simple «connaissance».

DU VIVRE-AVEC AU VIVRE-CHEZ: CONFIDENCES POUR CONFIDENCES

Entre conversations et entretiens, le chercheur vit les activités domestiques de telle ou telle famille, dont la gestion de la nourriture fait partie, de même que la réception des invité-e-s. Au fur et à mesure des rencontres, l'entretien n'a plus la même nature. Maintenant, le chercheur a sous les yeux les objets auxquels s'attache son étude. Il peut donc intervenir sur telle ou telle partie de la vie domestique. Il connaît les ami-e-s, les sujets qui font discorde ou au contraire ce qu'il est de bon ton d'évoquer pour faire plaisir aux hôtes. Souvent il va rester pour la nuit, partager le petit déjeuner. Et quand il aura un rendez-vous le lendemain chez les voisins, il prendra racine quelques jours de suite dans l'immeuble.

De plus, si dans les premiers temps nos études ont souvent consisté à recueillir du «discours sur», à interviewer les mêmes individus pendant des périodes plus ou moins longues, nous avons ressenti, au vu des questions non encore résolues, le besoin de dépasser les simples rencontres ponctuelles, le discours et ses biais. Non que les entrevues n'étaient pas suffisamment riches; mais comment imaginer faire une recherche sur l'espace domestique sans s'en imprégner soi-même un minimum? La première série d'entretiens a donc été complétée par des observations directes, en situation, dans les unités domestiques étudiées et pour une durée de 3 à 15 jours.

La situation d'entretien et le séjour prolongé produisent donc un principe d'échange implicite duquel participe la confidentialité. Le chercheur se trouve devoir parler et donner de lui-même; c'est ce que nous dit Erving Goffman:

> Par observation participante, j'entends une technique qui ne saurait être employée seule dans une recherche, qui ne serait pas utilisable pour toute recherche, mais que l'on pourrait envisager dans certaines recherches. Elle consiste à recueillir des données en vous assujettissant, physiquement, moralement et socialement, à l'ensemble des contingences qui jouent sur un groupe d'individus. [...] C'est ainsi que vous "accordez" votre corps. [...]

> Vous devriez vous mettre en position de vous dépouiller à l'extrême. Malheureusement, peu de gens le font, en partie à cause des aléas de la vie universitaire. [...] vous devez vous montrer disponible à la moindre ouverture. [...] il faudra vous ouvrir comme vous ne l'avez jamais fait dans votre vie. [...] vous devriez avoir le sentiment de pouvoir vous installer, d'oublier que vous êtes sociologue. Vous devriez commencer à être attiré par les personnes de l'autre sexe[16]. Vous devriez pouvoir adopter les mêmes rythmes biologiques, les mêmes mouvements, la même façon de battre du pied, par exemple, que les gens qui vous entourent. Voila comment tester votre intégration au groupe[17].

Insistant sur ce rapport sensible au terrain, Goffman montre dans la suite de son article comment on peut s'adonner à une autodiscipline en mesurant la pertinence des informations obtenues. La relation de confiance étant présente, le chercheur est en quelque sorte intégré et doit se livrer à un véritable travail pour équilibrer ce «mélange d'abandon et de retenue» qui réside dans «l'ambiguïté de l'expérience ethnographique de terrain». Harmoniser «les sens et la pensée» est ainsi une condition de «succès» du travail entrepris[18].

LE VIVRE-CHEZ: «OÙ EST LE NESCAFÉ?»

Comme nous l'avons expliqué, les ménages chez qui nous avons vécu connaissaient plus ou moins le chercheur. Ce capital de confiance a largement aidé les négociations préalables à l'accès aux différents logis. Cependant, pour certains, près d'une année s'est ainsi écoulée avant d'aller vivre chez les hommes étudiés. Cela ne fut pas sans préalables; ceux-ci se sont exprimés différemment d'un ménage à l'autre.

Par exemple, la fille de Dominique D., lycéenne, voulait *«que la visite se situe hors des congés scolaires, dans une période sans examen»*. Fred V., lui, souhaitait que toute sa famille soit présente pendant

16. Nous laissons à Goffman la responsabilité de cette remarque.
17. E. Goffman, «Le travail de terrain», *Journal of Contemporary Ethnography*, vol. 18, n° 2, juillet 1989, p. 123-132 (transcription par Pascale Joseph d'une intervention orale aux rencontres de la Pacific Sociological Association en 1974).
18. Gérard Toffin, «Le degré zéro de l'ethnologie», *L'Homme*, n° 113, janvier-mars 1990, p. 138-150.

cette période. Aussi, la chambre d'ami-e-s située près de chez Claude et Morgane F. étant la propriété de la communauté, il fallut négocier avec tous les membres de celle-ci. De la même manière, Armand B. dut expliquer et demander l'accord de ses colocataires. Quant à l'étude de l'espace domestique de Jullien L., il fallut attendre l'accord de son compagnon quelque peu réticent. En revanche, chez Éric T. et Marianne L., la proposition fut plutôt acceptée avec enthousiasme: Marianne a elle-même organisé la venue du chercheur.

Dans l'ensemble, la présence du chercheur ne fut pas ressentie comme un événement extraordinaire, mais plus comme une phase particulière d'un échange à terme. Tout au plus lui suggéra-t-on parfois de ne pas mentionner le but exact de sa présence lors de la visite de parents ou d'amis. Ailleurs, au contraire, on profita de sa présence pour mettre en avant une discussion, voire pour organiser des débats avec le réseau amical.

Quant au quotidien, il fut comme tous les quotidiens. L'entrelacement du banal, de l'ordinaire qui commence le matin par la préparation du petit déjeuner et se termine par l'infusion ou le café du soir, le salut et les bises avant d'aller se coucher. Un mélange de face-à-face, d'évitements, de silences, de paroles, de petites joies ou de petites peines qui émaillent l'existence journalière de tout-e un-e chacun-e.

Bien sûr, les premiers jours, l'hôte[19] doit s'habituer à cette présence permanente de l'invité au cahier de notes, apprendre à répondre à ces étranges questions posées ici et là, donner du sens à tel geste si répétitif qu'on a même oublié qu'on le produisait. Mais aussi résister à l'envie de se justifier, de tout vouloir expliquer. L'enquêteur apprend alors à se faire petit, à déranger le moins possible, être là et tout à la fois à rendre sa présence la plus légère possible. Il y eut des situations d'entretiens comme nous les avons décrites précédemment, mais il y eut aussi tous les silences qui rythment les quotidiens.

D'un commun accord, le chercheur avait «quartier libre» pendant que les un-e-s et les autres étaient à l'extérieur. Il a pu être à

19. L'hôte est ici la personne qui reçoit. Mais il faut souligner qu'un deuxième sens du mot *hôte* est: «personne qui reçoit l'hospitalité», c'est-à-dire l'invité. Ce double sens nous éclaire sur la signification réciproque de l'échange humain et sur les interactions ordinaires déjà évoquées dans ce chapitre. Nous profitons de cette parenthèse sur notre belle langue pour mentionner que le chercheur a également reçu des sujets chez lui, à l'occasion de repas, d'apéritifs ou de simples visites.

son aise dans le logement pour travailler à son enquête: faire un plan du logement, prendre des notes sur le contenu d'une étagère, les décors muraux, les appareils ménagers, le repas de la veille et ses interactions, prendre une photographie. Parfois, lorsque les termes du contrat le permettaient, il a pu relever le contenu des placards. Mais rien ne l'empêchait évidemment de sortir. Faire quelques achats dans les commerces du quartier ou de la ville, que ce soit pour son repas personnel ou pour soulager un peu le quotidien de son/ses hôte/s, mais aussi rendre un service, prendre un message. Au retour des résident-e-s, on se raconte la journée, l'ambiance *«au boulot»*, le commerçant sympathique du coin de la rue.

Mais le vivre-chez consiste aussi à partager des activités avec les résident-e-s. Aller au cinéma, aller chercher les enfants à la sortie de l'école, partager une balade dans le quartier ou à la campagne, sont des activités qui permettent à l'enquêteur de vivre également l'environnement immédiat des sujets et ainsi de mieux apprécier leur vie quotidienne. Parfois même, des événements plutôt cocasses font oublier la situation d'enquête. Il arriva que le chercheur aide le sujet à réparer le lave-vaisselle; plus exactement, il fallut retourner et vidanger la machine pleine d'eau pour dégager un filtre obstrué de détritus. Et c'est à grands éclats de rire que tous deux, à quatre pattes, les genoux dans l'eau et les chaussures trempées, imaginèrent la description de la scène dans la monographie à écrire.

En fait, plus qu'une simple visite, ce sont les quotidiens des sujets et des chercheurs qui se cherchent des points communs, des repères semblables, qui s'ajustent. Le vivre-chez, c'est tout à la fois être le fils de la maison à qui il faut tout apprendre, le cousin venu de loin pour un séjour à qui on reconnaît un regard naïf sur la vie de la maison, le grand-père en visite qui rend certains services par plaisir, le voisin peu connu à qui on offre l'apéritif.

Présent, le chercheur l'est aussi quand grondent les conflits, quand éclatent les disputes. Il lui arriva d'être le spectateur involontaire, le témoin que l'on essaie de rendre complice. Il délaissa alors ostensiblement son cahier de notes comme pour signifier la discrétion qu'il affichera plus tard sur ces événements que l'on préfère garder enfouis dans les secrets des familles. D'ailleurs, tout au long de son séjour, chaque personne, sans forcément s'en expliquer, peut annoncer qu'elle désire ne pas voir publier de manière personnalisée telle ou telle information. C'est ainsi que les monographies n'ont pas intégré certains renseignements sur le lignage des hommes et des femmes enquêté-e-s (en particulier l'appartenance à tel milieu d'affaires, ou à telle «famille» politique), ou d'autres informations sur la sexualité de ces personnes, notamment les expériences d'homosexualité, ou les pratiques considérées comme «non conventionnelles».

LE RETOUR CHEZ SOI ET LA RESTITUTION

Une fois les visites terminées, qu'elles aient duré quelques jours ou quelques semaines, qu'elles soient qualifiées ici de *vivre-avec* ou de *vivre-chez*, le chercheur retrouve son quotidien à lui, les portes et les murs de son logement. Alors commence la rédaction des monographies. Confronté à un épais cahier rempli de notes, d'impressions furtives, d'images plein la tête, il faut mettre des mots, traduire des expériences et respecter la confidentialité. Alors on doit tricher, le mieux possible, c'est-à-dire en restituant tout de même l'essence de la réalité. En général, comme promis, les lieux sont changés, ainsi que les noms, les professions. Encore imprégné d'un quotidien bien réel où on s'appelle Pierre et non Paul, l'opération reste délicate, on n'y comprend plus rien. Les parents, les lieux de résidence, les dates... tout passe au brouillage des identités.

Un contrôle sur les monographies à publier a été promis. Mais mettre des mots sur la vie des hommes, expliquer le propre et le rangé, annoter la chaussette qui traîne ou la couche de poussière sur l'étagère, commenter la décision conflictuelle d'avoir un enfant ou non, analyser l'aménagement de la cuisine... peuvent être ressentis comme une ingérence inacceptable. Certaines unités domestiques visitées étaient en crise larvée, latente ou même ouverte. Parfois même, la visite du chercheur fut l'occasion de faire le point après quelques années de vie commune.

Enfin, il faut du temps aux deux chercheurs pour débattre entre eux, comparer, discuter. Il leur faut d'abord s'extraire des relations affectives avec les personnes, dont certaines sont devenues des proches. Puis viennent l'envoi et la discussion des monographies. Les sujets s'étonnent de certaines observations, commentent une hypothèse ou en ajoutent une autre dans la marge. Dans les faits, peu de modifications ont été demandées; tout au plus, on précise une information, la correction concerne un détail. La restitution définitive est l'occasion d'un dernier repas, où sont évoqués, entre tant d'autres choses, les souvenirs marquants de la visite du chercheur.

Mais très vite, la vie quotidienne reprend ses droits.

Table

DEUXIÈME PARTIE